Le rabbi païen

Cynthia Ozick
Le rabbi païen

Traduit de l'anglais
par Claudia Ancelot

Titre original :

THE PAGAN RABBI
(E. P. Dutton, Inc., New York)

Pour Bernard

Je dois ce livre (et une partie de ma vie) à David
I. Segal (1928-1970).

Merci à Carolyn Kizer et au National Endowment
for the Arts, pour la foi et les œuvres ; merci à Norman
Podhoretz : ba'al hanifla'ot.

Le rabbi païen

*Rabbi Jacob a dit : « Celui qui chemine
plongé dans l'étude, mais s'interrompt pour
observer : " Regardez ce bel arbre ! " ou :
" Que ce champ en friche est beau ! ", les
Écritures considèrent que cet homme-là a
commis une faute envers lui-même. »*

Les Préceptes des Pères.

Le jour où j'appris qu'Isaac Kornfeld, homme pieux, grand cerveau, s'était pendu dans un parc, j'introduisis un jeton dans le tourniquet du métro et me mis en route pour voir l'arbre en question.

Nous avions été condisciples au séminaire rabbinique. Nos pères étaient tous deux rabbins. Ils étaient également amis, mais ce n'était que façon de parler : en vérité, ils étaient ennemis. Ils rivalisaient — à qui se montrerait le plus charitable, à qui rédigerait les gloses les plus brillantes, les plus époustouflantes, à qui aurait le plus grand nombre de disciples. Des deux le père d'Isaac était le plus doux. Mon père à moi m'inspirait de la crainte : il avait une maladie du larynx et même quand il adressait à ma mère un propos parfaitement banal — « apporte le thé » —, le résultat était bruyant, éclaté, vindicatif.

Ni l'un ni l'autre n'étaient le moins du monde enclins à la philosophie. Sur ce seul point ils étaient d'accord. « La philosophie est une abomination, avait coutume de dire le père d'Isaac. Les Grecs étaient philosophes, mais ils sont restés des enfants jouant avec

13

leurs poupées. Même Socrate, un monothéiste, faisait porter de l'argent au temple pour payer l'encens d'une poupée. — L'abomination, c'est l'idolâtrie, rétorquait Isaac, et non pas la philosophie. — L'une est le passage qui mène à l'autre », disait mon père.

Mon propre père était persuadé que sans la philosophie jamais je n'aurais été conduit à l'athéisme qui finalement me poussa à quitter le séminaire au cours de ma deuxième année. L'ennui, ce n'était pas la philosophie — je n'avais rien du talent d'Isaac ; plus tard, ses maîtres dirent que grâce à sa remarquable imagination il pouvait distiller du sacré du moindre filigrane. Le jour de son enterrement, on en voulut au président de son université d'avoir dit que bien qu'un suicidé ne puisse être enseveli en terre consacrée, toute terre accueillant Isaac Kornfeld était *ipso facto* consacrée. Il convient de noter qu'Isaac s'était pendu quelques semaines avant son trente-sixième anniversaire ; il était alors à l'apogée de son renom ; et, bien entendu, le président ne savait pas tout. Il se fondait sur la réputation d'Isaac, qui n'avait jamais été plus glorieuse qu'à la veille de sa mort.

Je faisais de même et m'étonnai que tout ce génie, ce saint génie, cette surprise de l'intellect eussent fini par ne pas monter plus haut que la deuxième branche d'un jeune chêne gracieux aux racines musclées comme les serres d'un griffon affleurant sur le sol détrempé.

L'arbre se dressait presque seul dans une longue prairie raboteuse qui descendait vers une baie remplie de palourdes souffreteuses et de puanteur. L'endroit s'appelait Trilham's Inlet et je décryptai sans peine cette odeur : l'eau froide et brumeuse recouvrait la moitié des étrons de la ville.

Le jour de ma visite à l'arbre, l'air était barbouillé de brouillard. C'était un temps de fin d'automne et, bien que ce fût dimanche, les chemins étaient déserts. Ce jour-là, le parc semblait appartenir à l'histoire, avec ses herbes gagnées par la rouille et ses monuments abandonnés. Devant la tombe du soldat inconnu, une couronne de fleurs en plastique, déposée plusieurs mois auparavant par un défilé civique, restait calée contre une frise de pierre représentant des marcheurs identiques vêtus du costume d'une guerre ancienne. Un drapeau recouvrant le ventre de la couronne expliquait que le but de la guerre, c'est la paix. Aux confins du parc, on construisait une gigantesque autoroute. J'avais le sentiment de traverser un champ de bataille plongé dans le silence grâce à la victoire des machines de paix. Les bulldozers avaient profondément mordu sur le parc et les carcasses des arbres sacrifiés avaient déjà été débitées en rondins. Ils avaient abattu des douzaines d'érables, d'ormes et de chênes. Leurs rouelles intérieures humides exhalaient un parfum de grange, de campagne, de décomposition.

Dans le pré d'en bas, en bordure de l'eau, je reconnus l'arbre qui avait conduit Isaac à pêcher contre sa propre vie. Il ressemblait étrangement à une photographie — pas seulement cette photographie de journal que je réchauffais dans ma poche et qui montrait le terrain et ses repères, la fontaine d'eau potable à quelques mètres de là, le mur de brique délabré d'une ancienne propriété à l'arrière-plan. Dans la légende, le journaliste avait particulièrement insisté sur *la corde.*

15

Mais la corde n'était plus là : la veuve l'avait réclamée. C'était son propre châle de prière qu'Isaac, homme de petite taille, avait jeté sur le joli col de la deuxième branche. Un juif doit être enseveli dans son châle de prière ; la police l'avait remis à Sheindel. Je notai que l'écorce était pelée à cet endroit. L'arbre était plaqué contre le ciel, lisse et léché comme un timbre-poste. La pluie se mit à le frapper et l'aplatir encore davantage. Un miasme d'égout vint voiler mes narines. Il me semblait que j'étais un personnage dans une photo, se tenant à côté de la forme grise et indistincte de l'arbre. Si je ne voulais pas rester planté là pour l'éternité à côté du péché d'Isaac, il fallait courir et donc, ce même soir, je courus droit chez Sheindel.

Autrefois, je l'avais aimée. Je parle ici de la première fois que je l'avais vue, sans exclure la dernière. La dernière fois — la dernière avec Isaac — c'était peu après mon divorce ; faisant d'une pierre deux coups, j'avais abandonné ma femme et le commerce de fourrure de mon cousin dans la petite ville au nord de l'État de New York où ils se morfondaient l'un et l'autre. Soudain, Isaac, Sheindel et deux bébés débarquèrent dans le hall de mon hôtel — ils étaient de passage : Isaac partait faire une conférence au Canada. Nous étions assis sous des néons écarlates et Isaac me dit qu'à présent mon père ne pouvait plus du tout parler.

— Il est fidèle à son vœu, dis-je.

— Non, non, il est malade, dit Isaac. Une obstruction dans la gorge.

— C'est moi, l'obstruction. Tu sais ce qu'il a dit quand j'ai quitté le séminaire. Il était sérieux même s'il y a des années de cela. Il ne m'a jamais adressé la parole depuis.

— Nous lisions ensemble. Il a dit que c'était la faute de la lecture, et quelle est sa faute à *lui* ? Des pères comme les nôtres ne sont pas capables d'aimer. Ils ne sortent pas assez.

C'était une remarque bizarre bien que je fusse trop préoccupé de mes propres ressentiments pour y prêter attention.

— Ce n'était pas ce que nous lisions, répondis-je. La Torah enseigne qu'à père illustre il n'est pas fils illustre. Sans quoi, il ne serait pas humble comme les autres gens. Il me reste au moins ça, de tout ce dont on nous a bourré le crâne. Donc, mon père s'est toujours considéré plus illustre que quiconque, surtout plus que ton père. C'est pourquoi — déclamai-je en cadences talmudiques — je n'avais aucune chance, n'est-ce pas ? Un bêta et pas bûcheur. Toi, par contre, tu étais capable de répondre à des questions qu'on n'avait même pas encore inventées. Après quoi, tu inventais les questions.

— La Torah n'est pas une pioche, dit Isaac. Un homme a besoin de gagner sa vie. Tu as gagné la tienne.

— La peau d'un animal mort, ce n'est pas une vie non plus, c'est une indécence.

Pendant tout ce temps-là, Sheindel se tenait parfaitement immobile ; les bébés, des nourrissons de sexe féminin portant de longs bas, dormaient dans ses bras. En plein mois de juillet, elle avait un bonnet de laine sombre et épais qui cachait tous ses cheveux jusqu'au dernier. Mais je les avais vus un jour flottant dans toute leur brillante noirceur.

Isaac finit par demander :

— Et Jane ?

— Question tout à fait à propos quand on parle d'animaux morts. Tu pourras dire à mon père — il refuse de répondre à mes lettres, il refuse de venir au téléphone — que pour l'affaire de mon mariage, il n'avait pas tort, mais sans comprendre la vraie raison. L'homme qui partage le lit d'une puritaine a froid lorsqu'il y pénètre et il en ressort tout aussi gelé. Tu sais, Isaac, mon père me traite d'athée, mais dans le lit conjugal, tout juif croit aux miracles même s'il a perdu la foi.

Il n'avait rien répondu. Il savait que je lui enviais sa Sheindel et la chance qu'il avait. Contrairement à nos pères, Isaac ne m'avait jamais tenu rigueur de ce mariage que son père considérait comme un triomphe personnel sur mon père et que mon père, vaincu aux yeux de la société, prit comme prétexte pour me déclarer mort. Il déchira ses vêtements et resta huit jours sur un tabouret, alors que le père d'Isaac venait assister à son deuil, secrètement satisfait, tout en se lamentant à haute voix sur tous les apostats. Isaac n'aimait pas ma femme. Il la traitait de grande paille jaune. Après notre mariage, il ne dit jamais un seul mot contre elle, mais il prit ses distances.

Accompagné de ma femme, j'allai au mariage d'Isaac. Nous étions descendus tout exprès par le premier train, mais quand nous arrivâmes, la fête était déjà bien avancée et battait son plein.

— Regarde un peu, ils ne dansent pas ensemble, dit Jane.

— Qui ça ?

— Les hommes et les femmes. Le marié et la mariée.

— Compte les bébés, lui conseillai-je. Les juifs aussi sont des puritains, mais seulement en public.

Toute seule, assise sur une chaise droite, la mariée était enfermée au centre d'une ronde endiablée de jeunes gens. Le plancher gondolait sous ce tourbillon. Ils tapaient des pieds, les lustres tremblaient, les invités criaient, les jeunes gens, bras dessus, bras dessous, formaient une spirale et leurs calottes s'envolaient comme des ballons happés par une force centrifuge. Isaac, perçu comme dans un brouillard, costume noir, chaussures martelant le sol, se perdait dans le sillage de cette planète d'habits noirs et de pieds démonstratifs. Les jeunes danseurs clamaient à tue-tête des chants de noce, le plancher basculait comme une assiette, toute la pièce vibrait.

Isaac m'avait un peu parlé de Sheindel. Je ne l'avais encore jamais vue. Elle était née dans un camp de concentration et ils étaient sur le point de la jeter contre une clôture électrifiée lorsqu'une armée se rua contre le portail ; le courant disparut de ces fils terrifiants et, par la suite, elle ne portait aucune trace de l'événement sauf une marque sur son visage, comme un astérisque, l'entaille d'un barbelé. L'astérisque renvoyait à certaine note en bas de page ; elle informait sèchement qu'elle n'avait pas de mère à son actif, pas de père à son actif, mais, chose extraordinaire, elle avait Dieu à son actif — compte tenu de son âge et de son sexe, on s'émerveillait de son savoir. Elle n'avait que dix-sept ans.

— Elle a de bien beaux cheveux, dit Jane.

A présent, Sheindel dansait avec la mère d'Isaac. Toutes les dames formaient une haie et la mariée, tournoyant avec sa belle-mère, perdit un soulier et tomba contre la longue rangée rieuse. Les dames levèrent leur poitrine étincelante dans les robes de dentelle et rirent ; les jeunes gens, deux à deux, tapant des pieds, continuaient à lancer leurs chants de noce. Sheindel dansait sans son soulier, suivie par la rivière noire de ses cheveux.

— Désormais, elle devra cacher tout ça, dis-je à Jane.

Elle voulut savoir pourquoi.

— Pour ne pas induire les hommes en tentation, lui expliquai-je, tout en cherchant furtivement mon père du regard.

Le voici, enveloppé d'ombre, isolé. Mes yeux découvrirent les siens. Il me tourna le dos et porta sa main à la gorge.

— C'est une expérience tout à fait anthropologique, dit Jane.

— Une noce est une noce, chez nous encore plus qu'ailleurs.

— C'est ton père là-bas, ce petit homme renfrogné ?

Aux yeux de Jane tous les juifs étaient petits.

— Mon père, l'homme de Dieu.

— Une noce n'est pas une noce, dit Jane.

Nous nous étions contentés d'un mariage civil devant un juge qui sentait mauvais de la bouche.

— Tout le monde se marie pour la même raison.

— Non, dit ma femme. Certains pour l'amour, d'autres pour la haine.

— Et tout le monde pour le lit.

— Certains pour la haine, insista-t-elle.

— Je n'ai jamais été fait pour être un homme de Dieu. Mon père ne comprend pas cela.

— Il ne te parle plus.

— Un problème technique. Il est en train de perdre la voix.

— Eh bien, il n'est pas comme toi. Il ne le fait pas pour la haine.

— Tu ne le connais pas.

Il perdit sa voix pour de bon précisément la semaine où Isaac publia sa première remarquable collection de *responsa*. Le père d'Isaac se rengorgea comme un dindon énamouré et embarqua sa femme pour un voyage en Terre sainte, histoire de se vanter là-bas, sur le sol sacré. Isaac en fut quelque peu soulagé ; il venait d'être nommé professeur d'histoire mishnaïque et était gêné par les caprices, les prétentions et les sottes rivalités de son père. Il est facile d'honorer son père de loin ; mais il est amer d'honorer un père mort. Un chirurgien excisa la voix de mon père et il mourut sans mot dire.

Je ne voyais plus Isaac. Nos voies étaient trop mal assorties. Isaac était célèbre, sinon dans le monde, au moins au royaume des juristes et des érudits. A l'époque, j'étais devenu copropriétaire d'une petite librairie située dans un sous-sol. Mon associé me vendit sa part et j'installai une nouvelle enseigne : LA CAVE AUX LIVRES. Pour des raisons plus obscures que la piété filiale (et pourtant j'aurais voulu que mon père voie cela), je créai un rayon consacré à des œuvres théologiques pas tout à fait rares, surtout en hébreu et en araméen, bien que j'eusse aussi un peu de latin et de grec en stock. Lorsque le deuxième volume d'Isaac arriva sur mes étagères (je m'étais agrandi et avais atteint le rez-de-chaussée), je lui envoyai mes félicitations, après quoi il y eut entre nous une correspondance irrégulière. Il prit l'habitude de me commander tous ses livres et nous échangions de petites plaisanteries embarrassées. « Je suis resté dans la branche des jaquettes, lui écrivis-je, mais, maintenant, je me sens à ma place. La fois d'avant, je m'étais *fourré* dans un bien mauvais pas. » Lui m'écrivit : « Sheindel va bien et Naomi et Esther ont une sœur. » Et plus tard : « Naomi, Esther et Miriam ont une sœur. » Et plus tard encore : « Naomi, Esther, Miriam et Orpha ont une sœur. » Cela continua jusqu'à ce qu'il y eût sept filles. « Rien dans la Torah n'empêche un père illustre d'avoir des filles illustres », lui répondis-je lorsqu'il eut renoncé à l'espoir de donner un nouveau rabbin à la famille. « Mais où trouver sept maris illustres ? » demanda-t-il en retour. Chaque commande était assortie d'une nouvelle boutade et ce trafic de mots d'esprit continua pendant quelques années.

Je constatai qu'il lisait tout. Dans le temps, il avait attisé mes goûts dans ce domaine, mais j'étais incapable de le suivre. Il ne m'avait pas plus tôt communiqué la joie que lui apportait Saadi Gaon qu'il s'était déjà propulsé dans Juda Halevi. Un jour, il pleurait avec Dostoïevski, le lendemain, Thomas Mann le faisait sauter de joie. Il me fit connaître Hegel et Nietzsche, cependant que nos pères se lamentaient. Les lectures de sa maturité n'étaient pas plus paisibles que celles de son jeune âge où il m'arrivait de le trouver au crépuscule dans une salle de classe déserte, déchaussé, les pieds sur le rebord de la fenêtre, les nuages planant très bas sur la ville déjà éteinte et sur son visage l'expression d'un homme que l'imprimé avait rendu à moitié fou.

Mais lorsque — masquant un certain excès de vigilance ou d'irritation — la veuve me demanda si à ma connaissance Isaac avait récemment commandé des livres d'horticulture, je fus étonné :

— Il achetait tant de choses, répondis-je d'un ton hésitant.

— Oui, bien sûr, oui. Vous ne pouvez pas vous souvenir de tout.

Elle me versa le thé, puis, d'un geste fort discret, retira mon imperméable dégoulinant de la chaise où je l'avais jeté et l'emporta dans l'entrée. L'appartement était bourré d'objets, ni impeccable ni vraiment négligé, avec tout un fatras de poupées, de dînettes et une batterie de tricycles. La table de la salle à manger était vaste comme un désert. Un chemin crocheté à l'ancienne la divisait en deux nations et, tout au bout, dans la zone neutre pour ainsi dire, Sheindel avait posé ma tasse. Aucune relique matérielle d'Isaac dans la pièce : pas même un livre.

Elle revint.

— Toutes mes filles sont endormies, nous pouvons parler. Quel supplice pour vous par un temps pareil d'aller si loin pour voir cet endroit.

Pas moyen de discerner si elle était ou non fâchée. J'avais fait irruption chez elle comme la pluie qui tombait, répandant des gouttes partout, avec des feuilles collées à mes semelles.

— Je saisis très bien pourquoi vous êtes allé là-bas. Une impulsion de détective.

Il y avait dans sa voix une ironie qui m'étonna. Elle

avait un timbre brillant et parfaitement distinct, d'une précision incisive. On aurait dit que chacun de ses mots émettait un fil blanc d'une grande pureté, comme une soie dure qu'il fallait trancher net d'un coup de dents.

— Vous êtes allé chercher quelque chose ? Une atmosphère ? La tristesse elle-même ?

— Il n'y avait rien à voir.

Je me dis qu'il fallait être dément pour être venu me mettre au travers de son chemin.

— Vous avez fouillé la terre ? Il aurait pu enterrer un mot d'adieu ?

— Y a-t-il eu un mot ? demandai-je, interloqué.

— Il n'a rien laissé pour le commun des mortels comme vous.

Je compris qu'elle jouait avec moi.

— Rebetzin Kornfeld, dis-je en me levant. Pardonnez-moi. Mon manteau, s'il vous plaît. Je m'en vais.

— Asseyez-vous, ordonna-t-elle. Isaac lisait moins ces derniers temps, l'aviez-vous remarqué ?

Je lui adressai un sourire poli.

— Pourtant, il achetait de plus en plus.

— Réfléchissez. J'ai besoin de vous. Justement, vous êtes celui qui pourrait savoir. Je l'avais oublié. C'est peut-être Dieu qui vous envoie.

— Rebetzin Kornfeld, je ne suis qu'un libraire.

— Dieu a jugé bon de m'envoyer un libraire. Depuis si longtemps Isaac ne lisait plus à la maison. Réfléchissez. De l'agronomie ?

— Je ne me souviens de rien de tel. Qu'est-ce qu'un professeur d'histoire mishnaïque irait chercher dans l'agronomie ?

— Quand il avait un nouveau livre sous le bras, il

l'emportait directement au séminaire et le cachait dans son bureau.

— Je lui expédiais ses commandes au bureau. Si vous voulez, je peux rechercher certains des titres...

— Vous êtes allé dans le parc et vous n'avez rien vu ?

— Rien.

Puis j'eus honte.

— J'ai vu l'arbre.

— Et qu'est-ce que c'est ? Un arbre, ce n'est rien.

Je me fis suppliant :

— Rebetzin Kornfeld. C'est stupide de ma part d'être venu ici. Je ne sais vraiment pas pourquoi je suis venu. Je vous demande pardon, je ne me doutais pas...

— Vous êtes venu pour savoir pourquoi Isaac s'est donné la mort. De la botanique ? Ou peut-être même, écoutez-moi bien, de la mycologie ? Il ne vous a jamais demandé de lui envoyer un ouvrage sur les champignons ? Ou quelque chose sur les herbes ? Le fumier ? Les fleurs ? Un certain genre de poésie agricole ? Un livre de jardinage ? De sylviculture ? Un ouvrage sur les légumes ? La culture des céréales ?

— Rien, rien de pareil, dis-je avec passion. Rebetzin Kornfeld, votre mari était rabbin !

— Je sais ce qu'était mon mari. Quelque chose sur les plantes grimpantes ? Les tonnelles ? Le riz ? Réfléchissez, réfléchissez donc ! Quelque chose en rapport avec la terre — les prés, les chèvres, une ferme, du foin —, n'importe quoi, n'importe quoi de mystique ou de lunaire...

— De lunaire ! Grand Dieu ! Était-il professeur ou

horticulteur ? Les chèvres ? Était-il fourreur ? Sheindel, êtes-vous folle ? Le fourreur, c'était *moi* ! Qu'est-ce que vous allez chercher chez les morts ?

Sans mot dire, elle remplit ma tasse de thé bien qu'elle fût encore plus qu'à moitié pleine et s'assit en face de moi, de l'autre côté de la ligne frontalière de dentelle. Elle appuyait sa tête dans ses mains, mais je voyais ses yeux. Ils restaient grands ouverts.

— Rebetzin Kornfeld, dis-je en cherchant à me reprendre en main, après une telle tragédie...

— Vous croyez que j'accuse les livres. Je n'accuse pas les livres, quels qu'ils aient été. S'il avait été fidèle à ses livres, il aurait vécu.

Je m'écriai :

— Il vivait dans les livres ! Quoi d'autre ?

— Non, dit la veuve.

— Un érudit, un rabbin. Un juif admirable !

Là-dessus, un rire furieux déborda de sa bouche :

— Dites-moi, j'ai toujours été très intéressée, mais je n'osais pas demander. Parlez-moi de votre femme.

Je rétorquai :

— Ça fait des années que je n'ai pas de femme.

— Comment sont-ils, ces gens-là ?

— Ils sont exactement comme nous, si vous pouvez imaginer ce que nous serions si nous étions comme eux.

— Nous ne sommes pas comme eux. Ils tiennent plus à leur corps que nous tenons au nôtre. Nos livres sont sacrés, pour eux, le corps est sacré.

— Celui de Jane était si sacré qu'elle me permettait à peine d'en approcher, murmurai-je dans ma barbe.

— Isaac avait l'habitude d'aller courir dans le parc,

mais il s'essoufflait trop vite. Au lieu de courir, il lisait un livre sur des coureurs portant des chapeaux de feuilles.

— Sheindel, Sheindel, que vouliez-vous qu'il fît ? C'était un homme d'étude, il restait assis, il pensait, c'était un juif.

D'un geste brusque elle posa ses mains à plat sur la table :

— Non, ce n'était pas un juif.

J'étais incapable de répondre. Je me contentais de la regarder. Elle était plus maigre à présent que lorsqu'elle était encore une toute jeune femme ; son visage hésitait quelque part à mi-chemin, la bouche et la mâchoire gardaient une finesse poignante, alors qu'une certaine grossièreté gagnait le haut du visage.

— Je crois qu'il n'a jamais été juif.

Je me demandai si le suicide d'Isaac n'avait pas fait vaciller sa raison.

— Je vais vous raconter une histoire, reprit-elle. Une histoire sur des histoires. C'étaient des histoires qu'Isaac racontait à Naomi et à Esther quand elles étaient au lit : des histoires de souris qui dansent et d'enfants qui rient. Lorsque Miriam est arrivée, il a inventé un nuage qui parle. Pour Orpha, c'était une tortue mariée à un brin d'herbe fané. Et puis, lorsque nous avons eu Leah, les pierres versaient des larmes parce qu'elles ne pouvaient pas marcher. Rebecca a pleuré à cause d'un arbre qui s'est changé en jeune fille et est devenu incapable de faire pousser des couleurs en automne. Shiprah, la plus petite, croit qu'un cochon a une âme.

— Mon père à moi m'obligeait à réciter des textes sacrés tous les soirs. C'était une enfance terrible.

— Il insistait pour que nous allions pique-niquer. Chaque fois, nous allions de plus en plus loin dans la campagne. C'était de la folie. Isaac ne s'est jamais soucié d'apprendre à conduire et il y avait toujours ces embarras, ces complications de paniers à porter, un fouillis de trains et de bus et sept filles déchaînées et épuisées. Et il cherchait des endroits particuliers, on ne pouvait pas tout simplement s'installer ici ou là, il fallait qu'il y ait un ruisseau, ou une pente comme ci et comme ça, ou encore un petit bosquet. Et ensuite, tout en disant que c'était pour faire plaisir aux enfants, il partait tout seul et ne revenait qu'au coucher du soleil alors que les provisions étaient éparpillées, l'air glacial et les bébés en larmes.

— J'ai dû attendre l'âge adulte avant de pouvoir aller en pique-nique, avouai-je.

— Je parle des débuts, dit la veuve. Comme vous, est-ce que je ne me suis pas laissé prendre ? Je me suis laissé prendre. J'étais charmée. Quand nous rentrions avec nos paniers de baies et de fleurs, quel essaim romantique nous formions ! Ces soirs-là, les histoires d'Isaac étaient pleines de sombres inventions. Que Dieu me garde, je l'ai même supplié de les mettre sur papier. Et puis, tout à coup, il a adhéré à un club et le dimanche matin il était levé et parti avant l'aube.

— Un club ? Si tôt que ça ? Y aurait-il une bibliothèque ouverte à cette heure-là ? demandai-je, stupéfait à l'idée qu'un homme comme Isaac s'associe à quelque chose d'aussi suspect.

— Ah ! vous ne me suivez pas, vous ne me suivez pas. C'était un club de randonneurs, ils se retrouvaient au clair de lune. Je me disais que c'était bien dommage, toute la semaine Isaac était tellement cloîtré en lui-même, il avait besoin d'air pour son cerveau. Quand il rentrait, il ne tenait plus debout de fatigue. Il disait qu'il y allait à cause des paysages. J'étais comme vous, je prenais ce que j'entendais, j'entendais tout cela et j'étais incapable de suivre. A la fin, il a démissionné de chez les randonneurs, et moi, j'ai cru que c'en était fini de toutes ces bizarreries. Il m'a dit qu'il était absurde de marcher à une cadence pareille, il était professeur et non pas sportif. Alors, il s'est mis à écrire.

— Mais il a toujours écrit.

— Pas comme ça. Il n'écrivait que des contes de fées. Il était plongé dedans et, pendant un moment, il a laissé tomber tout le reste. C'était de la bizarrerie sous une autre forme. Les histoires m'ont surprise, elles étaient si pauvres et si ternes. Elles ressemblaient un peu aux idées avec lesquelles il faisait peur aux filles, mais truffées de notes, d'annexes, de préfaces. Tout à coup, je me suis dit qu'il n'avait pas l'air de comprendre qu'il n'écrivait que des contes de fées. Mais c'étaient en réalité des contes très ordinaires — pleins de lutins, de nymphes, de dieux, le tout très banal et très vieux.

— Est-ce que je peux les voir ?

— Brûlés, tous brûlés.

— C'est Isaac qui les a brûlés ?

— Vous n'imaginez pas que c'était moi ! Je vois ce que vous pensez.

Elle avait raison — j'étais confondu par tant de haine. Je me disais qu'elle faisait partie des êtres qui éprouvent une terreur innée devant l'imagination. J'étais pris de froideur à son égard, bien que la vue de ses petites mains avec la clôture agitée de ses doigts tournant et retournant devant son visage comme un portail sur ses gonds me rappela où elle était née et qui elle était. Elle était orpheline, elle avait été sauvée par la magie et en avait une grande terreur. Ma froideur se dissipa.

— Pourquoi vous en faire pour ces petites histoires ? Ce ne sont pas les histoires qui l'ont tué.

— Non, non, pas les histoires. Des machins stupides, corrompus. J'étais contente lorsqu'il y a renoncé. Il les a empilées dans la baignoire et il y a mis le feu avec une allumette. Après, il a fourré un carnet dans sa poche et a dit qu'il allait se promener au parc. Semaine après semaine, il a essayé tous les parcs de la ville. Je n'avais aucune idée de ce qu'il cherchait. Un jour, il a pris le métro et il est allé jusqu'au terminus, finalement, c'était le parc qu'il lui fallait. Il y allait tous les soirs après les cours. Une heure pour l'aller, une heure pour le retour. Il rentrait à deux heures, à trois heures du matin. « C'est du sport ? » ai-je demandé. Je croyais qu'il s'était peut-être remis à courir. Le froid de la nuit et la rosée le faisaient trembler. « Non, je reste assis sans bouger, a-t-il dit. — C'est de nouvelles histoires que tu fais là-bas ? — Non, je me contente de noter mes pensées. — Un homme devrait méditer dans sa propre maison et pas la nuit au bord d'une eau croupie. » Six heures, sept heures du matin, c'est alors qu'il rentrait. Je lui ai demandé s'il voulait trouver sa tombe à cet endroit.

Elle s'interrompit avec une toux, mi-artifice, mi-résignation, si bruyante qu'elle tourna la tête vers les chambres à coucher, craignant d'avoir réveillé un enfant.

— Je ne dors plus du tout, dit-elle. Regardez autour de vous, regardez les rebords des fenêtres. Est-ce que vous y voyez des plantes vertes, des plantes d'intérieur comme il y en a partout ? Je suis descendue un soir et je les ai données à l'éboueur. Je ne peux plus dormir dans un endroit où il y a des plantes. Elles sont comme de petits arbres. Est-ce que je deviens folle ? Prenez le carnet d'Isaac et rapportez-le quand vous pourrez.

J'obéis. Dans ma propre chambre, un lieu austère, dépourvu d'ornements mais avec quelques jolies tiges dans des pots, je ne tardai pas à me jeter sur le carnet. C'était une petite chose, neuf centimètres sur quinze, du papier à lignes et une reliure à spirale. Je scrutai ces pages, espérant trouver quelque chose qui n'était pas évident. Avec ses mélancoliques allusions, Sheindel m'avait fait croire que dans ces quelques feuillets Isaac avait révélé la raison de son suicide. Mais, d'un bout à l'autre, ce fut une déception. Pas un mot de la moindre importance. Au bout d'un moment, je conclus que, quels que fussent ses motifs, Sheindel se jouait à nouveau de moi. Elle voulait me punir d'avoir posé la question interdite. Ma curiosité l'avait offensée. Elle m'avait donné le carnet non pas pour m'éclairer, mais pour me chapitrer. L'écriture était reconnaissable, mais les lettres bizarrement formées, tremblées, même séniles, comme celles d'un homme qui se trouve dehors, sans bureau, et qui gribouille sur sa main, sur un genou, ou appuyé à un bout d'écorce ; visiblement, ces feuillets froissés aux bords fripés avaient été maintes fois tirés d'une poche. Donc, pas de doute sur la folle histoire de Sheindel. Cela au moins était exact : un parc, Isaac, un carnet, tout cela à la fois, mais signifiant tout bêtement qu'un professeur au tempérament littéraire était sorti se promener. Il y avait même une tache verte sur l'une des citations, comme si le bloc avait glissé dans l'herbe et y avait été piétiné.

J'ai oublié de dire que le carnet, en dépit de la maigreur de son contenu, était en trois langues. Pour le grec, j'étais incapable de le lire, mais on aurait dit des vers. L'hébreu était un pêle-mêle, tiré essentiellement du Lévitique et du Deutéronome. J'y trouvai, entre autres, les extraits suivants, pas tout à fait fidèlement transcrits :

« Vous détruirez tous les lieux où les nations que vous allez chasser servent leurs dieux, sur les hautes montagnes, sur les collines et sous tout arbre vert. »

« Et celui qui se prostitue auprès des esprits familiers, je le retrancherai du milieu de son peuple. »

Il s'agissait là de notes ordinaires, sans fioritures, des notes que n'importe quel professeur peut naturellement prendre pour se souvenir d'un texte, avec une phrase piquée de-ci, de-là en guise de raccourci. Ou, peut-être, me disais-je, Isaac préparait-il un article sur les commentaires talmudiques de ces passages ? Quoi qu'il en soit, les autres citations, de la poésie anglaise surtout, ne m'intéressaient pas davantage. Il s'agissait de textes élégiaques prisés par les romantiques en chambre. J'étais offusqué par la Nature selon Isaac : elle arborait une majuscule et avait des relents de ma propre Cave à livres. Il ne faisait aucun doute pour moi que, sur le tard, il avait versé dans un académisme affligeant : il ne pouvait plus apercevoir le plumet d'une mauvaise herbe sans lui trouver une référence dans les classiques. Il avait noté un brin de Byron, une traînée de Keats (comme les recopiages bibliques, ces textes-là étaient aussi hâtifs et incomplets (deux lignes tronquées de Tennyson et un quatrain malhabile et non attribué) :

Pourtant, tout ne s'est pas enfui. La dernière Dryade
Glisse à travers bois et sur la colline danse une
[Oréade
Dans l'eau qui murmure brille le corps d'une Naïade
Les nymphes hantent à jamais la beauté de la terre

Des mièvreries d'adolescent énamouré, tout cela si ridicule et si pédant de surcroît que j'eus honte pour Isaac. Et pourtant, il n'y avait presque rien d'autre, rien qui pût le racheter, rien de personnel, juste une phrase ou deux où je retrouvai son style d'érudit, raide et discipliné, qui rappelait les petites plaisanteries empesées de notre correspondance : « J'écris au crépuscule, assis sur une pierre dans le parc de Trilham's Inlet, avec une vue sur Trilham's Inlet, une baie au nord de la ville, à deux mètres d'un arbre svelte, *Quercus velutina*, dont l'âge, au cas où on souhaiterait le connaître, peut être déterminé en coupant (Dieu nous en garde !) le tronc et en comptant les anneaux. L'homme qui écrit ces lignes a trente-cinq ans et vieillit trop vite, ce qui peut être déterminé en comptant les anneaux sous ses pauvres yeux myopes. » En dessous, tracés d'une écriture ferme et nettement plus lisible, ces trois mots étranges :

« Le grand Pan vit. »

C'était tout. Je laissai passer un jour ou deux avant de rapporter le carnet à Sheindel. Elle m'avait trompé, mais je refoulai ma colère en me disant qu'elle avait sept orphelines à nourrir.

Elle m'attendait :

— Pardonnez-moi, il y avait une lettre dans le carnet, elle était tombée. Je l'ai ramassée sur le tapis après votre départ.

— Non merci, dis-je. Je ne la lirai pas. Je ne veux plus faire les poches d'Isaac.

— Alors pourquoi êtes-vous venu me voir ?

— Juste pour vous voir.

— Vous êtes venu pour Isaac.

Mais sa voix recelait plus de sarcasme que de peine.

— Je vous ai donné tout ce qu'il vous fallait pour comprendre ce qui s'est passé et pourtant, vous n'y êtes toujours pas. Voilà.

Elle me tendit une grande feuille de format commercial.

— Lisez cette lettre.

— J'ai lu le carnet. Si tout ce qu'il me faut pour déchiffrer Isaac est dans le carnet, je n'ai pas besoin de la lettre.

Elle insista :

— C'est une lettre qu'il a écrite pour s'expliquer.

— Vous m'avez dit qu'Isaac n'avait pas laissé de message.

— Il ne s'adresse pas à moi.

Je m'assis sur une des chaises de la salle à manger. Sheindel plaça la feuille devant moi. Elle était posée à l'endroit sur le chemin de table en dentelle. Je ne la regardai pas.

— C'est une lettre d'amour, murmura Sheindel.

Lorsqu'ils ont coupé la corde, qu'ils l'ont détaché, ils ont trouvé le carnet dans une poche et la lettre dans l'autre.

Je ne savais que dire.

— La police m'a tout remis, dit Sheindel. J'ai pu tout garder.

— Une lettre d'amour ?

— C'est ainsi qu'on appelle les lettres de ce genre.

— Et la police... Ils vous l'ont donnée et c'est seulement alors que vous avez su (j'étais désarçonné, j'avais peine à saisir l'inconcevable)... su ce qui avait pu l'occuper.

Elle me singea :

— Ce qui avait pu l'occuper. Oui. Seulement lorsqu'ils ont sorti la lettre et le carnet de sa poche.

— Dieu du ciel ! Son genre de vie, son esprit... c'est inimaginable. Vous ne vous êtes jamais doutée de rien ?

— Non.

— Ces expéditions dans le parc...

— Il s'était mis à faire toutes sortes de choses aberrantes. Je vous ai raconté.

— Mais le parc ! Partir comme ça, seul — vous n'avez jamais pensé qu'il pouvait aller retrouver une femme ?

— Ce n'était pas une femme.

J'eus le nez engorgé de dégoût comme si j'avais respiré de la poudre.

— Sheindel, vous êtes folle !

— C'est moi qui suis folle à présent ? Lisez sa confession. Lisez donc. Ça a trop duré. Je ne peux plus rester seule à savoir cette chose-là. Vous voulez que mon cerveau se liquéfie ? Soyez mon confident, me supplia-t-elle d'une façon si inattendue que j'en eus le souffle coupé.

— Vous n'en avez parlé à personne ?

— Si je l'avais fait, auraient-ils récité tous ces éloges funèbres ? Lisez la lettre !

— Je ne m'intéresse pas aux anormaux, dis-je froidement.

Elle leva les yeux et m'observa pendant le plus bref des instants. Sans le moindre changement dans le port de sa tête suppliante, elle se mit à rire ; jamais je n'avais entendu de sons pareils — denses comme des petites souris de peur de réveiller ses filles, mais animés d'une intention si rationnelle qu'on aurait cru entendre une lucidité étonnée traduite sous forme de fugue gloussante. Elle continua pendant une minute, puis se calma.

— S'il vous plaît, restez assis. S'il vous plaît, écoutez. Je vais moi-même vous lire la lettre.

D'un geste précis, elle cueillit le papier sur la table. Je vis que cette lettre avait été préparée avec grand soin. L'écriture était serrée. La voix de Sheindel était décantée à force de mépris.

— « C'est la main de Dieu qui a mené mes ancêtres hors d'Égypte », énonça-t-elle.

— C'est ainsi que commence une lettre d'amour ?

Elle enchaîna résolument :

— « Nous nous étions rendus coupables de prétendues abominations, fort bien décrites ailleurs. D'autres peuples ont été nourris de leurs mythologies. Depuis de longs siècles, nous avons été sevrés de toutes les traces de celles-ci. »

Je sentais monter mon impatience. A la vérité, j'étais venu avec une seule idée en tête : j'avais l'intention d'épouser la veuve d'Isaac dès qu'il se serait passé assez de temps pour satisfaire aux convenances. Pour commencer, je me proposais de la courtiser avec une infinie subtilité pour ne pas avoir l'air d'abuser de son chagrin. Mais elle était comme possédée.

— Sheindel, pourquoi voulez-vous m'infliger ce traité ? Donnez-le au séminaire, proposez-le à un symposium de professeurs.

— Plutôt mourir.

Soudain, mon attention fut en éveil.

— « Je laisserai de côté la position parfaitement plausible du prétendu animisme au sein du concept d'un Dieu unique. Je m'abstiendrai d'en faire l'historique, d'éclairer son expression continue mais secrète même à l'intérieur de l'Enclos de la Loi. Créature, je laisse cela de côté... »

— Créature ? criai-je.

Un glapissement.

— Créature, répéta-t-elle en dilatant ses narines. « Qu'est-ce que l'histoire humaine ? Qu'est-ce que notre philosophie ? Qu'est-ce que notre religion ? Aucune d'elles ne nous enseigne, à nous autres, pauvres humains, que nous sommes seuls dans l'univers et même sans elles nous saurions qu'il n'en est rien. Dès mon très jeune âge, j'ai compris qu'un nigaud refuserait de croire au poisson, si un poisson n'était pas entré dans son expérience. Il existe des formes innombrables que nos yeux ont vues et qu'a vues l'œil encore plus profond de la lentille de nos instruments ; à partir de cette microscopique perception de ce qui existe déjà, il est aisé de conclure que d'autres formes sont possibles, que toutes les formes sont probables. Dieu a créé le monde non pas pour Lui seul, sans quoi je ne posséderais pas maintenant cette conscience qui me permet de m'adresser à toi, toi la ravissante. »

— Toi, répétai-je en écho, ravalant tristesse et stupéfaction.

— Laissez-moi continuer, dit Sheindel et elle poursuivit avec férocité : « C'est une fausse histoire, une fausse philosophie et une fausse religion qui nous disent, à nous autres humains, que nous vivons au milieu d'objets inanimés. Les arts de la physique et de la chimie ont commencé à nous apprendre que ce n'est pas vrai, mais la voie de leur compassion est nouvelle et elle trouve bien peu d'êtres enclins à aller au bout de la fidélité à sa belle et noble conclusion. Les molécules dansent au cœur de toutes les formes et dans les molécules dansent les atomes et dans les atomes les sources plus profondes encore de la divine vitalité. Il n'est rien qui soit Mort. Il n'existe nulle Non-Vie. La Vie sacrée réside même dans la pierre, même dans les ossements de chiens morts et d'hommes morts. Partant, dans la féconde création de Dieu, il n'y a point d'idolâtrie possible et donc aucune possibilité de commettre une prétendue abomination. »

Je poussai un gémissement.

— Mon Dieu, mon Dieu ! Sheindel, c'en est assez, c'est plus qu'assez, je ne veux plus...

— Ce n'est pas fini.

— Je ne veux plus rien entendre.

— Parce qu'il avilit son caractère à vos yeux ? Une souillure, c'est ce que vous pensez ? Vous entendrez.

Elle reprit d'une voix qui soudain me fit penser à celle de mon père : elle était sans merci.

— « Créature, ces questions m'occupent sans cesse, bien que pour toi tout notre discours ne soit que souffle ; comme les hochets entre les mains d'un jongleur. Là où nous luttons jour après jour pour comprendre, où nous contemplons le tombeau pour en saisir l'énigme, les autres espèces naissent dans la plénitude de la sagesse. Les races animales se comportent sans enquêter sur elles-mêmes ; l'instinct est un don supérieur et non pas inférieur. Malheur à nous autres, humains, qui naissons privés d'instinct — si ce n'est ces quelques approximations lamentablement primitives des rares réflexes et actes involontaires qui restent à notre corps ! Tout ce à quoi nous autres malheureux devons recourir au moyen de la science, de l'art, de la philosophie, de la religion, tous les fruits de notre imagination, toutes nos aspirations tourmentées, toutes nos méditations et vains questionnements — tout enfin s'exprime avec naturel et justesse chez les bêtes, les plantes, les rivières et les pierres. La raison en est simple et c'est notre tragédie : notre âme est incluse en nous-mêmes, elle nous habite, nous l'abritons, lorsque nous cherchons notre âme, nous devons la chercher en nous-mêmes. *Voir* l'âme, la regarder en face — c'est cela la sagesse divine. Mais comment voir dans l'obscurité de notre propre moi ? Les autres races et créatures obéissent à une règle différente. L'âme de la plante ne réside pas dans la chlorophylle, elle peut vaquer à sa guise, elle peut choisir sa forme et ses contours. C'est pourquoi les autres espèces, qui ne sont guère encombrées de leur âme et capables d'en être les spectateurs, peuvent vivre en paix. Voir sa propre âme, c'est tout savoir, tout savoir, c'est posséder la paix qu'envisagent vainement nos philosophies. La terre comprend deux catégories d'âmes : les âmes libres et les âmes immanentes. Nous, les humains, nous subissons la malédiction de l'immanence... »

— Arrêtez !

— Je ne m'arrêterai pas.

— Je vous en prie, vous m'avez dit qu'il avait brûlé ses contes de fées.

— Est-ce que je vous ai menti ? Allez-vous dire que j'ai menti ?

— Alors, pour l'amour d'Isaac, pourquoi ne l'avez-vous pas fait ? Si ce n'est pas un conte de fées, que voulez-vous que je pense de cela ?

— Pensez-en ce que vous voudrez.

— Sheindel, je vous en supplie, ne détruisez pas l'honneur d'un mort. Ne regardez plus jamais cette chose, déchirez-la en mille morceaux, ne continuez pas.

— Je ne détruis pas son honneur. Il n'en avait point.

— Je vous en prie ! Réfléchissez à ce que vous dites ! Mon Dieu, mais qui était cet homme ? Le rabbi Isaac Kornfeld ! Point d'honneur, lui ? N'était-il pas un maître ? N'était-il pas un érudit ?

— C'était un païen.

Sans hésiter, ses yeux reprirent leur ouvrage. Elle proféra :

— « Toutes ces vérités, je ne les ai apprises que peu à peu, à contrecœur et contre mon gré. Notre maître Moïse n'en a pas parlé ; il y aurait bien des choses à dire à ce sujet. Ce n'est pas par ignorance que Moïse dans son enseignement s'est abstenu de parler des âmes qui sont libres. Si j'ai appris ce que Moïse savait, n'est-ce pas parce que nous sommes hommes, l'un et l'autre ? C'était un homme, mais Dieu lui a parlé ; la volonté de Dieu était que nos ancêtres ne fussent plus esclaves. Pourtant nos ancêtres, têtus comme ils l'étaient, n'auraient pas abandonné leur esclavage en Égypte si on leur avait enseigné que les âmes sont libres. Ils auraient dit : " Restons là, nos corps demeureront esclaves en Égypte, mais nos âmes s'ébattront à loisir dans Sion. Si le cactus reste enraciné alors que son âme vagabonde, pourquoi un homme ne ferait-il pas de même ? " Et si Moïse avait répondu que seul le monde de la Nature possède ce don de l'âme libre, alors que l'homme est enchaîné à la sienne et que pour libérer son âme l'homme doit également libérer son corps, ils l'auraient raillé : " Comment se fait-il que l'homme et seulement l'homme soit différent du monde de la Nature ? S'il en est ainsi, alors la condition de l'homme est mauvaise et injuste et si cette condition qui est la nôtre est en tout point injuste et mauvaise, alors qu'importe que nous soyons esclaves en Égypte ou citoyens de Sion ? " Et ils n'auraient point accompli la volonté de Dieu et abandonné leur esclavage. C'est pourquoi Moïse ne leur a jamais parlé d'âmes libres, de crainte que le peuple ne fît pas la volonté de Dieu et ne sortît pas d'Égypte. »

Brusquement, une sensation surgit en moi — elle était parfaitement obscure, je ne pouvais la comparer à rien et pourtant j'étais sûr de la reconnaître. Et l'instant d'après, je la reconnus en effet. Elle me propulsa dans mon enfance, c'était la crise de la découverte qui nous frappe lorsque pour la première fois nous venons de lire ce conglomérat de figurines qui forment un mot. A ce moment-là, au-delà de l'alphabet d'Isaac, je pénétrai son langage. Je compris qu'il était du côté du possible : il était à la fois sain d'esprit et inspiré. Son propos n'était pas d'accumuler du mystère mais de le dissiper.

Je m'exclamai :

— Cette partie-là est brillante !

Sheindel s'était approchée du buffet pour boire une gorgée de thé froid.

— Un instant, dit-elle en continuant à étancher sa soif. J'ai entendu parler de dessins surpassant ceux de Rembrandt, griffonnés par des fous qui, libérés de leur crise, n'étaient pas même capables de tenir une craie. Prenez garde, ce qui suit est très beau.

— C'était un génie, cet homme.

— Oui.

— Continuez, dis-je d'un ton pressant.

Elle me gratifia de son sourire clownesque et sarcastique. Elle lut :

— « Parfois, en cheminant dans le désert, ils trouvaient de l'eau et il arrivait à quelque garçon vif et alerte d'apercevoir l'âme de la source (que les Grecs sauvages appelèrent par la suite une naïade), mais ne connaissant pas l'existence des âmes libres, il supposait seulement qu'un fugace rayon de lune était venu frapper l'eau. Ravissante beauté, c'est avec la même fortuite innocence que je t'ai découverte. Ravissante, ravissante. »

Elle s'arrêta.

— C'est tout ?

— Non, ce n'est pas tout.

— Lisez.

— Le reste, c'est la lettre d'amour.

— C'est dur pour vous ?

Mais dans ma question il y avait plus d'avidité que de pitié.

— J'étais la femme de cet homme. Il a escaladé la clôture de la Loi. C'est pour cela que Dieu m'a préservée de la clôture électrique. Lisez vous-même.

Incontinent, je lui arrachai le feuillet à l'écriture serrée.

— « Ravissante beauté, en toi la joie, la preuve sensible, la divine confirmation de mon théorème. Pendant combien d'heures, le long de combien d'années ai-je cheminé dans les forêts, dans ces franges qui bordent notre énorme étoile-légume, cette pompe suceuse, cette graine légère et sans racine qui rampe dans son unique sillon, ce chou échevelé, labyrinthin, errant qu'est notre terre ! Ne jamais, pendant tout ce temps, pendant tous ces jours d'inassouvissement, un espace blanc comme une soif désertique, ne jamais, ne jamais pouvoir saisir. Je me suis cru abandonné aux intrigues de ma folie. A l'aube sur une butte, ce qui me semblait être la forme même et l'appréhension de la nature du monticule — qu'était-ce en vérité ? Rien que le halo de l'astre solaire engrossé par la gelée blanche. L'oréade m'échappa, ne laissant que son illusion, ou bien elle n'était jamais venue ; ou venue qu'un instant, puis s'était enfuie. Les ruses des âmes libres ! Elles jouent une comédie au-delà des rêves de nous autres, humains : dans son rire l'ivrogne se sent dans l'ombre de l'ombre de l'ombre de leur esprit et cela seulement parce qu'il s'est lui-même changé en réceptacle, tels les rives et le lit d'un ruisseau qui sont le réceptacle de la naïade. Il se peut en vérité que j'aie vu une naïade tout entière : un jour mes sept filles barbotaient toutes ensemble dans le cours d'eau d'un parc resserré mais très beau sur lequel je fondais de grands espoirs. La plus jeune n'ayant pas encore deux ans et remuante de surcroît, les aînées avaient ordre de ne jamais lui lâcher la main, mais elles n'avaient pas obéi. Ayant passé quelque temps dans les bois derrière la rivière, j'entendis soudain un cri et un bruit qui giclait et j'aperçus un petit corps précipité dans le courant. M'élançant à travers les arbres, je voyais les autres, agglutinées, apeurées, alors que coulait le bébé impuissant, toutes ces petites filles figées en guirlande — lorsque soudain l'une d'elles (le mouvement était trop rapide pour que je puisse distinguer laquelle) se précipita vers la petite qui se débattait, qui était maintenant sous l'eau, la releva et mit un bras autour d'elle pour la calmer. Ce bras était bleu —bleu. Bleu comme le lac. Impétueusement, de la berge où je me tenais à bout de souffle, je me mis à compter les petites filles. J'en comptai huit, ne me crus pas fou mais délivré, comptai derechef, en comptai sept, sachant que j'avais bien compté la première fois et que je comptais bien cette fois-ci. Une fille aux bras bleus était venue barboter avec les miennes — je veux dire la forme d'une fille. Je questionnai mes enfants : chacune, dans sa terreur, croyait que c'était l'autre qui avait tiré de l'eau l'embêtante petite sœur. Aucune ne portait une robe aux manches bleues. »

— Des preuves, dit la veuve. Isaac était pointilleux, il ne manquait jamais d'avancer toutes ses preuves.

— Comment cela ?

Le tremblement de ma main agitait la lettre ; la feuille bêla, comme frappée d'un coup de fouet.

— En finissant toujours par trouver un principe qui les confirme, termina-t-elle perfidement. Eh bien, ne vous reposez pas, même pour moi ; ce n'est pas un service à me rendre. Il vous reste une longue histoire à parcourir, assez longue pour vous donner la fièvre.

— Du thé, dis-je d'une voix rauque.

Elle prit sa propre tasse sur le buffet et me l'apporta ; en buvant, je crus avaler un peu de sa bile et de sa dérision.

— Sheindel, pour une femme aussi pieuse que vous, vous êtes une grande sceptique.

A présent, le tremblement avait saisi ma gorge.

— Paroles d'athée, rétorqua-t-elle. Plus on est pieux, plus on est sceptique. Un homme de religion comprendrait cela. Le superflu, le foisonnement des coutumes et la superstition viendraient envahir l'Enclos de la Loi comme autant de lianes si ce scepticisme ne s'acharnait sans cesse à les rabattre pour laisser le champ libre à la pureté.

Je me dis alors qu'elle était en tout point digne d'Isaac. Quant à savoir si moi j'étais digne d'elle, j'éludai la question ; je me contentai de me gargariser d'un peu de thé et je repris la lettre.

— « Cela me chagrine d'avouer comment, après cet événement, je passai de la clarté au doute, et vice versa. Je ne me fiais pas à mes conclusions car toutes mes expériences étaient évanescentes. Tout ce qui était certain, je l'imputais à quelque autre cause, moins certaine. Toutes les voix sortant de la mousse, je les attribuais aux lapins et aux écureuils. Tout mouvement parmi les feuilles, je l'appelais oiseau, bien qu'indubitablement il n'y eût pas d'oiseau. Je pris ma première rencontre avec les gnomes pour un simple frisson de fantasmagorie littéraire et décidai qu'il ne pouvait s'agir que de la soudaine poussée d'une colonie de champignons. Mais une nuit, un peu après dix heures au cœur de l'été — il y avait encore des rubans de lumière dans le ciel —, j'errais dans ce lieu, ce lieu où on trouvera mon corps... »

— Pas à cause de moi, dit Sheindel en me voyant hésiter.

Ma voix se brisa :

— C'est terrible, terrible.

— Desséché comme un coquillage, dit-elle, comme s'il s'était agi du cosmos.

A la manière dont elle prononça ces mots, je compris qu'elle avait de cette lettre une connaissance fanatique, qu'elle la savait presque par cœur. Elle semblait penser les mots plus vite que je ne pouvais les énoncer et, je ne sais pourquoi, je fus contraint d'accélérer mon débit.

— « ... on trouvera mon corps desséché comme la carapace d'un insecte, dis-je à toute allure. Une franche odeur de putréfaction montait de la baie. Je me mis à spéculer sur mon propre corps après ma mort — l'âme allait-elle être libérée dès que la vie m'aurait quitté ? Ou cela se produirait-il peu à peu, au fur et à mesure que la décomposition rendrait davantage de liberté à l'âme immanente ? Mais lorsque je considérai que le corps d'un homme ne vaut pas mieux qu'un pot d'argile — fait qu'aucun de nos sages n'a jamais contredit —, il me sembla alors que de par sa nature l'âme immanente serait obligée de s'accrocher à son tesson d'argile tant que la dernière miette, le dernier grain n'auraient pas disparu dans la terre. Je marchai à travers les fossés de ce pré noir, m'apitoyant sur mon propre sort, débordant de tristesse. Il me vint à l'idée que, cependant que nos pauvres os continueraient à se décomposer à leur aise, l'âme serait obligée de s'attarder dans ces ossements, attendant, désespérant, aspirant à rejoindre les âmes libres. Je maudis l'âme asservie à la pesanteur par ce sac de chair qui n'en finit pas de languir ; mieux vaudrait être prise dans une vapeur, un vent, la fibre d'une noix de coco ! Qui sait combien de temps il faudra au corps d'un homme pour se réduire en gravier, au gravier pour devenir sable, au sable pour devenir vitamine ? Cent ans ? Deux cents, trois cents ? Mille, peut-être ! N'est-il pas vrai que les paléontologues ne cessent de découvrir des ossements presque intacts deux millions d'années après leur enterrement ? »

Je m'interrompis :

— Sheindel, c'est la mort, ça, et pas l'amour ! Où voyez-vous une lettre d'amour dont il faudrait avoir peur ? Je ne la trouve pas.

— Continuez, m'ordonna-t-elle. Vous voyez que je n'ai pas peur.

— Pas peur de l'amour ?

— Non. Mais vous déclamez bien trop lentement. Votre bouche tremble. Vous avez peur de la mort ?

Je ne répondis pas.

— Continuez, répéta-t-elle. Lisez vite. La prochaine phrase commence par une idée extraordinaire.

— « Et il me vint une idée extraordinaire. Lumineuse, profonde et pratique. Qui plus est, cette idée avait des précédents sans nombre : les mythologies en faisaient état des douzaines de fois. Je me souvins de tous ces mortels censés s'être accouplés avec les dieux (terme collectif, montrant beaucoup plus de bon sens, signifiant ce que nos philosophies appellent de façon plus abstruse *Shekina*) et de tous ces poignants métissages représentés par les satyres, les centaures, les sirènes, les faunes, et ainsi de suite, sans parler de cet appariement encore plus grandiose de la Genèse où les fils de Dieu ont pris pour épouses les filles des hommes, engendrant des géants et peut-être aussi ces avortements, Léviathan et Behémot dont nous parle le Livre de Job, ainsi que les licornes et autres chimères et monstres qui abondent dans les Écritures et sont donc loin d'être des fruits de l'imagination. Il y avait aussi l'exemple de Lilith, la succube, dont on n'ignorait pas qu'elle avait coutume de s'accoupler dans le ghetto médiéval, même avec des garçons impubères. Tous ces témoignages m'enhardirent et me persuadèrent que je n'étais à coup sûr pas le premier dans l'histoire de notre terre à concevoir un tel désir. Créature, voici l'idée qui s'empara de moi : si seulement je pouvais m'accoupler avec une des âmes libres, la force de cette union arracherait sans doute mon âme à mon corps — la saisirait comme au forceps, la tirerait, pour ainsi dire, vers là sa propre liberté. Mon désir de capturer l'un de ces êtres atteignit une prodigieuse intensité. Je me détournai de ma femme... »

La veuve m'entendit hésiter.

— S'il vous plaît, ordonna-t-elle et je vis que la courbe parfaite d'une moue de dérision avait envahi tout son visage.

— « ... de crainte que ma force virile ne soit épuisée à ce moment (qui pouvait se produire n'importe quand, même, me disais-je, dans ma chambre à coucher) de ma rencontre avec une de ces âmes libres. Je ne cessais d'être porté vers les fétides viscosités de la baie, porté comme les bouffées puantes de ma propre longue et fastidieuse putréfaction dont l'idée ne me lâchait plus — j'envisageais mon âme prisonnière de l'ultime granule et ce granule peut-être lui-même pétrifié, destiné à ne jamais se dissoudre, et mon âme condamnée à rester à son service pour l'éternité ! Il me semblait que mon âme devait être libérée sur-le-champ ou perdue à jamais pour la douceur de l'air. Dans une obscurité mate, aux prises avec cette étrange panique, je trébuchai d'un fossé à l'autre, tendu en avant comme un chien aveugle en quête du soutien de quelque verticalité solide — et ma main heurta de l'écorce. Je levai la tête et dans le noir je ne pus sonder la taille de l'arbre — ma tête tomba vers l'avant et mon front rencontra le tronc avec toutes ses aspérités. Mes doigts s'activèrent dans les interstices des signes cunéiformes couvrant l'écorce. Puis, mon front à plat contre l'arbre, je l'étreignis des deux bras pour le mesurer. Mes mains se rejoignirent. La plante était jeune et mince. J'ignorais à quelle famille elle appartenait. J'attrapai la branche la plus basse, arrachai une feuille dont ma langue méditative parcourut la périsphère : un chêne. Le goût était poisseux et d'une exaltante amertume. Une jubilation légère vint tapisser mon bas-ventre. Alors, je posai une main (l'autre bras enlaçant pour ainsi dire la taille de l'arbre) dans la bifurcation (ignoblement appelée l'aîne) du membre inférieur et du torse élégant et d'une pieuse fermeté et je caressai ce miraculeux carrefour avec une certaine langueur qui peu à peu se transforma en vigueur. Soudain, j'étais à la fois passionnément en éveil et profondément audacieux : je choisis cet arbre unique avec le sol qui l'entourait comme ennemi qui ne céderait ni dans un sens ni dans l'autre — qui n'allait ni donner, ni se donner. " Viens, viens ! " lançai-je à la Nature. Une bouffée de vent envoya dans l'air échauffé une tresse d'odeur d'excrément. " Viens, accouple-toi avec moi comme tu l'as fait avec Cadmus, Rhoecus, Tithonus, Endymion et ce roi Numa Pompilus à qui tu as révélé des secrets. Comme Lilith qui survient sans donner un signe, viens à ton tour. Comme les fils des dieux sont venus copuler avec des femmes, qu'une fille de Shekina l'Émanation se révèle à moi. Nymphe, viens, viens maintenant ! "

« Sans comprendre ce qui m'arrivait, je fus projeté à terre. Mon visage s'écrasa sur le sol et un paquet de terre grumeleuse vint se loger dans ma bouche ouverte. Pour le reste, j'étais à genoux, en appui sur mes mains, agrippant la terre de mes ongles. Une douleur superbe ourlait ma hanche. Je me mis à pleurer, certain d'avoir été violé par quelque bête aux muscles puissants. Je vomis la terre que j'avais avalée et me crus souillé, car il est écrit : " Et tu ne coucheras pas non plus avec une bête. " Je restai étendu, enfoncé dans l'herbe, n'osant pas lever la tête pour voir si la bête rôdait encore dans les parages. Par quelque curieux moyen, j'avais été parfaitement placé et excité et exquisement comblé, tout cela en une demi-seconde, d'une manière impossible à expliquer dans laquelle, bien que me comportant comme avec ma propre femme, j'avais le sentiment d'un rapt surnaturel commis sur ma personne. Je demeurai étendu, guettant le souffle de la bête. Cependant, bien que la moindre parcelle de ma chair fût comblée dans sa perception la plus intime, mon corps restait empli d'une merveilleuse volupté ; des exaltations sensuelles d'un ordre parfaitement suprême et paradisiaque, au-delà de ce que nos poètes ont jamais défini, flambaient et étaient intensément satisfaites au même moment. Cet éveil salubre et délicieux excita un certain temps mon être : une union qui n'était pas dissemblable (dans la métaphore, j'entends ; dans la réalité, elle est indescriptible) à la contradiction magique entre l'arbre et la branche à la naissance de la bifurcation. En moi se rejoignaient *au même instant* l'appétit et la plénitude, la délicatesse et la puissance, la domination et la soumission ainsi que d'autres paradoxes d'une remarquable signification affective.

« Puis je perçus ce que je pris pour l'animal foulant l'herbe tout près de ma tête avec infiniment de ruse ; il retint son souffle, puis l'exhala dans un ronflement prudent, un chuchotement semblable à une brise dans les roseaux. Avec une formidable énergie (il me semblait que ma force musculaire avait augmenté) je me redressai d'un bond, craignant pour mes jours ; je n'avais rien qui pût me servir d'arme sauf — comme c'est risible ! — le stylo avec lequel j'avais écrit dans le petit carnet que je portais toujours sur moi à l'époque (et que je garde encore sur ma personne pour me faire honte à moi-même, pour me souvenir comme j'avais été insipide, livresque, me perdant en pitoyables conjectures et désirs à un moment où, ne te connaissant pas encore, je ne connaissais rien). Ce que je vis n'était pas un animal mais une jeune fille, pas plus grande que mon aînée qui avait quatorze ans. Sa peau avait la perfection d'une aubergine et presque sa couleur. Sa taille atteignait environ la moitié de la mienne. L'index et le majeur de ses mains — cela, je le remarquai aussitôt — étaient curieusement fusionnés, l'un imbriqué dans l'autre comme les ligules d'une feuille. Elle était totalement chauve et n'avait pas d'oreilles, mais plutôt une sorte de branchie ou d'enveloppe, une seule, du côté gauche. Ses doigts de pied présentaient la même particularité que celle que j'avais observée sur ses mains. Elle n'était ni nue, ni vêtue — c'est-à-dire que bien qu'une partie de son corps, de la hanche jusqu'au dessous des seins (qui semblaient être comme des poires veloutées et incolores suspendues à une tige très courte, presque invisible), fût abondamment couvert d'une matière brillante ou sporée, il s'agissait là d'une efflorescence naturelle, semblable à ce que nous appelons notre chevelure. Toutes ses parties sexuelles étaient parfaitement visibles comme chez n'importe quelle fleur des champs. En dehors de ces déviations manifestes, son humanité s'imposait à la vue, tout en étant incontestablement pareille à une fleur. Elle était en fait à l'inverse de notre banale figure poétique de la jeune fille en fleur — au contraire, elle semblait une fleur transfigurée sous les espèces de l'enfant la plus fantastiquement belle que j'aie jamais vue. Le moindre souffle de vent faisait ployer sa taille incomparable ; c'était cela, je le reconnus, et non pas l'exhalaison d'un animal lubrique, c'était ce bruit de respiration qui m'avait effrayé à son approche : ces mouvements provoquaient des collisions entre brins d'herbe. (Elle-même, n'ayant pas de poumons, ne « respirait » pas.)

Elle flottait devant moi, joyeuse, le visage aussi tendre qu'un pétale de volubilis, étrangement phosphorescente : elle dégageait sa propre lumière et je n'eus aucun mal à appréhender sa beauté.

« De plus l'expérience m'apprit bientôt que non seulement elle avait le don de la parole, mais qu'elle adorait jouer avec le langage. Jouer, ce mot veut bien dire ce dont elle était capable — si j'avais distingué ses mains avant tout le reste, c'est parce qu'elle les avait portées en avant pour attraper mon premier cri d'étonnement. Soit elle attrapait mes mots comme des balles, soit elle les laissait rouler, ou encore elle les saisissait au vol puis filait les jeter dans la baie. Je découvris que lorsque je lui parlais, c'était pour ainsi dire une sorte de bombardement ; soit cela lui plaisait et elle me dit que le parler commun des hommes ne faisait que chatouiller et amuser, alors que le rire, étant fort explosif, constituait une sorte d'agression. Sur quoi, je veillai à feindre une grande solennité, bien que l'extase me fît tourner la tête. Quant à *sa voix* à elle, je ne l'entendais pas vraiment, je la percevais — ce qu'elle, incapable d'imaginer à quel point nous autres humains sommes prisonniers de nos sens, avait du mal à saisir. Ses phrases m'arrivaient non pas comme des séries de fréquences distinctes, mais (idée impossible à développer avec des mots) comme la propagation d'un nuage de senteurs champêtres ; et pourtant, ce serait une vulgaire distorsion que de dire que j'assimilais ses pensées au moyen du nerf olfactif. Quoi qu'il en soit, il était clair que tout ce qu'elle disait m'arrivait dans un scintillement de parfums transparents et je comprenais son propos avec joie, sans détour et sans ambiguïté, sans les soupçons, les doutes sur les motifs qui entourent la communication humaine.

« Par ce moyen, elle expliqua qu'elle était une dryade et qu'elle avait nom d'Iripomonoeïa (pour autant que je puisse le rendre dans les limites étroites de l'orthographe et dans cet alphabet de sots notoirement fermé aux catégories de l'odeur). Elle me dit ce que j'avais déjà compris : elle m'avait donné son amour en réponse à mon appel. " Et tu viendrais à chaque homme qui t'appelle ? — Tous les hommes appellent, qu'ils en soient conscients ou non. Moi et mes sœurs, nous venons parfois vers ceux qui ne sont pas conscients. Presque jamais, à moins que ce ne soit pour une taquinerie, ne venons vers un homme qui nous appelle sciemment — car il souhaite seulement nous habiter par perversité, ou pour se vanter, ou pour s'offrir le dégoût dont ils rêvent. — Les Écritures n'interdisent pas la sodomie avec des plantes ! m'écriai-je, mais elle n'entendait rien à cela et baissa ses bras pour laisser passer les mots au vol sans les attraper. Je t'ai appelée sciemment, non par perversité, mais par amour de la Nature. — J'ai déjà attrapé des mots d'hommes qui parlaient de la Nature, tu n'es pas le premier. Ce n'est pas tant la Nature qu'ils aiment, mais la Mort qu'ils craignent. C'est ce que Carylylyb, ma cousine, a perçu naguère en s'accouplant dans un port avec quelqu'un de ton espèce, un nommé Spinoza, qui avait un catarrhe du poumon. Moi, j'appartiens à la Nature, je suis immortelle et donc je ne peux m'apitoyer sur vos morts. Mais reviens demain et appelle Iripomonoeïa. "

« Elle s'élança à la poursuite de mon dernier mot, que d'un coup de pied elle avait envoyé derrière l'arbre.

Elle ne revint pas. Je courus vers l'arbre et tournai assidûment autour, mais elle était perdue pour cette nuit-là.

« Ravissante, tout ce qui précède, tout ce que je dis sur ma vie et sur mes méditations jusqu'à ce jour, jamais je n'en ai fait part à toi, ni à qui que ce soit. Le reste relève de l'indicible : cette délectation de minuit jusqu'à l'aube lorsque la phosphorescence plus vive, ce cri envahissant le ciel te faisait peur et te forçait à rentrer ! Comment, dans une transe de bonheur, nous nous unissions dans les fossés, dans les hautes herbes, derrière une fontaine, sous un mur en ruine, une fois — faisant fi de toute précaution — à même l'asphalte, un banc nous servant de toit et de tonnelle ! Comment par un art naturel me fut enseignée la manière d'influencer certains processus chimiques engendrant des merveilles explicites, des délectations et des transports tels qu'aucun homme n'en a jamais joui depuis que notre père Adam a extrait la chlorophylle interdite de l'Éden ! Ravissante, ravissante, tu n'as pas ta pareille. Aucun front n'est aussi lisse, aucun bras n'a de saignée aussi délicate, aucun œil n'est aussi vert, aucune taille aussi souple, personne ne possède de membres aussi aimables et vifs. Personne n'est égal à l'immortelle Iripomonoeïa.

« Créature, deux fois la lune est passée par l'abondance et la famine sans que j'aie épuisé la splendide et archaïque nouveauté d'Iripomonoeïa.

« Puis, la nuit dernière. La nuit dernière ! Je vais en rendre compte en toute simplicité.

« Nous nous sommes glissés dans un fossé peu profond. Avec une voix d'une odeur délicieuse, saturée d'un extraordinaire parfum — d'une douceur si intense qu'il triomphait même des puanteurs barbares et des pets que le vent apportait de la baie —, Iripomonoëïa me demanda comment je me sentais sans mon âme. Je répondis que j'ignorais me trouver dans un tel état. " Oh si, ton corps est désormais un paquet vide, c'est pourquoi il est si léger. Saute voir. " Je sautai en l'air et m'élevai sans effort. " Tu t'es gâché, tu t'es gâché par tes confusions, se plaignit-elle, au matin ton corps sera froissé et fané et laid, comme une feuille à son heure de sécheresse, et jamais plus après ce soir cet endroit ne te reverra. — Nymphe ! hurlai-je, sidéré par cette lévitation. — Oh, oh, voilà qu'il m'a blessée ! cria-t-elle. Tu as frappé mon œil avec ce vacarme. " Et elle exhala un arôme plus profond, une brume sentant le poireau et qui piquait les muqueuses. Une meurtrissure blanche défigurait le pétale de sa paupière. J'étais contrit et soupirais terriblement de lui avoir fait mal. " Pour notre espèce, une atteinte à la beauté est ce qu'une blessure physique est pour la tienne, me tança-t-elle. Là où vous éprouvez de la douleur, nous éprouvons la laideur. Là où vous profanez par l'immoralité, nous sommes profanées par la laideur. Ton âme t'a quitté et est en train de ruiner notre aimable jeu. — Nymphe, murmurai-je, mon cœur, mon trésor, si mon âme s'est détachée, comment se fait-il que je n'en sois pas conscient ? — Pauvre chose, dit-elle, il suffit de regarder et tu verras la chose. " A présent, son parler était âpre comme une herbe et tout le lieu dégageait une sorte d'amertume. " Tu sais que je suis un esprit. Tu sais qu'il me faut être éclair et flèche. Toutes mes sœurs sont éclair et flèche. De toutes les races nous sommes

les plus rapides. Notre religion même est celle du tout-à-coup. Personne ne peut nous entraver, personne n'a le droit de nous retarder. Mais hier, tu t'es mis en devoir de me garder dans ton étreinte, tu as étiré tes baisers en autant d'années, sans fin tu m'as appelée ton trésor et ton cœur, dans sa lente rapacité ton âme m'a gardée enserrée et captive, tout en sachant bien qu'un esprit ne peut demeurer immobile et refuse d'être cloué sur place. J'ai voulu d'un bond me dégager, mais ton âme obstinée s'est agrippée jusqu'à être arrachée de ta forme et à s'échapper avec moi. Je l'ai vue jetée sur le pavé, le début du jour était déjà en train de filtrer vers le sol, alors je me suis enfuie et je n'ai rien pu te dire jusqu'à maintenant. — Mon âme est libre ? Entièrement libre ? Et visible ? — Libre. S'il était sous le ciel un être vivant capable d'éveiller ma pitié, j'aurais pitié de toi à la vue de ton âme. Elle me déplaît, elle cherche à me nuire. — Mon âme t'aime, insistai-je, tout triomphant. Elle est libérée de sa tombe millénaire ! »
Je bondis hors du fossé comme une grenouille, mes jambes n'avaient aucun poids ; mais la dryade boudait sur le sol, frottant son œil enlaidi et violé. " Iripomonoeïa, mon âme reconnaissante te suivra dans l'éternité. — Je préférerais être suivie par un brouillard encrassé. Ton âme, je ne l'aime pas. Elle conspire contre moi. Elle me nie, elle nie tout esprit, toutes mes sœurs et toutes les néréides du port, elle nie toute notre multiplicité, tous nos dieux multiformes, elle contrarie même le Seigneur Pan, elle est une ennemie, et toi, pauvre homme, tu ne connais pas ta propre âme. Va, va la regarder, la voilà sur le chemin. "
« Je courus de-ci, de-là sous la lune. " Je ne vois rien,

seulement un vieux tout poussiéreux qui se traîne là-haut. — Un vieux tout à fait laid ? — Oui, c'est tout. Mon âme n'est pas là-haut. — Avec une barbe broussailleuse et de gros sourcils menaçants ? — Oui, oui, c'est un homme comme cela qui marche sur le chemin. Il est presque plié en deux sous le poids d'un vieux sac poussiéreux. Le sac est bourré de livres — je vois leurs couvertures effilochées qui dépassent. — Et il lit tout en marchant ? — Oui, il lit tout en marchant. — Que lit-il donc ? — Un gros volume terrifiant, lourd comme une pierre. "

« Mon regard sonda le clair de lune. " C'est un traité. Un traité de la Mishna. Ses pages sont si usées qu'elles se cassent quand il les tourne, mais il ne les tourne pas souvent car il y a bien de la matière sur une seule page. Comme il est triste ! Une fatigue du fond des temps pèse sur son visage ! Le fouet a tracé des raies sur son cou. Ses joues sont plissées comme d'anciens drapeaux, il lit la Loi et respire la poussière. — Et y a-t-il des fleurs sur le bord du chemin ? — Des fleurs incroyables. De toutes les couleurs ! Et de nobles buissons comme des tumulus de mousse verte ! Et le grillon crissant dans le champ. Il passe indifférent à travers la beauté de ce champ. Sa narine hume son livre comme si des fleurs couvraient la page empoissée, mais des fleurs baignent ses pieds. Ses pieds sont bandés, ses ongles ébréchés déchirent le sol. Il lit la Loi et respire la poussière et il ne voit pas les fleurs et refuse de prêter l'oreille au grillon qui grésille dans le champ. — Ça, dit la dryade, c'est ton âme. " Et elle disparut avec tous ses parfums.

« D'un seul bond fluide je propulsai mon corps sur

le chemin. Il atterrit près de la forme du vieillard et le somma de dire si vraiment il était l'âme du rabbi Isaac Kornfeld. Il trembla, mais avoua. Je lui demandai s'il entendait traverser tout l'avenir avec ses livres sans le moindre changement, tenant toujours son traité à la main, et il répondit qu'il ne pouvait rien faire d'autre. " Rien d'autre ! Toi que je croyais aspirer à la terre. Toi, immortel, libre, soucieux seulement d'être lié par la Loi ! "

« Il leva craintivement son bras desséché pour protéger son visage, alors que de l'autre il rajusta son implacable sac sur l'épaule. " Monsieur, dit-il, toujours tremblant, n'avez-vous point désiré me voir de vos propres yeux ? " Je criai : " Ce personnage, je le connais ! Ne l'ai-je pas vu cent fois au moins ? Sur cent routes ? Il ne m'appartient pas ! Je refuse de le reconnaître comme mien ! — Si tu n'avais pas ourdi de complot pour te défaire de moi, je serais resté avec toi jusqu'au bout. La dryade, qui n'existe pas, ment. Ce n'est pas moi qui l'ai étreint, mais toi, mon corps. Monsieur, tout ce qui n'a pas d'existence réelle est mensonge. A vos côtés dans votre tombe, je vous aurais chanté les chants de David, j'aurais fait entendre le gémissement de Salomon au dernier grain de vos ossements. Mais vous m'avez éjecté, vos côtes m'exilent de leur destin et je me promènerai à jamais seul ici dans mon jardin (il gratouille sa page) avec mes précieux oiseaux (il gratouille les lettres) et mes arbres chéris (il gratouille la haute colonne latérale du commentaire).

« Il était d'une bravoure si impudente — car moi j'étais tout de chair et lui tout entier un fantôme vacillant — que je l'empoignai par le col et le secouai de haut en bas. Sur son dos, les livres cognaient les uns contre les autres et des lambeaux de cuir émietté tombaient en pluie.

« " La musique de la Loi, dit-il, est plus belle que celle des grillons. Le parfum de la Loi est plus brillant que la mousse. Le goût de la Loi dépasse celui de l'eau claire. " Devant cette insolente provocation — lui, plus que quiconque, connaissait mon désespoir — j'attrapai les franges de son châle de prière et je tournai autour de lui une ou deux fois, je le démaillotai entièrement, puis j'enroulai le châle autour de mon propre corps et, d'un bond, je revins près de l'arbre.

« " Nymphe, l'implorai-je, esprit et sainte ! Iripo-monoëïa, viens ! Personne n'est égale à toi, aucun front aussi lisse, aucune saignée aussi délicate, aucun œil aussi vert, aucune taille aussi souple, personne n'a de membres si plaisants et si vifs. Aie pitié de moi, viens, viens ! " Mais elle ne vient pas. " Ravissante, viens ! " Elle ne vient pas. " Créature, vois comme je suis lové dans la coquille de ce châle ainsi que dans une feuille ! Je m'accroupis pour écrire ces mots... que l'âme appelle mensonge, mais le corps...

« ... le corps...

« ... les doigts qui se tordent, les articulations noires comme le bois, la langue desséchée comme de l'herbe, plus profond encore dans la soie...

« ... soie de la cosse du châle, les genoux se fanent, les articulations se flétrissent, le cou... »

Là, la lettre s'arrêtait brusquement.

— Vous voyez ? Un païen ! dit Sheindel qui gardait son sourire rancunier, épaissi par l'audace.

— Vous n'avez pas pitié de lui.

Son mépris, pensai-je, est éclatant, comme son sourire.

— Vous ne voyez toujours pas ? Vous ne suivez pas ?

— Ayez pitié de lui, dis-je.

— Celui qui attente à ses jours commet une abomination.

Je la regardai un long moment.

— Vous n'avez pas pitié de lui ?

— Que le monde ait pitié de moi !

— Au revoir, dis-je à la veuve.

— Vous ne reviendrez pas ?

Je fis comme une petite courbette de regret.

— Je vous ai dit que vous n'étiez venu que pour Isaac. Mais Isaac (j'étais terrifié par sa toux qui était un rire indubitable), Isaac vous déçoit. Un érudit ! Un rabbin ! Un juif remarquable ! Ah ! Il vous déçoit ?

— Il a toujours été un homme étonnant !

— Mais pas ce que vous pensiez, insista-t-elle. Une illusion.

— Seuls les êtres sans pitié sont illusoires. Retournez dans ce parc, Rebetzin, lui conseillai-je.

— Et que voudriez-vous que je fasse là-bas ? Que je danse autour d'un arbre et que j'apostrophe les herbes folles de noms grecs ?

— L'âme de votre mari se trouve dans ce parc. Consultez-la.

Mais son rire sourd et ironique me suivit jusque chez moi : sur quoi je me souvins de ses propos antérieurs et jetai trois plantes vertes dans les cabinets : après un

voyage de quelques kilomètres à travers les canalisa-
tions, elles débouchèrent directement dans Trilham's
Inlet afin d'y pourrir parmi les excréments de la
ville.

Le traducteur introuvable
ou
le Yiddish en Amérique

Edelshtein, Américain depuis quarante ans, dévorait tous les romans d'auteurs « d'origine juive » — mots qu'il énonçait d'un ton grinçant et hargneux. Il les trouvait puérils, vicieux, pitoyables, ignorants, méprisables et surtout bêtes. Dans ses jugements, il puisait au tréfonds de l'injure et les traitait d'*Amerikaner geboren*, pondus en Amérique. Les pogromes, une vague rumeur, le *mamaloshen*, un étranger, l'histoire, un vide. De plus, beaucoup d'entre eux étaient jeunes encore, avec des yeux noirs, des cheveux noirs et des barbes rousses. Certains avaient les yeux bleus comme les *cheder-yinglach* de sa jeunesse. Des écoliers. Il ne les jalousait pas — c'était entendu —, mais les lire était une véritable plaie. Ils étaient recensés et encensés, on les présentait comme juifs, alors qu'ils savaient à peine ce que c'était. Une réaction trop connue commençait à aiguiser les dents de certains écrivains goyim.

L'Establishment intellectuel juif donnait une idée fausse des lettres américaines, les trempait dans un bain de teinture étrangère, les annexait et ainsi de suite. Comme Berlin et Vienne dans les années vingt. *Juden-*

65

rein ist Kulturrein, tel était l'avis d'Edelshtein. Enlevez les juifs et, ô prétendue civilisation occidentale, que reste-t-il de ta culture littéraire ?

La civilisation occidentale, voilà où le bât blessait. Edelshtein n'avait jamais mis les pieds à Berlin, Vienne, Paris ou même Londres. Certes, il était allé à Kiev, mais une seule fois lorsqu'il était petit. Son père, un melamed, y était parti travailler comme précepteur et l'avait pris avec lui. A Kiev, ils avaient vécu dans la cave d'une grande maison qui appartenait à de riches juifs, les Kirilov. Ces Kirilov étaient nés Katz, mais avaient graissé la patte à un fonctionnaire pour russifier leur nom. Chaque matin, ils montaient un escalier vert pour aller à la cuisine déjeuner de café et de pain rassis, puis dans la salle d'étude pour enseigner la *chumash* à Alexeï Kirilov, un petit garçon aux joues rouges. Edelshtein fils servait de répétiteur pendant que son père somnolait. Qu'était-il advenu d'Alexeï Kirilov ? Il arrivait à Edelshtein, veuf à New York, âgé de soixante-sept ans, yiddishiste (comme on disait), poète, de fixer son regard sur n'importe quoi — une réclame dans un wagon de métro, un couvercle de poubelle, un réverbère — et de faire remonter le visage d'Alexeï Kirilov, ses joues éclatantes, son yiddish à l'accent ukrainien, ses étagères de jouets mécaniques importés d'Allemagne — camions, grues, brouettes, petites voitures multicolores avec des capots de toile. Seul Edelshtein père était censé l'appeler Alexeï — tous les autres, y compris Edelshtein junior, lui disaient Avrameleh. Avrameleh était un champion du par cœur. Une tête en or. Aujourd'hui, il était citoyen de l'Union soviétique. Ou alors, il n'était plus, mort dans le ravin de Babi

Yar ? Edelshtein se souvenait de la moindre vis, ardemment convoitée, des jouets allemands. Avec son père, il quitta Kiev au printemps pour retourner à Minsk. La boue gelée formait des crêtes qui commençaient à fondre. Le wagon de chemin de fer empestait l'urine et la saleté filtrait à travers leurs lacets jusqu'à envahir leurs chaussettes.

Et la langue était perdue, assassinée. La langue — un musée. De quelle autre langue pouvait-on dire qu'elle était morte, de mort soudaine et incontestable, au cours d'une décennie donnée, sur un bout de terre donné ? Où sont les locuteurs de l'étrusque ? Quel fut le dernier homme à écrire un poème en linéaire B ? Usure, assimilation. Tué par un mystère et non pas par le gaz. Le dernier Étrusque est parmi nous dans la peau de quelque Sicilien. La civilisation occidentale, cette cosse putréfiée au-dedans, n'en finit pas de mourir. L'homme malade de l'Europe, avec sa grosse tête en forme de globe, en train de pourrir, mais chez lui, dans son lit. Le yiddish, cette chose infime, cette petite lumière — oh ! sainte petite lumière —, mort, disparu. Expédié dans les ténèbres.

Tel était le sujet d'Edelshtein. Le sujet des conférences qu'il faisait pour gagner sa vie. Il se nourrissait de rogatons. Des synagogues, des centres culturels, des syndicats le sous-payaient pour sucer les os des morts. Fumée. Il voyageait de Bronx en Brooklyn, de banlieue en banlieue, pleurant en anglais la mort du yiddish. Parfois, il essayait de placer un ou deux de ses poèmes. Au premier mot de yiddish, les vieilles dames peintes des synagogues réformées gloussaient de honte, comme à la vue d'un cabotin débitant des blagues à la télévision. Chez les orthodoxes et les conservateurs, les hommes s'endormaient sur-le-champ. Alors, il changeait de tactique et se mettait à raconter des histoires drôles :

« Avant la guerre, il s'est tenu un grand congrès international d'espéranto. Des espérantistes, des docteurs ès lettres, y étaient venus du monde entier pour faire des communications sur la genèse, la syntaxe et le fonctionnalisme de l'espéranto. D'aucuns vantaient la valeur sociale d'une langue internationale, d'autres sa beauté. Les conférenciers étaient de toutes les nations de la planète. Toutes les communications étaient en espéranto. La session s'acheva et nos grands hommes fatigués déambulaient ensemble dans les couloirs où enfin ils purent se mettre à converser librement dans leur langue internationale : " *Nu, vos macht a yid ?* " »

« Après la guerre, une procession funéraire défile lentement dans une rue étroite du Lower East Side. Les voitures sont parties du parking des pompes funèbres du Bronx pour gagner le cimetière de Staten Island. Leur itinéraire passe devant la rédaction du dernier quotidien yiddish de la ville. Il y a deux rédacteurs, l'un chargé de faire marcher la presse, l'autre de regarder par la fenêtre. Celui qui regarde par la fenêtre voit la procession funéraire qui passe et lance à son collègue : " Hé, Mottel, tu peux tirer un exemplaire de moins ! " »

Mais pour Edelshtein, comme pour son public, ces blagues ne valaient rien. De vieilles histoires. Ce n'était pas ce qu'ils voulaient. Ils auraient voulu entendre des histoires de mariage — avec des escaliers en colimaçon, des colombes s'échappant de leur cage, des étudiants en médecine timorés — et il leur offrait des enterrements. Parler du yiddish, c'était présider à un enterrement. Il était, lui, un rabbin survivant à tous ses fidèles. Ceux pour qui sa langue n'était pas une énigme étaient des fantômes.

Les synagogues neuves faisaient peur à Edelshtein. Dans ces palais, il n'osait employer le mot de *shul* — à l'intérieur, d'énormes Tables de la Loi en similibronze, la rotation motorisée de mobiles représentant des mains tendues, des tétragrammes géants en plastique transparent accrochés au plafond comme des lustres, des tribunes, des autels, des estrades, des chaires, des allées, des bancs, des coffres de chêne ciré contenant des livres de prières imprimés en anglais, avec des prières de fabrication récente. Tout sentait le plâtre humide. Tout était neuf. Une collation s'étalait sur de longues tables lumineuses — gâteaux nappés de glaçage, monticules neigeux de salade aux œufs, hareng, saumon, thon, carpe farcie, lacs de crème fraîche, cafetières électriques en métal argenté, bols de lamelles de citron, pyramides de pain en tranches, tasses de transparente porcelaine de Forêt Noire, plateaux de cuivre indiens où s'empilaient des fromages cuits, bouteilles dorées rangées comme des quilles, grandes mottes de beurre sculptées en forme d'oiseaux, chaumière de Hänsel et Gretel en fromage blanc et cake, bars, maîtres d'hôtel, linge de table opulent, moquette où le pied s'enfonçait comme dans du miel. Il apprit qu'ils se plaisaient à parler de « l'envolée » de leur architecture. Un jour — sur un mur plan de brique beige à Westchester — il lut des paroles de l'Écriture rivées à la paroi en moules d'or à quatorze carats : « Tu me verras par-derrière, mais ma face ne pourra pas être vue » (Exode, 33,34). Plus tard, le même soir, après avoir fait une conférence à Mount Vernon, il entendit dans le hall de marbre une adolescente qui singeait ses inflexions. Il fut stupéfait : il lui arrivait d'oublier qu'il avait un accent. Dans le train qui le ramenait à Manhattan, il se laissa glisser dans un mini-somme tressautant — un petit nid de douceur dans les pans de son manteau où il rêva qu'il était à Kiev avec son père. Par la porte ouverte de l'étude il regardait les joues fumantes d'Alexeï Kirilov, âgé de huit ans. « Avrameleh, appela-t-il, Avrameleh, *kum tsu mir, lebst ts' geshtorben ?* » Il s'entendit crier en anglais : « Tu contempleras le trou de mon cul ! » Un rot l'éveilla dans une terreur moite. Il craignit d'avoir été, toute sa vie et à son insu, un pédéraste secret.

Sans enfants, ne possédant que de rares parents éloignés (un cousin propriétaire de drugstore à White Plains, un beau-je-ne-sais-quoi teinturier vivotant quelque part au milieu des Noirs de Brownsville), il s'attardait souvent dans l'appartement de Baumzweig — miroirs encrassés, cristal gagné par la rouille, dangereux, toujours sur le point de se fissurer, un couloir épuisé, à l'abandon. Des vies l'avaient traversé puis s'en étaient allées. Observant Baumzweig et sa femme — regard gris, gestes mous, un nez charnu de Polonaise —, il sut un jour qu'à cet âge, le sien et le leur, avoir ou n'avoir pas d'enfants, c'était tout un. Baumzweig avait deux fils, l'un marié et professeur à San Diego, l'autre à Stanford, moins de trente ans et amoureux de sa voiture. Le fils de San Diego avait un fils. Parfois il se disait que c'était par respect pour sa propre absence d'héritier que Baumzweig et sa femme affichaient ce détachement à l'égard de leur progéniture. La photo du petit-fils — un blondinet aux lèvres épaisses qui devait avoir dans les trois ans — était coincée entre deux verres à pied sur le haut du vaisselier. Puis il comprit qu'ils étaient incapables d'imaginer la vie de leurs enfants. Ni les enfants celle des parents. Les parents étaient trop désarmés pour s'expliquer, les fils trop impatients. Ainsi, ils avaient renoncé les uns aux autres et s'étaient abandonnés à un mutisme réciproque. Dans cet appartement, Josh et Mickey avaient grandi, répondant en anglais au yiddish de leurs parents. Mutismes, mutations. De quel droit ces garçons recrachaient-ils le yiddish qui les avait nourris, et cela seulement pour l'amour de la civilisation occidentale ? Edelshtein connaissait les titres de leurs thèses de doctorat : des littéraires, ces garçons, l'une des thèses était consacrée à Sir Gawain et le Chevalier vert, l'autre aux romans de Carson McCullers.

La léthargique Mme Baumzweig était intelligente. Elle dit à Edelshtein qu'il avait un enfant, lui aussi, un fils : « C'est vous, vous-même. Vous repensez au petit garçon que vous avez été et c'est *lui* que vous aimez, c'est à *lui* que vous faites confiance, *lui* que vous bénissez, de *lui* que vous espérez faire un homme. » Elle parlait un yiddish opulent, mais plein d'aigus.

Baumzweig avait une bonne place, une sinécure, une rente camouflée, avec un bureau, une secrétaire à mi-temps, une machine à écrire à caractères hébreux et des horaires de banquier. En 1910, un fabricant de laxatifs — un philanthrope — avait fondé une organisation nommée « Alliance yiddisho-américaine pour les lettres et le progrès social. » Tous les illustres membres fondateurs étaient morts — on racontait que même le célèbre poète Yehoash avait cotisé pendant un mois ou deux —, mais un legs assurait la survie de l'association et rapportait assez d'argent pour la publication d'une revue semestrielle en yiddish. Baumzweig en était le rédacteur — mais de l'association elle-même il ne restait que quelques photos jaunies et friables montrant des juifs en chapeau melon. Son chèque mensuel lui était envoyé par le petit-fils du fabricant de laxatifs, politicien du Parti républicain et membre de l'Église épiscopale. Le fameux produit s'appelait Tiédine : d'après la publicité, les enfants l'adoraient dissous dans du cacao tiède. L'obscure revue, elle, avait pour nom *Bitterer Yam,* Mer amère, mais ses abonnés étaient si peu nombreux que la femme de Baumzweig l'avait surnommée *Encre invisible.* Baumzweig y publiait quantité de ses propres poèmes et, plus chichement, ceux d'Edelshtein. Le sujet de Baumzweig était plutôt la mort, celui d'Edelshtein plutôt l'amour. Ils étaient tous deux sentimentaux — mais pas l'un vis-à-vis de l'autre. Ils ne s'aimaient pas, tout en étant amis intimes.

Parfois, au milieu de la poussière des bols vides, ils lisaient tout haut leurs derniers poèmes, étant préalablement convenus de ne pas se critiquer : Paula se chargerait de la critique. La femme de Baumzweig allait et venait, portant du café dans des verres un peu voilés, et disait : « Oh ! joli, très joli. Mais si triste. Messieurs, la vie n'est pas si triste que ça. » Sur quoi, elle avait coutume de poser un baiser sur le front d'Edelshtein, un baiser paresseux qui laissait souvent derrière lui une miette de gâteau collée au sourcil : elle était un peu souillon sur les bords.

L'amitié entre Edelshtein et Baumzweig recelait un secret féroce : la haine qu'ils s'accordaient à vouer à celui qu'ils avaient surnommé *der Chazer*. L'homme s'appelait le Porc à cause de sa peau d'une extrême blancheur, pareille à une pellicule de jambon pâle et aussi parce qu'au cours des dernières années il avait atteint une incroyable célébrité. Lorsqu'ils ne l'appelaient pas le Porc — ils disaient le *Shed*, le Diable. Ils l'appelaient aussi Yankee Doodle. Son nom était Yankel Ostrover et c'était un conteur.

Ils le haïssaient en raison de l'incroyable aventure qui était la sienne — sa gloire —, mais ils n'y faisaient jamais allusion. En revanche, ils parlaient de son style : son yiddish était impur, ses phrases manquaient de grâce et d'envolée, ses transitions d'un paragraphe à l'autre étaient infectes, du travail d'amateur. Ou encore, ils s'en prenaient rageusement à ses sujets — d'une sexualité démente, pornographiques, paranoïaques, monstrueux —, des hommes enlaçant des hommes, des femmes caressant des femmes, des sodomites de tout poil ; des garçons copulant avec des poules, des bouchers buvant du sang pour manier leurs couteaux avec plus de vigueur. Tous ces récits se situaient dans un imaginaire village polonais — Zwrdl —, et à présent on ne trouvait plus un intellectuel américain qui n'eût appris à dire Zwrdl lorsqu'il voulait dire obscène. On racontait que la femme d'Ostrover était une catholique polonaise, de haute naissance, originaire du « véritable » Zwrdl, en fait la fille d'une branche princière cadette qui ne connaissait pas un mot de yiddish et déchiffrait laborieusement les écrits de son mari en traduction anglaise — mais Edelshtein et Baumzweig l'avaient tous les deux rencontrée souvent au fil des ans et n'en faisaient pas plus de cas que d'une marmite de poissons pas frais. En yiddish, elle avait un désagréable et gargouillant accent galicien, son vocabulaire n'était qu'un brouet insipide — donc, on pouvait dire à juste titre, observaient-ils en riant, qu'elle ne parlait pas yiddish — et elle miaulait ses mots comme une paysanne en train de marchander. C'était une femme courtaude et carrée, un cube aux pis pendouillants et aux fesses plates. En partie par dérision, en partie pour se faire de la publicité, Ostrover l'avait transformée en petite princesse. Il avait coutume de l'envoyer dans la chambre à coucher chercher une cravache qui, soutenait-il, lui avait servi dans son jeune temps à frapper Roméo, le cheval bai sur lequel elle parcourait les terres paternelles. Baumzweig disait souvent que cette même cravache venait fustiger les oreilles des traducteurs d'Ostrover, ces malheureux collaborateurs dont il changeait de mois en mois, perpétuellement insatisfait.

Car là était précisément la gloire d'Ostrover : il avait besoin de traducteurs. Bien qu'il n'écrivît qu'en yiddish, sa célébrité était américaine, nationale, internationale. On le tenait pour un « moderne ». Ostrover avait échappé à la prison du yiddish. Libre, libre — il avait gagné le large, le monde de la réalité. Or d'où était-il parti ? Comme tout le monde, éditorialiste dans un des quotidiens yiddish, humoriste, fabricant d'articles à la chaîne, moulinette à histoires vécues. Comme tout le monde, il avait mis quelques dollars de côté, attaché ses récits avec un trombone et engagé un imprimeur juif pour tirer une centaine d'exemplaires. Un livre. Vingt-cinq exemplaires distribués à la parentèle ; vingt-cinq autres envoyés à ses ennemis et rivaux, et il avait gardé le reste sous son lit dans les cartons d'origine. Comme tout le monde, il avait pour divinités littéraires Tchekhov et Tolstoï, Peretz et Sholem Aleichem. De là, comment avait-il accédé au *New Yorker*, à *Play-boy*, à ses gros honoraires de conférencier, à ses invitations à Yale et MIT, et à Vassar, dans le Middle-West, à Buenos Aires, à son agent littéraire, à son éditeur sur Madison Avenue ?

— Il choisit bien les traducteurs avec qui il couche, dit Paula.

Edelshtein poussa un hennissement. Il connaissait certains des traducteurs d'Ostrover — une vieille fille plumitive vêtue de robes pendant au-dessous des genoux, parfois certain lexicographe ivre et à demi fou, de petits étudiants armés d'un dictionnaire.

Il y avait trente ans, fraîchement débarqué de Pologne via Tel-Aviv, Ostrover avait eu avec Mireleh, la femme d'Edelshtein, une petite liaison sournoise, une amusette. Il avait quitté la Palestine au cours des émeutes arabes de 1939, poussé non pas par la peur, disait-il, mais par un souci d'intégrité — ce pays-là avait tourné le dos au yiddish. A Tel-Aviv ou à Jérusalem, le yiddish n'était pas à l'honneur. Au Néguev, il ne valait pas un clou. Dans l'État d'Israël, ce don de Dieu, les gens ne voulaient plus de la langue qui avait occupé le court intervalle, la mauvaise passe entre le pays de Canaan et le présent. Le yiddish était habité par le passé, rejeté par les nouveaux juifs. En Israël, le

yiddish et les yiddishistes étaient dans le pétrin et
Mireleh écoutait avec plaisir les histoires qu'Ostrover
racontait à ce propos. En Israël leur affaire était plus
mal en point qu'à New York, Dieu soit loué ! Il y avait
après tout une raison de vivre la vie qu'ils vivaient :
c'était pire ailleurs. Mireleh était une tragédienne.
Assise, accroupie, debout, mangeant ou dormant,
toutes ses attitudes étaient dictées par l'idée qu'elle se
faisait du comportement que devait avoir une femme
stérile ; elle parlait sans arrêt de ses six fausses couches
et faisait des remarques assassines sur la numérotation
spermatozoïque d'Edelshtein. Ostrover, lui, arrivait
dans la pluie, écrasait les ressorts de la banquette, se
lamentait sur les transports entre le Bronx et l'East Side
et courtisait Mireleh. Il l'invitait à dîner et l'emmenait
dans son café préféré, au vaudeville de la Deuxième
Avenue, et même chez lui, dans son appartement près
de Crotona Park, pour voir Pesha, sa petite princesse.
Curieux de ses propres réactions, Edelshtein constata
qu'il ne ressentait pas une ombre de jalousie ; mais il
estima de son devoir de lancer une chaise de cuisine à la
tête d'Ostrover. Ostrover avait de très belles dents, les
siennes ; la chaise fit sauter la moitié d'une incisive
latérale et Edelshtein pleura à la vue de ce défaut. Sans
tarder, il conduisit Ostrover chez le dentiste le plus
proche.

On aurait dit que les deux femmes, Mireleh et Pesha,
étaient en train de tomber amoureuses l'une de l'autre :
elles avaient des rendez-vous, allaient ensemble au
musée et au cinéma, elles se donnaient des coups de
coude, riaient jour et nuit, se faisaient part de petits
détails intimes, transportaient dans leur sac des règles

d'écolier et se communiquaient certaines mesures hila-
rantes ; elles tombèrent enceintes le même mois. Pesha
eut sa troisième fille, Mireleh sa septième fausse
couche. Edelshtein était affligé, mais exalté.

— *Ma* numérotation spermatozoïque ? hurla-t-il.
Ton ventre ! Va réparer la machine avant de t'en
prendre à l'huile ! »

Lorsque arriva la note du dentiste pour la jaquette
d'Ostrover, Edelshtein la lui envoya. Devant cette
injustice, Ostrover congédia Mireleh et intima à Pesha
de ne plus jamais sortir avec elle.

Au sujet de la liaison de Mireleh avec Ostrover,
Edelshtein écrivit la malédiction suivante :

> *Mes fils et mes filles, pourquoi les souffles-tu*
> *[comme des bougies*
> *Maudite plus que notre mère Ève, condamnée à*
> *[lâcher les eaux*
> *Pour que les petits viennent flotter dans leur*
> *[écorce de peau*
> *Impitoyable, incapable même de porter le fruit*
> *[du péché.*

Ces lignes qui parurent dans *Bitterer Yam* au
printemps de cette année-là firent jaser — un des points
litigieux portait sur « souffler comme des bougies ». Le
terme était-il juste dans ce contexte aquatique ?
(Baumzweig, partisan d'un style moins détourné, avait
proposé « noyer ».) Feu Zimmermann, le plus cruel
des rivaux d'Edelshtein, écrivit une lettre à Baumzweig
(dont Baumzweig donna lecture à Edelshtein par
téléphone) :

« Qui est impitoyable en fin de compte, la femme stérile qui épargne à la maison le braillement des nourrissons ou le poète fertile à l'excès qui porte le fruit de son péché — je veux dire ses vers dénués de talent ? Il les porte, mais qui peut les supporter ? Dans un même souffle il passe des mers aux arbres. Hersheleh, la grenouille, tout enflée d'arrogance comme ses ancêtres les amphibiens. Vous demandez pourquoi Dieu a donné une femme infidèle à Hersheleh Edelshtein ? Pour le punir d'écrire des âneries. »

Plus ou moins à la même époque, Ostrover fit une nouvelle : deux femmes s'aimaient si fort que chacune désirait pouvoir porter l'enfant de l'autre. Elles avaient toutes deux des maris, l'un viril et gaillard, l'autre impotent, à l'organe flétri, un *shlimazel*. Elles conçurent l'idée de faire de l'un des maris leur instrument : elles convinrent de transférer en cet homme leur amour mutuel et de porter l'enfant de cet amour par son entremise. Donc, les deux femmes se tournèrent vers le mari viril et devinrent grosses toutes les deux. Mais la femme au mari flétri ne put porter son enfant : il se flétrit dans son ventre. « Ainsi qu'il est écrit, concluait Ostrover, le Paradis n'appartient qu'à ceux qui y ont déjà séjourné. »

La sotte fable ! Trois décennies s'étaient écoulées — Mireleh morte d'un utérus cancéreux, Pesha incrustée de mensonges royaux dans *Time Magazine* (avec une photo de la cravache) —, cette médiocre mystification, cette *pollution* figurant dans les *Nouvelles complètes d'Ostrover* (Kimmel & Segal, 1968), faisant l'objet de thèses en littérature comparée, comme si Ostrover avait été Thomas Mann ou même Albert Camus. Alors

qu'il ne s'était presque rien passé — Pesha et Mireleh
étaient allées au cinéma ensemble de temps en temps —
et que tout cela était si loin ! Quoi qu'il en soit,
Ostrover s'était sorti du donjon des quotidiens yiddish, de *Bitterer Yam* et de nullités encore plus
minables, il était libre, le vaste monde connaissait son
nom. Et pourquoi Ostrover ? Pourquoi lui et pas un
autre ? Ostrover avait-il plus de talent que Komorsky ?
Inventait-il des histoires plus intéressantes qu'Horo-
witz ? Pourquoi le monde extérieur choisit-il un
Ostrover plutôt qu'un Edelshtein ou qu'un Baumzweig ? Quel était le tour de main occulte, la ruse, la
convergence tordue des planètes qui poussait les traducteurs à s'aplatir devant les phrases nues et tumes-
centes d'Ostrover, à baisser à chaque fois leurs petites
culottes élimées ? Qui avait découvert la « modernité »
d'Ostrover ? Son yiddish, pour surinfecté et enflé qu'il
fût, n'était toujours que du yiddish, du *mamaloshen*,
ses piaillements montaient toujours vers Dieu avec leur
petitesse, leur familiarité, leur connivence, ce yiddish
était toujours cousu de bric et de broc dans les oripeaux
du *shtetl*, avec un aleph au berceau, des beys tenant à
peine sur leurs petites jambes — alors pourquoi
Ostrover ? Pourquoi seulement Ostrover ? Ostrover et
rien que lui. Tous les autres condamnés à l'obscurité,
Ostrover l'unique rescapé. Ostrover le survivant. A
croire qu'il avait été caché dans un grenier en Hollande
comme cette enfant. *Son* journal, pour ainsi dire, le seul
témoignage de ce qui avait été. Comme Ringelbaum de
Varsovie. Ostrover allait-il être la seule preuve de ce
qu'il y avait eu autrefois une langue yiddish, une
littérature yiddish ? Et tous les autres perdus ? Perdus.

Noyés. Soufflés comme des bougies. Sous terre. Comme si jamais.

Edelshtein composa une lettre aux éditeurs d'Ostrover :

> Kimmel & Segal,
> 244, Madison Avenue, New York City.

> Cher Monsieur Kimmel, très honoré Monsieur Segal,

> Je vous écris en référence à un nommé Y. Ostrover, vous étant la société qui présente ses œuvres au public. Ayez la bonté de pardonner toutes imperfections d'Expression Anglaise. Sans aucun doute, au cours des affaires traitées avec Y. Ostrover, il vous a adressé des lettres dans un anglais encore pire. (JE N'AI PAS DE TRADUCTEUR !) Nous, les immigrants, quelle que soit la durée de notre yankeefication, à l'intérieur nous restons toujours des bleus et ne parvenons jamais à la vraie Facilité d'écriture des autochtones. Pour un million de bleus, un seul Nabokov, un Kosinsky. Je cite ces noms pour vous monter que je suis entièrement au fait de la Littérature Américaine dans tous ses avatars contemporains. Dans votre langue je lis, disons avec un appétit de loup. Je me considère comme un critique très avisé, en particulier pour ce qui est des prétendus auteurs judéo-américains. Si vous m'accordiez le temps, je serais disposé à

vous expliquer un grand nombre d'idées claires au sujet de ces garçons et filles judéo-américains tels que (pas par ordre alphabétique) Roth Philip, Rosen Norma, Melammed Bernie, Friedman B. J., Paley Grace, Bellow Saul, Mailer Norman. De ce dernier, venant de lire plusieurs ouvrages récents, y compris politiques, j'aimerais lui rappeler ce que F. Kafka, qu'il repose en paix, avait dit aux juifs de Prague, Tchécoslovaquie, des juifs de langue allemande déjà très prospères : « Juifs de Prague ! Vous savez plus de yiddish que vous ne croyez ! »

Peut-être, puisque sans doute vous ne lisez pas la Presse Juive, vous n'êtes pas informés. Justement ce mois-ci, nous avons tous eu une surprise. Dans *Sovietsh Heymland,* cette ignoble propagande qu'ils sortent en Russie pour montrer que les juifs, leurs prisonniers, ne sont pas des prisonniers — un poème ! Par une jeune juive russe de vingt ans ! Le yiddish survivra grâce à nos jeunes. Bien que j'en doute, comme d'autres pessimistes. Mais il ne s'agit pas de cela ! Je vous le demande : que représentent pour vous les personnages suivants, vous qui êtes des Hommes Sensibles. Intelligents, avec des Sentiments que vous gardez bien au chaud ! Lyessin, Reisen, Yehoash ! H. Leivik lui-même ! Izik Manger, Chaim Grade, Aaron Zeitlen, Jacob Glatshtein, Elieze Greenberg ! Molodowsky et Korn, ces dames de grand talent ! Dovid Ignatov, Morris Rosenfeld, Moishe Nadir, Moishe Leib Halpern, Reuven Eisland, Mani Leibn Zisha Landau ! Je vous le demande !

Frug, Peretz, Vintchevski, Boshover, Edelshat !
Velvl Zhbagrzher, Avrom Goldfaden ! A. Rosen-
blatt ! Y. Y. Schwartz, Yoisel Rollnick ! Voilà
tous nos glorieux poètes yiddish. Et s'y joignent
des noms récents, ceux de nos magnifiques frères
poètes russes tués par Staline, l'homme au visage
marqué de vérole, par exemple Peretz Markish.
Reconnaîtriez-vous au moins l'un de ces noms ?
NON ! ILS N'ONT PAS DE TRADUCTEURS !

Très estimés Messieurs, vous ne publiez qu'un
seul écrivain yiddish, pas même un poète, tout
juste un conteur. Qu'il me soit permis de vous
dire que vous donnez des Impressions gravement
fausses. Que nous n'avons produit rien d'autre.
Encore une fois, je fais référence à votre collaborateur Y. Ostrover. Par cette lettre, je ne veux
rien lui retirer d'un éventuel talent, mais je
voudrais TRÈS ÉNERGIQUEMENT vous assurer qu'il existe aussi d'autres auteurs sans que
peine soit prise de les remarquer ! Je suis moi-
même auteur et aussi éditeur de quatre volumes
de poésie. *N'shomeh un Guf, Zingen un Freyen,
A Velt ohn Vint, A Stundeh mit Shney.* A savoir :
« Corps et Âme », « Chanter et Être Heureux »,
« Un Monde sans Vent », « Une Heure de
Neige », voilà mes titres profondément sentis.

Veuillez me faire savoir si vous êtes disposés à
me fournir un traducteur pour ces écrits très
méritants, ces écrits cachés ou, pour utiliser une
expression hébraïque, cette « lumière enfouie ».

Très profondément respectueux, vôtre.

La réponse lui parvint dans la semaine :

Cher Monsieur Edelshtein,

Merci pour votre lettre intéressante et instructive.

Nous sommes malheureusement au regret de ne pouvoir vous fournir un traducteur. Il se peut fort bien que votre poésie soit de la qualité dont vous vous targuez, mais sur le plan pratique, la réputation doit précéder la traduction.

Sincèrement vôtres.

Mensonge ! Menteurs !

Cher Kimmel, cher Segal,

Vous autres juifs dépourvus de langues, aviez-vous jamais entendu parler d'Ostrover avant que ses traductions s'étalent partout ? En yiddish, il n'existe pas pour vous. Pour vous, le yiddish n'a pas d'existence ! De l'obscurité enveloppée d'un nuage ! Qui peut le voir, qui peut l'entendre ? Le monde n'a pas d'oreilles pour le prisonnier. Vous signez « vôtres ». Vous n'êtes pas miens, et je ne suis pas vôtre !

Sincèrement.

Sur quoi, il se mit sérieusement en quête d'un traducteur. Sans grand espoir, il écrivit à la vieille fille plumitive.

Très estimé Edelshtein (répondit-elle),

Pour vous dire les choses aussi carrément que possible — une femme qui n'est pas jolie ne doit pas non plus enjoliver ses propos —, vous ne connaissez pas le monde pratique, celui des réalités. Rien d'étonnant. Vous êtes un poète, un idéaliste. Lorsqu'une grande revue paie 500 dollars à Ostrover, qu'est-ce qui me revient ? Peut-être 75 dollars. S'il prend un mois de repos sans écrire, qu'est-ce que je deviens ? Comme il est le seul qu'ils veuillent publier, il est le seul qui vaille la peine d'être traduit. Admettons que je traduise une de vos jolies petites chansons d'amour. Trouverait-elle un acquéreur ? Il faut être sot pour même se poser la question. Et s'ils achetaient, faudrait-il que je trime pour 5 dollars ? Vous n'avez pas idée de ce que j'endure avec Ostrover. Il me fait asseoir dans sa salle à manger, sa femme apporte un samovar de thé — faut-il être prétentieux ! — et elle s'installe aussi et m'observe. Elle a l'œil jaloux. Elle fixe mes chevilles qui ne sont pas mal. Puis on s'y met. Ostrover lit sa première phrase à haute voix comme il l'a écrite, en yiddish. Moi, je la note en anglais. Et voilà que ça commence. Pesha lit ce que j'ai marqué et dit : « Ça ne vaut rien, vous ne sentez pas son idiome. » Idiome ! Elle sait, elle !

Ostrover dit : « C'est le dernier mot qui me reste en travers de la gorge. Vous ne pouvez pas trouver mieux ? Quelque chose de plus corsé ? » On cherche dans le dictionnaire, le thesaurus, on hurle un mot, puis un autre, on essaie encore et encore. Supposons que le mot soit « grand ». On passe en revue « gros », « vaste », « gigantesque », « énorme », « gargantuesque », « monstrueux », etc., etc. ; et enfin Ostrover dit — cinq heures ont passé, j'ai mal aux amygdales, je tiens à peine debout : « C'est bon. Prenons " grand ". La simplicité avant toute chose. » Et c'est tous les jours pareil. Pour 75 dollars, cela vaut-il vraiment la peine ? Après ça, il me met à la porte et prend un petit étudiant. Ou alors cet imbécile que son dictionnaire de mathématiques a rendu dingue ! Jusqu'au jour où il a besoin de moi. Mais tout de même, ça m'apporte une petite gloire. Les gens disent : « Tiens, voilà la traductrice d'Ostrover. » En réalité, je suis son cochon, sa selle (dans les deux sens du mot, je vous assure). Vous dites qu'il n'a pas de talent. C'est votre avis et peut-être n'avez-vous pas tort, mais je vous assure qu'il est doué pour presser le citron. Vous savez, leur façon à *eux* d'écrire des romans n'importe comment en espérant qu'ils se transformeront en beaux films — c'est ça qu'il fait, lui. Peu importe la qualité de son yiddish, qu'est-ce que ça deviendra une fois changé en anglais ? La transformation, il n'y a que cela qui l'intéresse — et côté anglais, il est manchot — comme, ne le prenez pas en mauvaise part, comme vous et tous ceux de votre génération. Mais Ostrover est assez malin pour être un prétendant. Il s'arrange pour que tous ses traducteurs brûlent constamment de jalousie les uns à l'égard des autres, mais à ses yeux ils ne sont que détritus et ordure, ils ne sont pas l'objet de ses assiduités. C'est à *eux* qu'il fait la cour. A *eux !* Vous me comprenez, Edelshtein ? Il va vers *eux* et les plumitifs lui font la courte échelle. Je sais que vous me traitez de plumitive et ça ne fait rien, livrée à moi-même, je suis ce que vous pensez, pas d'imagination, un talent couci-couça (autrefois moi aussi je voulais être poète, mais c'était dans une autre vie) — mais, portant Ostrover sur mes épaules, je ne suis plus la même : je suis « la traductrice d'Ostrover ». Vous croyez que ce n'est rien ? C'est une entrée chez *eux.* On m'invite partout, je vais aux mêmes soirées qu'Ostrover. Les gens me regardent, ils me trouvent un peu excentrique, puis ils disent : « C'est la traductrice d'Ostrover. » Un mariage. Pesha, ce tas de vieille ferraille, est moins mariée à Ostrover que moi. Telle une épouse, j'ai le rôle prétendument passif. Prétendument, car qui sait ce qui se passe dans la chambre conjugale ? Une célibataire comme moi finit par flairer ces choses-là. Pour la traduction, c'est pareil. Qui produit donc cette langue pour laquelle Ostrover est célèbre ? Vous demandez : qu'est-ce qui leur fait croire, à *eux,* qu'il est un « soi-disant moderne » — et vous ricanez. *Qui* a lu James Joyce, Ostrover ou moi ? J'ai cinquante-trois ans. Ce n'est pas pour rien que je suis née du côté de

Hlusk, ce n'est pas pour rien que j'ai fait des études à Vassar Collège — vous me suivez ? Je me suis retrouvée entre les deux, je me suis fait évincer. Entre deux organismes. Une hermaphrodite culturelle, ni l'un ni l'autre. J'ai la langue fourchue. Lorsque je me bats cinq heures d'affilée pour qu'Ostrover dise « grand » au lieu de « gargantuesque », lorsque je lui supprime toutes ces jolies virgules douillettes dont il saupoudre son texte comme un idiot, lorsque je bois le thé stupide de sa femme et que je rentre chez moi le ventre gonflé d'eau — c'est *là* qu'il se transforme en « moderne », vous comprenez ? C'est moi, ça ! Bien entendu, personne ne s'en rend compte, ils croient que c'est quelque chose dans les contes eux-mêmes, alors que c'est la façon dont je les habille et les couvre de peinture. C'est du maquillage, tout ça, je suis esthéticienne, peintre, celle qu'ils paient, *eux*, dans les pompes funèbres pour faire le même travail sur les cadavres... Alors ne venez pas m'embêter avec vos critiques. Je vous dis que son yiddish n'a pas d'importance. Ni son yiddish, ni celui de quiconque. Tout ce qui est yiddish n'a pas d'importance.

Quant au reste de la lettre — les femmes sont intarissables, indomptables, toutes tant qu'elles sont — il s'abstint de le lire. Il avait compris ce qu'elle cherchait : un peu d'argent, un peu d'estime. Une mégalomane en miniature : elle se prenait pour le *véritable* Ostrover. Elle était persuadée d'avoir transformé un chiffon en génie. Un chiffon en polochon, c'était donc du génie ? Elle vivait là-bas, au grand jour, parmi *eux* : bien sûr, elle n'allait pas perdre son temps pour Edelshtein. Dans sa morosité. Dans l'obscurité où il se trouvait. Un idéaliste ! Comment ce noble mot avait-il grimpé l'échelle sociale jusqu'à devenir une insulte ? Et pourtant, un mot à chérir. Idéaliste. Donc, voici la différence entre Ostrover et lui : Ostrover ne voulait sauver que sa propre personne. Eldelshtein voulait sauver le yiddish.

En compagnie de Baumzweig et de Paula, il se rendit à la YMHA de la 92ᵉ Rue pour y entendre Ostrover.

— Mortification, déclara Paula.

Il neigeait le soir de cette expédition. Ils devaient mordre à même la bise, des larmes de douleur formaient des ruisselets de glace sur leurs joues, à la sortie du métro c'était la Sibérie.

— Des saints chrétiens de l'autoflagellation, grommelait-elle, ils se fustigent avec des chaînes de glaçons.

Les doigts gourds, ils payèrent leur entrée et allèrent s'asseoir à l'avant de la salle. Edelshtein se sentait paralysé. Ses doigts de pied piquaient, fourmillaient, puis lui semblèrent malades, gangrenés, chauffés à blanc. Le cocon de son lit à la maison : le stylo toujours posé sur la table de nuit, la première ligne lumineuse d'un nouveau poème en attente de naissance — *Oh ! puissé-je tel un jeune homme être frappé du choc de la foi —*, tout à coup il sut comment il devait enchaîner, comprit le sujet et l'intention du poème, la salle alentour lui sembla dérisoire, inutile, pourquoi était-il venu ? La foule, la presse, les grincements des chaises qu'on dépliait et posait brutalement, le babil, Paula bâillant à ses côtés avec ses paupières plissées et ridées,

Baumzweig mouchant son nez plat dans un mouchoir bleu et faisant exploser une grande fleur de morve verte, pourquoi se trouvait-il dans un lieu pareil ? Qu'avait-il à voir, ce lieu, avec ce qu'il savait, ce qu'il sentait ?

Paula faisait pivoter son cou trapu dans son col de sconse élimé pour lire les noms des grands hommes qui formaient autour de la salle une frise de lettres dorées : Moïse, Einstein, Maimonide, Heine. Peut-être Heine, ce converti, savait-il ce que savait Edelshtein ? Mais ceux-là, les ouvreurs en veston élégant, les jeunes gens efflanqués chargés de livres (ceux d'Ostrover), les portant presque comme des vêtements, costumes d'un livresque criant, d'une sexualité criante, avec des pantalons moulant l'entrejambe, dessinant des fesses dans l'air, moustachus, certains chevelus jusqu'à la clavicule, jambes et mollets menaçants tels des marteaux, et des jeunes filles, tuniques, genoux, pantalons, bottes, mignonnes petites langues cachées, yeux noirs. Tout cela pour Ostrover. La salle était comble. Les ouvreurs, levant des poignets couverts de tweed, dirigeaient le trop-plein vers une invisible galerie voisine : il y avait là un écran de télévision sur lequel on verrait bientôt papilloter le petit fantôme gris d'Ostrover, palpable et pour le reste blanc comme un cochon lavé. La YMHA. Pourquoi ? Edelshtein, lui aussi, donnait des conférences dans les Y — Elmhurst, Eastchester, Rye ; estrades minuscules, pupitres trop hauts pour lui, toute une kyrielle d'humiliations devant un public de vieux. Mesdames, messieurs, ils ont excisé mes cordes vocales, la seule langue dans laquelle je puisse vous parler librement et couramment, mon *mamaloshen* chéri ;

scalpels, morts, l'opération a bien réussi. Les Y d'Edelshtein étaient des maisons de retraite, des usines à
convalescents, des asiles. Il chantait en son for intérieur :

Pourquoi ouvrir le bec
Aux réunions de l'Y
Faire des conférences
Devant des spectres qui dansent ?

Eh oui, des fantômes. Si ma langue n'a point de
secrets pour vous, mesdames, messieurs, c'est que vous
êtes des fantômes, des ectoplasmes, des spectres. Je
vous ai inventés, vous êtes le fruit de mon imagination,
il n'y a personne ici, une caverne déserte, une soupape
vide, l'abandon, la désolation. Tous partis. *Pust vi dem*
kalten shul mein harts (encore un premier vers resté
orphelin, sans escorte, sans compagnons), le *shul* glacé,
les fantômes qui dansent. Mesdames, messieurs, si la
langue vous paraît une énigme, en voici une autre :
qu'y a-t-il de commun entre un juif et une girafe ? Le
juif aussi n'a pas de cordes vocales. Dieu a frappé le juif
et la girafe, l'un totalement, l'autre à moitié. Et point de
consolation. Baumzweig expectora à nouveau. Une
morve luisante comme la mer. Dans la création de
Dieu, aucune chose, si perverse soit-elle, n'est sans
beauté. Krakh, krakh. Le rugissement de Baumzweig le
seul bruit dans la salle.

— Chut, fit Paula, *ot kumt der shed.*

Brillant, tout brillant, Ostrover se dressait devant
eux — loin, haut, l'estrade large, le pupitre méticuleusement garni d'un microphone et d'une carafe. Un

faisceau de lumière intense vrillait ses orbites. Sa bouche était larvaire, mince et effacée, comme tracée à la craie, une haie de cheveux blancs dressés au-dessus des oreilles, une voix frigide.

— Un nouveau conte, annonça-t-il avec un éclair de salive sur sa lèvre. Il n'est pas obscène, je considère donc que c'est un ratage.

— Diable, souffla Paula. Porc blanc étuvé, *Yankee Doodle.*

— Chut, fit Baumzweig. *Lomir heren.*

Baumzweig voulait entendre le Diable, le Porc ! Pourquoi pouvait-on souhaiter l'entendre ? Edelshtein, un peu dur d'oreille, se pencha en avant. Devant lui, son nez y plongeant presque, brillaient les cheveux d'une jeune fille — un peu de la lumière du plateau s'y était prise. Jeune, jeune ! Tout le monde jeune. Jeunes, tous les partisans d'Ostrover ! Un moderne.

Prudemment, sournoisement, comme s'il dévidait une corde, Edelshtein lâchait un peu de son attention, en frissons maigrelets. Deux rangées devant lui, il aperçut la vieille fille plumitive, Chaim Vorovsky, le lexicographe soûl, rendu fou par un excès de mathématiques, six petits étudiants inconnus.

Le conte d'Ostrover :

Satan apparaît à un mauvais poète. « J'aspire à la gloire, dit le poète, mais je ne peux pas y parvenir car je viens de Zwrdl et je ne peux écrire qu'en zwrdlois. Malheureusement, personne au monde ne sait lire cette langue. Voilà ce qui pèse sur moi. Donne-moi la gloire et tu auras mon âme en échange. — Es-tu bien certain, dit Satan, d'avoir pris la juste mesure de tes ennuis ? —

Que veux-tu dire ? — Peut-être, répond Satan, est-ce du côté de ton talent que le bât blesse. Zwrdl ou pas Zwrdl, il est faiblard. — Non point ! dit le poète, et je te le prouverai. Apprends-moi le français et je serai célèbre en un rien de temps. — Fort bien, dit Satan, dès que j'aurai dit " gloup ", tu sauras le français à la perfection, mieux que de Gaulle. Mais je vais me montrer bon prince. Le français est une langue bien facile. Je ne prendrai en échange que le quart de ton âme. »

Et il dit « gloup ». A l'instant même, voici notre poète en train de scribouiller couramment en français. Pourtant, aucun éditeur français ne veut de lui et il demeure obscur. Satan de revenir : « Comme ça, le français n'a pas marché, *mon vieux, tant pis !* — Peuh ! dit le poète, que peut-on attendre d'un peuple qui a possédé des colonies ? Ils ne savent pas ce qui est bon au royaume de la poésie. Apprends-moi l'italien, après tout, même le pape rêve en italien. — Ce sera encore un quart de ton âme » dit Satan et il actionne sa caisse enregistreuse portative. Et « gloup » ! Le voici encore, notre poète, écrivant des *terza rima* avec tant de facilité et de mélancolie que le pape le féliciterait en versant de saintes larmes si seulement il pouvait voir ces vers imprimés — malheureusement tous les éditeurs italiens renvoient le manuscrit avec un simple formulaire de refus, pas même une lettre.

« Comment, l'italien non plus, c'est pas ça ? s'écrie Satan. *Mamma mia*, pourquoi ne veux-tu pas me croire, petit frère, c'est pas la langue, c'est toi. » Même jeu pour le swahili et l'arménien. « Gloup » — échec. « Gloup » — échec et, à présent, l'ayant facturée par quarts, Satan possède tout entière l'âme du poète et le ramène avec lui à l'endroit de la Fournaise.

« Tu vas me brûler, n'est-ce pas ? dit amèrement le poète. — Non, non, dit Satan, ce n'est pas ainsi que nous avons coutume de traiter les poètes, ces créatures soyeuses. Eh bien ? as-tu tout apporté ? Je t'avais dit de bien faire tes bagages ! De ne pas oublier le moindre bout de papier. — J'ai apporté tout mon classeur, dit le poète et en effet il est là, attaché à son dos, un gros meuble de métal noir. — A présent, vide-le dans le Feu, ordonne Satan. — Mes poèmes ! Pas tous mes poèmes ? Toute l'œuvre de ma vie ? gémit le poète — C'est cela, fais ce que je te dis. » Et le poète s'exécute, car après tout il est en Enfer et il appartient à Satan. « Bien, dit Satan, et maintenant suis-moi, je vais te conduire dans ta chambre. »

Parfaite, la chambre, parfaitement meublée, ni trop froide, ni trop chaude, juste à bonne distance du grand Feu pour qu'on y soit bien. Le bureau, un vrai bijou, un plateau tendu de cuir rouge, une ravissante chaise pivotante tapissée d'écarlate, un tapis d'Orient écarlate sur le sol, tout près un réfrigérateur rouge garni de fromages, de gâteaux, de cornichons, un verre de thé rougeâtre fumant déjà sur la petite table rouge. Une fenêtre sans rideau.

« Voilà le spectacle qui va t'inspirer, dit Satan, regarde dehors. Au-dehors, rien que le Feu dessinant de magnifiques arabesques, moucheté de couleurs surnaturelles, virevoltant et s'enroulant en formes nouvelles et inimaginables. — Comme c'est beau ! s'extasie le poète. — Précisément, dit Satan, ça devrait t'inspirer quantité de nouveaux vers. — Oh, oui ! Puis-je commencer, votre Seigneurie ? — C'est pour cela que je t'ai emmené ici, dit Satan. Maintenant, installe-toi et écris, puisque de toute façon tu ne peux pas t'en empêcher. Il n'y a qu'une condition. Dès l'instant où tu termines une strophe, tu dois la jeter par la fenêtre, comme ça. » Et pour illustrer son propos, il lance une page blanche par la fenêtre.

Aussitôt, un vent de feu saisit la page, l'embrase, l'aspire vers la grande conflagration centrale. « Souviens-toi que tu es en Enfer, dit sévèrement Satan. Ici, tu n'écris que pour l'oubli. » Le poète fond en larmes. « Ça ne change rien, ça ne change rien ! C'était pareil là-haut. Ô Zwrdl, je te maudis de m'avoir donné le jour ! — Et il n'a toujours pas compris, dit Satan exaspéré. Gloup, gloup, gloup, gloup, gloup, gloup, gloup, gloup. Vas-y, écris ! »

Le pauvre poète se met à gribouiller un poème après l'autre et, chose étrange, soudain il a oublié jusqu'au dernier mot de zwrdlois, il écrit vite, de plus en plus vite, il s'accroche à sa plume comme si elle seule empêchait ses jambes de s'envoler de leur propre chef, il écrit en néerlandais et en anglais, en allemand et en turc, en santal et en sassak, en lapon et en kurde, en gallois et en rhéto-roman, en niasèse et en nicobarèse, en galcha et en ibanag, en ho et en khmer, en ro et en volapük ; en jagatai et en suédois, en toulou et en russe, en irlandais et en kalmouk ! Il écrit dans toutes les langues sauf en zwrdlois et tous ses poèmes il doit les jeter par la fenêtre parce que de toute façon ils ne valent rien, bien qu'il ne s'en rende pas compte..

Edelshtein, emporté par le tourbillon d'une méditation furieuse et étrangère, ne saisit pas exactement
la fin de l'histoire. Mais elle était brutale et c'était
à nouveau Satan qui menait la danse : il fustigeait
l'aspiration avec un de ces aphorismes modèles
d'Ostrover, dense et gonflé comme un phallus,
mais pourtant stérile. Un rire terrifiant, une lame
de fond tout autour de lui, roulant vers Edelshtein
pour le briser en morceaux. Des rires pour Ostrover. Des plaisanteries, de minables plaisanteries.
C'était tout ce qu'ils voulaient.

— Baumzweig, dit-il, se pressant au-dessous du
col de Paula (sous le col, ses seins dodus), il fait ça
par méchanceté, tu comprends ?

Mais Baumzweig était saisi par le rire. Le rire
venait frapper les coins de sa bouche. Il tournoyait
au milieu du rire comme un insecte.

— Le salaud !

— Le salaud ! fit Edelshtein en écho.

— C'est toi qu'il vise, insista Baumzweig.

— Moi ?

— Une allégorie. Tu vois bien que tout correspond.

— Si tu écris des lettres, tu devrais t'abstenir de
les expédier, dit Paula d'une voix raisonnable. Il a
su que tu cherchais un traducteur.

— Il n'a pas besoin d'une muse mais d'un souf-
fre-douleur, précisa Baumzweig. Bien entendu qu'il
l'a su, c'est cette sorcière elle-même qui le lui a
dit.

— Pourquoi moi ? demanda Edelshtein. Ça pourrait être toi.

— Je ne suis pas du genre jaloux, protesta Baumzweig. Ce qu'il possède, toi tu en as envie.

Il balaya l'assistance d'un geste ; à ce moment précis,
il avait l'air aussi insignifiant qu'un petit oiseau.

Paula dit :

— Vous en avez envie tous les deux.

Ce dont ils avaient envie était en train de commencer. Un hommage.

Q : Monsieur Ostrover, comment définiriez-vous le
poids symbolique du récit ?

R : Le poids symbolique, c'est ceci : ce dont vous
avez besoin, vous le méritez. Si vous n'avez pas besoin
qu'on vous tape sur la tête, vous ne le mériterez jamais.

Q : Monsieur, je suis en train d'écrire une disserta-
tion sur vous pour mon cours d'anglais. Pourriez-vous
me dire, s'il vous plaît, si vous croyez à l'Enfer ?

R : Pas depuis que je suis devenu riche.

Q : Et Dieu ? Vous croyez en Dieu ?

R : Exactement comme je crois à la pneumonie. Si
vous avez une pneumonie, vous l'avez, si vous ne l'avez
pas, vous ne l'avez pas.

Q : Est-il vrai que votre femme est une comtesse ? Il
y a des gens qui disent qu'elle est seulement juive.

R : En religion, c'est un travesti, en réalité c'est un
comte.

Q : Le zwrdlois, ça existe vraiment ?

R : Vous êtes précisément en train de parler
zwrdlois, c'est la langue des sots.

Q : Qu'est-ce qui se passerait si vous n'étiez pas
traduit en anglais ?

R : Alors, je serais lu par les Pygmées et les Esquimaux. De nos jours, être Ostrover, c'est une industrie mondiale.

Q : Alors, pourquoi ne parlez-vous pas de choses mondiales, comme les guerres par exemple ?

R : Parce que je crains le bruit.

Q : Que pensez-vous de l'avenir du yiddish ?

R : Que pensez-vous de l'avenir des dobermans ?

Q : On raconte que les autres yiddishistes sont jaloux de vous.

R : Non, c'est moi qui suis jaloux. J'aimerais vivre tranquille.

Q : Observez-vous le sabbat ?

R : Bien entendu, vous n'avez pas remarqué qu'il avait disparu ? C'est moi qui l'ai caché. Je l'observe, mais en secret.

Q : Et les règles alimentaires, vous les respectez ?

R : Il le faut bien, en raison de la situation morale du monde. J'étais au désespoir d'apprendre que dès qu'une huître arrive dans mon estomac, elle devient antisémite. Un jour, un bol de crevettes a déchaîné un pogrome contre mes intestins.

Plaisanteries, plaisanteries ! Cela risquait de durer encore une heure. La condition de la gloire, une séance de questions : le conférencier peut rester sur l'estrade et débiter interminablement de plates facéties et il aura droit à l'admiration générale. Edelshtein rabattit son siège avec un grincement, se faufila à travers l'allée centrale et les doubles portes pour gagner le hall. Sur un banc, à moitié endormi, il aperçut le lexicographe. Il l'évitait en général — c'était un homme avec un passé, tous les passés sont assommants —, mais lorsqu'il vit Vorosky soulever ses paupières tannées comme du cuir, il se dirigea vers lui.

— Quoi de neuf, Chaim ?

— Rien. Mal au foie. Et toi ?

— Mal à la vie. Je t'ai vu dans la salle.

— Je suis sorti. Je déteste les jeunes.

— Parce que tu n'as pas été jeune, toi ?

— Pas comme ceux-là. Je ne riais jamais. Tu te rends compte qu'à l'âge de douze ans, j'avais déjà maîtrisé le calcul intégral ? Je l'ai pratiquement réinventé tout seul. Tu n'as pas lu Wittgenstein, Hersheleh, tu n'as pas lu Heisenberg, qu'est-ce que tu sais de l'empire de l'univers ?

Edelshtein tenta de changer de sujet :

— C'est ta traduction qu'il a lue ?

— Est-ce que ça avait l'air d'être la mienne ?

— Je n'en sais rien.

— C'était la mienne et pas la mienne. Si tu poses la question au laideron, elle te dira que c'est la sienne, améliorée. Qui est véritablement le traducteur d'Ostrover ? Dis-moi, Hersheleh, c'est peut-être toi ? Personne ne sait. C'est — comme on dit — l'œuvre de plusieurs marmitons qui tous remuent la sauce d'Ostrover et qui se brûlent. J'aimerais lui chier dessus, ton ami Ostrover.

— *Mon* ami ? Il n'est pas mon ami.

— Alors pourquoi as-tu payé du bon argent pour le voir ? Tu peux le voir gratis ailleurs, non ?

— Et toi alors ?

— La jeunesse, j'ai emmené la jeunesse.

Conversation avec un fou : la *meshugas* de Vorovsky consistait à pousser l'autre à le suspecter de normalité. Edelshtein se laissa glisser sur le banc — entraîné par ses os qui semblaient se replier en accordéon. Il était en proie à une fatigue désolée. Se retrouvant à la hauteur de Vorovsky, il se trouva face au chapeau de l'homme — un grand monstre de fourrure à la russe. Il le vit nimbé de clochettes de traîneau, de linceuls de neige. Vorovsky avait une tête massive, pétrie à grands traits, à l'exception d'un nez poupin, rose, d'une délicatesse informe. Le seul signe de boisson se voyait sur les ailes du nez au cartilage enflé et sur le bout du nez, également enflé. Dans la conversation courante, aucun signe de vraie folie, seulement un côté un peu évasif. Mais on savait qu'un après-midi, Vorovsky, au terme de la compilation de son dictionnaire, un labeur de dix-sept ans, s'était brusquement mis à rire et avait continué à rire six mois durant, même dans son sommeil : pour le reposer, il fallait lui administrer des calmants, mais qui ne purent totalement étouffer le rire. Sa femme mourut, puis son père, et il continuait à rire. Il perdit le contrôle de sa vessie, puis découvrit, pour soigner le rire, les vertus thérapeutiques de la boisson. La boisson le guérit, mais il continuait à pisser en public sans s'en rendre compte ; même sa guérison était provisoire et précaire car, s'il lui arrivait d'entendre une blague qui lui plaisait, il était capable d'en rire une minute ou deux ou, à l'occasion, trois heures durant. Apparemment, aucune des plaisanteries d'Ostrover n'avait atteint son but — il était sobre et arborait une mine d'enterrement. Cependant, Edelshtein vit une grande tache sombre près de sa braguette. Il s'était mouillé, impossible de savoir à quel moment. Ça ne sentait pas. Edelshtein recula ses fesses de quelques centimètres.

— La jeunesse ? demanda-t-il.

— Ma nièce. Vingt-trois ans. La fille de ma sœur Ida. Elle lit couramment le yiddish, dit-il fièrement. Elle écrit.

— En yiddish ?

— En yiddish ! éructa-t-il. Faut pas être fou, Hersheleh, qui irait écrire en yiddish ? Tu la prends pour une réfugiée, une jeune fille américaine comme elle ! Elle est folle de littérature, c'est tout, elle est comme tous les autres dans la salle, pour elle, Ostrover, c'est de la littérature. Je l'ai emmenée, elle voulait que je la présente.

— Présente-moi, rusa Edelshtein.

— Elle veut être présentée à quelqu'un de célèbre, alors je ne vois pas ce que tu viendrais faire là.

— Traduit, je serais célèbre. Écoute un peu, Chaim, un homme de talent comme toi, avec toutes ces langues sur tes tablettes, pourquoi tu n'essaierais pas de me traduire ? Me traduire et me donner un coup de main.

— La poésie, c'est pas mon fort. Si tu veux être célèbre, il faut écrire des contes.

— Je ne veux pas être célèbre.

— Alors, qu'est-ce que tu cherches ?

— Je voudrais...

Edelshtein s'arrêta. Que voulait-il ?

— Arriver quelque part.

Vorovsky ne rit pas.

— J'ai fait mes études à l'université de Berlin. De Vilna à Berlin, en 1924. Est-ce que je suis arrivé à

Berlin ? J'ai consacré toute ma vie à la compilation d'une histoire de l'esprit humain, exprimé en mathématiques, je veux dire. Les mathématiques, la poésie définitive, la seule possible. Suis-je arrivé à dominer l'univers ? Hersheleh, si je pouvais t'expliquer ce que c'est qu'arriver, je te dirais ceci : il est impossible d'arriver. Pourquoi ? Parce que lorsqu'on parvient où on voulait arriver, on se rend compte que ce n'est pas là qu'on voulait arriver. Sais-tu à quoi c'est bon, un dictionnaire de mathématiques bilingue allemand-anglais ?

Edelshtein couvrit ses genoux de ses mains. Ses jointures lui renvoyaient une lumière mate. Une rangée de crânes blanchis.

— A faire du papier de cabinet, dit Vorovsky. Tu sais à quoi c'est bon, les poèmes ? Idem. Et ne me traite pas de cynique, ce que je dis n'est pas du cynisme.

— Du désespoir, peut-être, proposa Edelshtein.

— Le désespoir, tu peux te le mettre là où je pense. Je suis un homme heureux. Le rire, ça me connaît.

Il se leva d'un bond, à côté d'Edelshtein c'était un géant. Des poings grisâtres, des ongles comme en os. La foule s'écoulait par les portes de l'amphithéâtre.

— Je vais te dire autre chose. Traduction n'est pas équation. Si tu recherches une équation, mieux vaut mourir tout de suite. Il n'y a pas d'équations, les équations ne se produisent pas. C'est une idée comme un animal à deux têtes, tu me suis ? La dernière fois que j'ai vu une équation, c'était sur une photo de moi. J'ai regardé dans mes propres yeux et qu'est-ce que j'ai vu ? J'ai vu Dieu sous la forme d'un assassin. Ce que tu devrais faire avec tes poèmes, c'est avaler ta langue.

Voilà ma nièce, derrière Ostrover, comme une queue. Hé, Yankel! cria-t-il d'une voix sonore.

Le grand homme ne l'entendit pas. Des mains, des bras, des têtes l'enfermaient comme un filet de pêcheur. Baumzweig et Paula ramaient à travers les remous, le hall tourbillonnait. Edelshtein vit deux petites personnes, pas toutes jeunes, corpulentes, emmitouflées dans leurs vêtements. Il se cacha, il voulait se perdre. Qu'ils s'en aillent, qu'ils s'en aillent. Mais Paula l'avait repéré.

— Qu'est-ce qui t'arrive ? On a cru que tu avais un malaise.

— Il faisait trop chaud là-dedans.

— Rentre à la maison avec nous. Il y a un lit. Plutôt que de rester seul chez toi.

— Non merci. Il est en train de signer des autographes, tu vois un peu.

— Ta jalousie finira par te dévorer, Hersheleh.

— Je ne suis pas jaloux ! glapit Edelshtein.

Des gens se retournèrent pour voir.

— Où est Baumzweig ?

— En train de serrer la main au Porc. Un éditeur doit garder ses contacts.

— Un poète doit ravaler son vomi.

Paula le dévisagea, son menton plongé dans sa collerette de sconse.

— Comment pourrais-tu vomir, Hersheleh ? Les âmes pures n'ont pas d'estomac, seulement un ectoplasme. Ostrover a peut-être raison, tu as des ambitions qui ne sont pas à ta mesure. Et si ton cher ami Baumzweig ne te publiait pas ? Tu oublierais jusqu'à ton propre nom. Mon mari ne te le dit pas, il est trop bon, mais moi, je n'ai pas peur de la vérité. Sans lui, tu n'existerais pas.

— Avec lui, je n'existe pas, dit Edelshtein. Qu'est-ce que l'existence ?

— Je ne suis pas une séance de questions, dit Paula.

— Ça ne fait rien, dit-il. Parce que moi, je suis une séance de réponses. La réponse, un point c'est tout. Ton mari est fini, un point c'est tout. Moi aussi, je suis fini, un point c'est tout. Nous sommes déjà morts. Soit tu t'en rends compte, soit tu ne t'en rends pas compte. Moi, je m'en rends compte.

— Je passe mon temps à lui dire de te laisser tomber. Et toi, tu viens traîner chez nous.

— Ta maison est une potence, la mienne une chambre à gaz, c'est du pareil au même.

— Ne viens plus, personne n'a besoin de toi.

— Précisément ma philosophie. Nous sommes des êtres superflus sur la face de la terre.

— Tu es un vaurien.

— Ton mari est un furet, tu es la femme d'un furet.

— Cochon et diable toi-même.

— Mère de chiots ! (Paula, une femme si bonne, c'était la fin, jamais il ne la reverrait.)

Il partit en titubant, léchant ses larmes, cognant des épaules, aveuglé par l'accident de son deuil. Soudain un désir se manifesta par des cris dans son cerveau.

EDELSHTEIN : Chaim, apprends-moi à être soûl !

VOROVSKY : D'abord, il faut être fou.

EDELSHTEIN : Apprends-moi à devenir fou !

VOROVSKY : D'abord, il faut échouer !

EDELSHTEIN : J'ai échoué, je suis allé à l'école de l'échec, je suis un maître de l'échec...

VOROVSKY : Retourne encore à l'école.

Au mur, il y avait un miroir. Il y vit un vieillard en pleurs, traînant une écharpe à rayures comme un châle de prière. Immobile, il se regardait. Il aurait voulu ne pas naître juif. Des fragments de vieux poèmes encombraient ses narines, il sentait l'heure de leur création, sa femme au lit à côté de lui, endormie après qu'il l'eut frottée pour la dédommager de son amertume. *Le ciel bourré d'étoiles de David... et toute chose est autre chose, je suis autre chose... Suis-je une chose ou un oiseau ? Mon chemin est-il fourchu bien que je sois un ? Dieu se retirera-t-il de l'histoire ? Qui me permettra de recommencer...*

OSTROVER : Hersheleh, j'avoue que je t'ai insulté, mais après tout, personne n'en saura rien. C'est seulement une histoire pour faire semblant, un jeu.

EDELSHTEIN : La littérature n'est pas un jeu. La littérature, c'est pas des petites histoires !

OSTROVER : C'est quoi alors, à ton avis, la Torah ? Tu hurles comme un juif, Edelshtein. Tais-toi, on va t'entendre.

EDELSHTEIN : Et toi, monsieur l'Élégance, tu n'es pas juif ?

OSTROVER : Absolument pas, moi, je suis l'un d'*eux*. Toi aussi, ça t'attire, pas vrai, Hersheleh ? Shakespeare, c'est mieux qu'une ombre, Pouchkine, c'est mieux qu'un minus.

EDELSHTEIN : En devenant un gentil, tu ne deviens pas forcément un Shakespeare.

OSTROVER : Ah, ah ! Qu'est-ce que tu en sais ? Je vais te dire les choses comme elles sont, Hersheleh, parce que je sens qu'au fond nous sommes frères... Je te sens qui tends à toute force vers le centre du monde. Alors, écoute-moi — as-tu jamais entendu parler de Velvl Shikkerparev ? Jamais. Un gribouilleur yiddish qui écrit des pièces à la guimauve pour le théâtre yiddish du East End, je parle de Londres, en Angleterre. Il trouve un traducteur et, du jour au lendemain, il devient Willie Shakespeare...

EDELSHTEIN : Blague à part, c'est ça que tu me conseilles ?

OSTROVER : Je ne donnerais pas d'autre conseil à mon propre père : laisse tomber, Hersheleh, arrête de croire au yiddish.

EDELSHTEIN : Mais je n'y crois pas !

OSTROVER : Mais si, je vois bien que tu y crois. C'est peine perdue de te parler, tu es trop accroché. Dis-moi, Edelshtein, de quelle langue se sert Moïse dans le monde à venir ?

EDELSHTEIN : Ça, je le sais depuis le berceau. L'hébreu le sabbat, le yiddish les jours de semaine.

OSTROVER : Ame perdue, ne va pas faire du yiddish la langue du sabbat ! Si tu crois à la sainteté, c'en est fait de toi. La sainteté, c'est pour faire semblant.

EDELSHTEIN : Je veux être un gentil, comme toi.

OSTROVER : Je ne suis qu'un gentil pour faire semblant. Ce qui veut dire que je feins d'être juif pour leur faire plaisir. Dans mon village, quand j'étais petit, on emmenait un ours danser au carnaval, et tout le monde disait : « Il est humain ! » Ils le disaient parce qu'ils savaient que c'était un ours, même s'il se tenait sur ses pattes de derrière pour valser. C'était un ours.

Sur ce, Baumzweig vint le trouver.

— Quelle soupe au lait, cette Paula ! Ne t'en fais

pas, Hersheleh, viens dire bonjour au grand homme, tu n'as rien à perdre après tout !

Il le suivit docilement, serra la main d'Ostrover et le complimenta pour son histoire. Ostrover était courtois, s'essuya la lèvre, laissa une goutte d'encre suinter au ralenti de son stylo et continua à autographier des livres. Humblement, Vorovsky s'attardait aux confins du cercle qui s'était formé autour de l'écrivain : sa tête était féroce, mais son regard timide ; il tenait une jeune fille par le coude et voulait avancer, mais la jeune fille fixait des yeux extasiés sur une page de garde où Ostrover avait signé son nom. Edelshtein, apercevant fugacement les lettres, sursauta : c'était la version yiddish.

— Excusez-moi, dit-il.

— Ma nièce, dit Vorovsky.

— Je vois que vous lisez le yiddish, dit Edelshtein en s'adressant à elle. Dans votre génération, c'est un miracle.

— Hannah, tu as devant toi H. Edelshtein, le poète.

— Edelshtein ?

— Oui.

Elle récita : « Petits pères, petits oncles, vous avec vos barbes, vos lunettes et vos cheveux frisés... »

Edelshtein ferma les yeux et se mit à pleurer.

— C'est bien le même Edelshtein ?

— Le même, répondit-il, la voix brisée.

— Mon grand-père récitait ça tout le temps. C'était dans un livre qu'il avait, *A Velt ohn Vint.* Mais c'est impossible.

— Impossible ?

— Que vous soyez encore en vie.

— Vous avez raison, vous avez raison, dit Edelshtein accusant le coup. Ici, nous sommes tous des fantômes.

— Mon grand-père est mort.

— Il faut lui pardonner.

— *Lui,* c'était un de vos lecteurs. Et il était très vieux. Il est mort il y a des années, et vous, vous êtes encore en vie...

— Ne m'en veuillez pas, dit Edelshtein. Peut-être qu'à l'époque j'étais jeune. J'ai commencé jeune.

— Pourquoi dites-vous des fantômes ? Ostrover n'est pas un fantôme.

— Non, bien sûr, convint-il.

Il craignait de la vexer.

— Écoutez, je vais vous réciter le reste, ça ne prendra qu'une minute, je vous promets. Écoutez, voyez si vous vous souvenez de ce que disait votre grand-père.

Autour de lui, derrière lui, devant lui, Ostrover, Vorovsky, Baumzweig, des dames parfumées, des étudiants, des jeunes, des jeunes ; il griffait son visage mouillé et déclamait, se tenant là comme un épi fou au cœur d'un champ vide :

Comme vous naissez d'un sol recouvert de misère !
Vêtus de longs manteaux, vos doigts roulant de la
[cire, vos yeux de suif
Comment vous parler, petits pères ?
Vous qui m'avez dorloté de votre berceuse toute
en [labiales, liou, liou, liou,
Le galimatias de marins aux yeux bleus,

Le traducteur introuvable...

Comment ai-je pu tomber dans le ventre d'une
[étrangère ?

Reprenez-moi parmi vous, l'histoire m'a omis,
Vous appartenez à l'ange de la mort,
Et moi, c'est à vous que j'appartiens,
Couronnes tressées, fumée,
Laissez-moi choir dans vos tombes,
Je n'ai pas le droit d'être votre avenir.

Il se gargarisait, soufflait, toussait, s'étouffait, les
larmes avaient fait fausse route quelque part dans sa
gorge — et pendant tout ce temps, avec chaque mot
éructé, il dévorait des yeux cette nièce, cette Hannah,
cette fille comme les autres, des cheveux drus et
broussailleux, un front marqué au poinçon juif, des
yeux chintoques...

A l'orée du village, une petite rivière,
Des hérons y basculent becquetant leur image
Lorsque passent les échassiers qui sifflent comme
[des gentils.
Les hérons suspendus, hamacs au-dessus de la
douce [eau de l'été,
Leurs crânes bourrés de secrets, leurs plumes
[parfumées,
Le village est si petit qu'il rentre dans ma narine,
Les toits brillent de goudron,
Léché par un sommeil gros comme une vache.
Personne ne sait ce qui adviendra.
La foule des champignons se presse sur le sol noir
[de la forêt.

Paula lui dit à l'oreille :

— Hersheleh, je te fais mes excuses, viens à la maison avec nous, je t'en prie, je t'en prie, excuse-moi.

Edelshtein la repoussa, il entendait terminer.

> *Petitesse !* (hurla-t-il)
> *C'est toi que j'invoque.*
> *Comme nous sommes petits, entassés tous*
> *[ensemble,*
> *Nos petites masures, les mains dures des grands-*
> *[pères,*
> *Si petits,*
> *Mes paroles, si petites, si petites,*
> *Cette berceuse*
> *Chantée au bord de ta tombe...* (termina-t-il dans un hurlement).

Baumzweig dit :

— Ça, c'est un des bons poèmes d'autrefois. Le meilleur.

— Le meilleur, c'est celui qui est en train de se faire sur ma table ! hurla Edelshtein, toujours pris dans un déferlement de clameurs ; mais il se sentait doux, reposé, calme ; il était capable de patience.

Ostrover dit :

— En voilà un que tu ne devrais pas jeter par la fenêtre.

Vorovsky éclata de rire.

— C'est le poème du grand-père mort, à présent vous le connaissez, dit Edelshtein regardant tout autour de lui, tirant et tirant encore sur son écharpe.

Cela aussi faisait rire Vorovsky.

— Hannah, tu ferais bien de reconduire l'oncle Chaim à la maison, dit Ostrover.

Splendide, tout blanc, un génie public, une plume. Edelshtein découvrit qu'il était volé. Il n'avait pas scruté la fille autant qu'il l'aurait voulu.

Il passa la nuit dans la chambre des fils — des lits gigognes de style militaire. Sur celui du haut, Paula avait empilé des cartons de rangement. Il se tournait et se retournait sur le lit du dessous, rêvant, s'éveillant en sursaut, rêvant derechef. De temps en temps, avec un goût nauséeux, il avait des renvois du cacao chaud que Paula lui avait fait boire en signe de réconciliation. Entre les Baumzweig et lui, une violence intime : s'il venait à leur manquer, où trouveraient-ils un objet de condescendance ? C'étaient des moralistes, ils avaient besoin de se sentir coupables à propos de quelqu'un. Encore un rot. Il abandonna ses beaux rêves qui étaient loin d'être innocents : il était jeune, il posait un baiser sur la joue d'Alexeï, pareille à une pêche mûre. Il eut un mouvement de recul — ce n'était pas Alexeï, c'était la fille. Après le baiser, elle se mit lentement à déchirer les pages d'un livre, à faire tourbillonner une neige de papier, des lambeaux noirs d'alphabet, des lambeaux blancs de marges vierges. Le ronflement de Paula parcourait le vestibule et arrivait jusqu'à lui. S'étant extrait laborieusement du lit, il chercha une lampe à tâtons. Elle éclaira une table délabrée recouverte de vieilles maquettes d'avions. Fragiles, certaines de ces maquettes avaient des hélices à bracelet de caoutchouc, sur d'autres du papier avait été collé sur un squelette en balsa. Une boîte de Monopoly reposait sous une pellicule de poussière veloutée. Sa main tomba sur deux vieilles enveloppes, l'une déjà jaunie, et, sans hésiter, il sortit les lettres pour les lire.

Aujourd'hui, on a eu deux grandes fêtes en une. La fête de la colonie et la Journée Sacco et Vanzetti.

On nous a fait mettre des chemises blanches et des shorts blancs et aller au casino pour entendre Chaver Rosenbloom parler de Sacco et Vanzetti. C'étaient deux Italiens qu'on a tués parce qu'ils étaient pauvres. Chaver Rosenbloom a pleuré, Mickey aussi, mais pas moi. Mickey, il oublie tout le temps de s'essuyer quand il va au cabinet, mais je l'oblige.

Paula et Ben : grand merci pour la barboteuse en tricot et le hochet à tête de clown. Le carton était un peu écrasé, mais le hochet n'était pas abîmé. Stevie aura l'air adorable dans sa barboteuse quand il sera assez grand pour la mettre. Le canard sur le col semble déjà lui plaire. Et puis, ça lui tiendra bien chaud. Ces jours-ci, Josh travaille très dur à préparer son cours sur le Roman américain et il m'a demandé de vous dire qu'il écrira dès qu'il pourra. Nous vous embrassons tous affectueusement et Stevie envoie un baiser pour mamie et papy.

P.-S. : La semaine dernière on a vu arriver Mickey dans une Mercedes rose. On a eu une grande discussion et on lui a dit qu'il serait temps de s'assagir !

Des héros, des martyrs, un bébé. La haine qu'il ressentait pour ces lettres faisait trembler ses paupières. La vie ordinaire, la routine. Tout ce que l'homme touche vire à la banalité qui est le propre de l'homme. Les animaux, eux, ne contaminent pas la nature. Uniquement l'homme, agent de corruption, anti-divinité. Toutes les autres espèces vivent selon le pouls de la nature. Il méprisait ces cérémonies et les hochets et les cacas et les baisers. La vanité de leurs bébés. Essuyer le cul d'une génération pour le plaisir d'essuyer le cul de la génération suivante : c'était ainsi qu'il définissait l'ensemble de la civilisation. Il repoussa les maquettes d'avions, dégagea du coude un espace sur le devant de la table, trouva son stylo et écrivit :

Chère nièce de Vorovsky,

Comme c'est étrange de sentir que je suis devenu un Destructeur, moi qui suis né pour être bon et plein d'amour pour notre race humaine bien-aimée.

Une vague de nausée l'envahit devant cet anglais fantôme qu'il courtisait avec terreur, passion, stupeur et faiblesse. Il reprit dans sa propre langue.

Hannah inconnue,

Je suis un homme qui vous écrit dans la maison d'un autre homme. Nous sommes, lui et moi, secrètement ennemis et, donc, il m'est difficile d'écrire la vérité sous son toit. Mais je vous jure que je vais vous parler d'un cœur entièrement honnête. Je ne me souviens ni de votre visage, ni de votre corps. Vaguement de la colère dans votre voix. Pour moi, vous êtes une abstraction. Je me demande si les Anciens possédaient une représentation physique de l'Avenir, une déesse Futura pour ainsi dire. Sans doute, cette déesse aurait-elle des yeux vides comme la Justice.

C'est à une incarnation de l'Avenir que s'adresse cette lettre. Qui écrit à L'Avenir n'attend point de réponse. L'Avenir est un oracle dont on ne peut attendre la voix dans l'inaction. Pour être, il faut faire. Bien qu'étant nihiliste, non pas par choix mais par conviction, je découvre que je ne suis pas disposé à mépriser la survie. J'ai craché souvent sur moi-même d'avoir survécu aux camps de la mort — survécu en buvant du thé à New York ! —, mais aujourd'hui, lorsque, portées sur votre langue, j'ai entendu quelques-unes de mes syllabes d'autrefois, je me suis une fois de plus laissé amadouer, je me suis repris à tolérer la survie. Le son d'une langue morte dans la bouche d'une jeune vivante.

Si les bébés suivent les bébés, c'est Dieu qui nous piège, mais nous pouvons aussi piéger Dieu, n'est-ce pas ? En fabriquant, grâce à nos syllabes, une immortalité qui passe de l'échine des vieux aux épaules des jeunes, même Dieu ne peut y trouver à redire.

Si cette cargaison de prières remontant au jour du fond des fosses communes pouvait survivre !

A défaut du fourré épais des lamentations, au moins la langue qui les véhiculait. Hannah, la jeunesse en elle-même n'est rien, à moins qu'elle ne tienne sa promesse de vieillir. Vieillissez dans le yiddish, Hannah, et portez vos pères et vos oncles avec vous vers l'Avenir. Faites-le. Vous, une sur dix mille peut-être, née avec le don du yiddish dans votre bouche, l'alphabet du yiddish dans votre main, ne les réduisez pas en cendres ! Hier encore, il y avait douze millions d'êtres — sans compter les bébés — vivant au cœur de cette langue, et que reste-t-il à présent ? Une langue qui n'a jamais possédé d'autre territoire que les bouches juives, et la moitié des bouches juives de cette terre sont déjà bâillonnées par les vers de terre des Allemands. Les autres baragouinent en russe, en anglais, en espagnol et Dieu sait quelles langues encore. Il y a cinquante ans, ma mère vivait en Russie et ne connaissait que des bribes grossières de russe, mais son yiddish était fin comme de la soie. En Israël, ils donnent la langue de Salomon à des mécaniciens.

Réjouissez-vous — car que parlaient d'autre les mécaniciens du temps de Salomon ? Mais celui qui a oublié le yiddish va au-devant de l'amnésie de l'histoire. Pleurez — car l'oubli est déjà arrivé. Mille ans de nos durs labeurs oubliés. De-ci, de-là, un mot qui survit pour les plaisanteries de cabaret. Le yiddish, je vous conjure de le choisir ! Le yiddish ! Choisis entre la mort et la mort. Je veux dire, la mort par l'oubli, ou la mort par traduction. Qui te rachètera ? Quel acte de salut te fera revivre ? tout ce que je peux espérer pour toi, toi, langue en loques, langue flétrie, c'est une traduction en Amérique.

Hannah, vous avez une bouche puissante, faite pour porter l'avenir...

Mais il savait qu'il mentait, mentait et mentait encore. L'intention de dire vrai ne suffit pas. Discours et rhétorique. Une allocution. Une conférence. Il se trouvait obscène. Qu'est-ce que la mort des juifs avait à voir avec ses propres tribulations ? Son cri n'était qu'égotisme sur toute la ligne. Recuit dans son propre jus puant. Celui qui pleure les morts pleure sur lui-même. Il voulait que quelqu'un lise ses poèmes, personne ne pouvait lire ses poèmes. Y mêler l'histoire, c'était une saloperie, de l'exploitation. Comme si un muet allait faire grief aux oreilles qui ne peuvent pas l'entendre.

Il retourna la feuille et écrivit en gros caractères :

EDELSHTEIN PARTI

et, armé de ce papier, enfila le couloir à la rencontre du ronflement de Paula. Ridicule ce bruit et pourtant agréable, un bruit de bord de rivière. Un oiseau. A la regarder, c'était plutôt une vache : le lit conjugal sous ses yeux, noueux, bosselé — et dedans ce vieux mâle, cette vieille femelle. Il fut surpris de voir que par une nuit aussi froide, ils ne dormaient qu'avec une seule couverture en coton fin. Couchés comme deux royaumes en été.

Autrefois, ils avaient guerroyé, maintenant ils

gisaient là, épuisés, dans une trêve duveteuse. Baumzweig couvert de poils. Même les poils de ses jambes
avaient blanchi. Des tables de nuit, la paire, des deux
côtés du lit, encombrées de journaux, de livres, de
revues, des abat-jour émergeant du fouillis comme des
proues de navire — la chambre à coucher était l'annexe
du bureau de Baumzweig. Des tourelles de vieux
numéros de la revue sur le plancher. Sur la commode,
une machine à écrire assiégée par les flacons d'eau de
toilette et les poudriers de Paula. Du parfum mêlé à
d'infimes relents d'urine. Edelshtein continuait à regarder les dormeurs. Comme ils semblaient diminués,
chaque souffle une petite supplique réclamant encore,
encore, encore, un tremblement de bajoues ; le soulève-
ment d'un genou, d'un pouce ; les petites veines bleues
couvrant le cou de Paula. Le corps tirait sur la chemise
de nuit qui bâillait et il vit que ses seins retombaient sur
le côté et que, bien que toujours très gros, ils pen-
daient, piteux, fripés, sacs de peau mouchetée de grains
de beauté. Baumzweig dormait en maillot et caleçon :
ses cuisses étaient pleines de boutons qu'il avait grattés.

Il plaça EDELSHTEIN PARTI entre leurs têtes.
Puis il retira le papier — le vrai message était au verso :
des ennemis secrets. Il replia la feuille dans la poche de
son manteau et poussa ses pieds enflés dans ses
chaussures. De la lâcheté. De la pitié pour ces cha-
rognes qui respiraient encore. Toute pitié renvoie à soi-
même. Goethe sur son lit de mort : « Plus de
lumière ! »

Dans la rue, il se sentit libéré. Un voile de neige
tournoyait devant lui et le fit pivoter sur lui-même. Il
trébucha dans une congère, une superbe masse bleutée

et dressée en biseau. Ses pieds furent trempés, transpercés comme par une vague de sang glacé. Sous la crête immaculée, il heurta de la pierre — la marche d'un perron. Il se souvint de sa maison d'autrefois, la colline de neige derrière la yeshiva, le feu qui fumait, son père psalmodiant et se balançant périlleusement près du feu noir et un gros canard, l'idiot de la basse-cour, dérapant sur la glace. Le cou de sa mère, lui aussi, était couvert de fines veines et dégageait une odeur secrète, sucrée, luxuriante. Profondément, gravement, il se dit qu'il aurait bien fait de prendre ses galoches — un veuf n'a personne pour lui rappeler ces choses-là. Ses chaussures étaient des enfers de froid, ses orteils des blocs morts. Lui-même, l'unique créature vivante dans la rue, pas même un chat. Le voile de neige vint se coller à lui, tournoya et frappa ses pupilles. Le long du trottoir, des voitures accroupies sous des amas de neige, des tortues au dos bleu. Rien ne bougeait sur la chaussée. Sa propre maison était loin, celle de Vorovsky plus proche, mais il ne pouvait déchiffrer le numéro de la rue. Un immeuble avec une marquise de toile. Le chapeau de Vorovsky. Il se fit tout petit, minuscule comme une souris, et se blottit dans la fourrure du chapeau, être petit, tout petit et vivre dans un chapeau. Une petite créature sauvage dans son terrier. Un intérieur chaud, un petit tas de graines à côté de lui, se lécher pour être propre, le soleil et les intempéries dégringolant dans son trou. Ses lunettes tombèrent et heurtèrent le couvercle d'une poubelle avec un bizarre craquement métallique. Il ôta un gant et fouilla la neige. Ayant retrouvé les lunettes, il s'étonna de constater que la monture était brûlante.

Imaginons un enterrement par une nuit comme celle-ci, comment ouvriraient-ils la terre ? Lorsqu'il chaussa les lunettes, elles étaient glissantes comme des glaçons. Un spectre cristallin fit ses délices, mais il ne pouvait pas voir le passage, ni même s'il y avait une marquise. Ce qu'il cherchait chez Vorovsky, c'était Hannah.

Il n'y avait pas d'ascenseur. Vorovsky vivait au dernier étage, tout en haut. Par ses fenêtres on pouvait regarder la rue et voir les gens en miniature, réduits à des dessins. Ce n'était pas le bon immeuble. Il descendit trois marches de simili-marbre et vit une porte. Elle était ouverte : l'intérieur était un grand vestibule noir, hérissé de landaus et de tricycles. Il ressentait l'odeur du métal mouillé comme un mal de dents : la vie ! Peretz raconte l'histoire d'un juif qui, par une nuit cruelle, regarde à travers la vitre d'une misérable cabane et jalouse les paysans en train d'avaler de la vodka — le bel âge, l'amitié, la chaleur du feu. Landaus et tricycles, instruments de la Diaspora. Baumzweig avec ses boutons grattés avait lui aussi été bébé. Dans la Diaspora, la naissance d'un juif n'augmente nulle population, la mort d'un juif est dénuée de sens. Anonyme. Être mort parmi les martyrs, au moins une solidarité, une entrée dans l'histoire, une appartenance aux êtres marqués, *kiddoush-ha-shem*. Un téléphone sur le mur. Il arracha ses lunettes tout embuées, sortit un bloc avec des numéros et en composa un.

— Ostrover ?

— Qui est à l'appareil ?

— Yankel Ostrover l'écrivain ou Pisher Ostrover le plombier ?

— Qu'est-ce que vous me voulez ?

— Témoigner ! hurla Edelshtein.

— Laissez tomber ! Finissez-en ! Qui est là ?

— Le Messie.

— Qui est à l'appareil ? C'est toi, Mendel ?

— Jamais de la vie.

— Gorochov ?

— Cette rognure ? Je t'en prie ! Fais-moi confiance.

— Va voir ailleurs si j'y suis.

— C'est ainsi qu'on parle à son Sauveur ?

— Il est cinq heures du matin ! Qu'est-ce que vous me voulez ? Clochard ! Cinglé ! Choléra ! Année noire ! Empoisonneur ! Étrangleur !

— Tu crois que tu survivras à ton linceul, Ostrover ? Tes phrases sont une abomination, ton style est une pompe, un maquereau a une langue plus belle.

— Ange de mort !

Il fit le numéro de Vorovsky, mais il n'y eut pas de réponse.

La neige avait viré au blanc, comme le blanc d'un œil. Il se mit en marche vers la maison de Hannah, sans savoir où elle habitait, ni comment elle s'appelait, ni même s'il l'avait jamais vue. Chemin faisant, il répétait mentalement ce qu'il voulait lui dire. Mais ce n'était pas ça, il savait faire des conférences, mais pas parler à un visage unique. Il aurait donné son sang pour retrouver son visage. Il était lancé à sa poursuite, elle était sa destination. Pourquoi ? Que cherche un homme, de quoi a-t-il besoin ? Que peut-il retrouver ? L'avenir peut-il retrouver le passé ? Et l'ayant retrouvé, comment le racheter ? Ses souliers ruisselaient. Chaque pas formait une mare. Les hérons au printemps, leurs pattes rouges. Ces yeux secrets qu'ils ont. Les yeux des oiseaux — effrayants. Trop ouverts. L'énigme de l'ouverture. Des rivières coulaient de ses pieds.

Petit vieux dehors, dans le froid
Rentre et saute sur le poêle
Ta femme te donnera un quignon et une pomme
Merci, ma muse, pour ce petit psaume

Il rota. Il avait mal à l'estomac. Indigestion ? Une attaque ? Il agita les doigts de la main gauche : bien que gelés, ils picotaient. Le cœur. Peut-être tout juste un ulcère. Un cancer, comme Mireleh ? Dans un lit étroit, sa femme lui manquait. Combien de temps pouvait-il encore compter vivre ? Une tombe sans nom. Qui saurait qu'il avait vécu ? Il n'avait pas de descendants, ses petits-enfants étaient imaginaires. O mon petit-fils non né... Banal. Fantôme dépourvu de grand-père... Trop baroque. Simplicité, pureté, vérité.

Il écrivit :

Chère Hannah,
Vous ne m'avez pas fait la moindre impression. Quand je vous ai écrit tout à l'heure, chez Baumzweig, j'ai menti. Je vous ai vue une seconde dans un lieu public, et alors ? Un livre en yiddish à la main. Un visage jeune au-dessus d'un livre en yiddish. Rien d'autre. Pour moi, cela ne vaut pas une pirouette. Le vomi d'Ostrover ! — ce vulgarisateur, ce plébéien, chatouilleur de gens qui ont perdu la mémoire d'avoir été un peuple. Mille fois maquereau. Votre oncle Chaim a dit : « Elle écrit. » Pitié pour son jugement. Elle écrit !

Elle écrit ! Des pommes de terre dans un sac !
Encore une qui écrit ! Qu'écrirez-vous ? Quand
écrirez-vous ? Comment écrirez-vous ? Soit vous
deviendrez rédactrice à *Good Housekeeping* ou,
si vous donnez dans le sérieux, vous finirez dans
la bande des soi-disant romanciers juifs. Je les ai
tous reniflés, leur odeur n'a pas de secret pour
moi. Ils se disent satiristes. Ils se gratouillent le
sexe. Que *savent-ils ?* C'est de *savoir* que je parle.
Je veux dire, quel est leur *savoir ?* Pour faire de la
satire, il faut savoir quelque chose. Dans un
prétendu roman par un romancier juif (« acti-
viste-existentiel » — oui, oui, je comprends tout,
je lis tout !) — Elkin, Stanley, pour m'en tenir à
un seul exemple —, le héros va à Williamsburg
pour voir un soi-disant « rabbin miraculeux ».
Rien que ce mot de *rabbin*. Non — écoutez-moi !
moi, descendant du Gaon de Vilno, le *guter yid*
est un charlatan et ses *chassidim* sont des victimes,
peu importe qu'elles soient ou non consentantes.
Mais ce n'est pas là où je veux en venir. Il faut
savoir QUELQUE CHOSE ! Au moins la différence entre un *rav* et un *rebbe*. Au moins un
pinteleh de-ci, de-là. Sinon, où est la blague, où
est la satire, l'ironie ? Né en Amérique ! Un
ignorant se moque de lui-même. Des romanciers
juifs. Des sauvages ! Les enfants du béni-oui-oui,
tout ce qu'ils savent faire, c'est maudire le béni-
oui-oui. Leur yiddish, parlons-en ! Un mot par-
ci, un mot par-là, *shikse* sur une page, *putz* sur
une autre et c'est là tout leur vocabulaire. Et
lorsqu'ils essaient de rendre ça phonétiquement !

Dieu bien-aimé, si tant est qu'ils aient eu des pères et des mères, leurs parents étaient à peine sortis des marécages. Leurs grands-parents étaient des écureuils dans les arbres et c'est ainsi qu'ils faisaient marcher leur bouche. Ils connaissent dix mots différents pour, sauf votre respect, le pénis, mais lorsqu'il s'agit d'un seul mot pour l'étude, ils sont impotents.

Joie, joie ! Enfin, il était sur la bonne voie. Le jour se levait et, se balançant sans bruit, un éléphant jaune parcourait la rue. Une petite lumière éternelle brillait sur sa trompe. Il s'écarta devant l'engin qui glissait sur la neige, il était revenu chez lui, debout dans la rivière, de l'eau jusqu'aux genoux, tourbillonnant de joie. Il écrivit :

LA VÉRITÉ.

Mais ce grand mot épais, la vérité ! était trop dur, trop massif ; il le barra de son doigt dans la neige.

Je disais : indifférence. Vous et ceux de votre acabit, vous êtes indifférents. Pourquoi devrais-je croire que vous appartenez à une autre espèce, à quelque chose de meilleur ? Parce que vous avez récité une rognure d'une pelure d'un de mes poèmes ? Ah ! je me suis laissé séduire par ma propre vanité. J'ai cette sotte propension à m'emparer d'instants fugaces et à en faire des symboles. Ma pauvre femme, qu'elle repose en paix, se moquait de cette habitude. Un jour, dans le métro, j'ai vu un bel enfant, un garçon d'environ douze ans. Un Portoricain, basané, mais avec des joues comme des grenades. Autrefois, à Kiev, j'ai connu un enfant qui lui ressemblait. Je l'avoue. Un portrait que je porte sous l'épiderme de mes yeux. L'amour d'un homme pour un jeune garçon. Pourquoi ne pas l'avouer ? Est-ce contraire à la nature de l'homme de se réjouir de la beauté ? « Il faut s'y attendre chez un homme qui n'a pas d'enfant » — voilà le verdict de ma femme. Que je voulais un fils. Considérez cela comme une explication complète : si une personne ordinaire ne peut pas...

Le reste de la phrase s'envola telle une feuille de sa tête... Cela se transformait en dispute avec Mireleh. Qui se dispute avec les morts ? Il écrivit :

Très estimé Alexeï Josefovitch,

Vous êtes toujours présent. Toujours présent. Une illumination. Plus que ma propre maison, plus proche que la bouche de ma mère. Une auréole. Votre père a giflé mon père. On ne vous l'a jamais dit. Parce que je vous avais embrassé sur l'escalier vert. Le coin d'ombre sur le palier où un jour j'avais vu le maître d'hôtel se gratter le pantalon. Ils nous ont renvoyés dans la honte. Mon père et moi, dans la boue.

Encore un mensonge. Jamais il ne s'était approché de l'enfant. Le mensonge est comme une vitamine, il doit tout fortifier. Il était seulement resté dans l'entrebâillement de la porte pour le regarder, encore et encore. Ce visage brillant : le visage de la flamme. Ou alors, il lui faisait réciter ses verbes : *kal, nifal, piel, pual, hifil, hofal, hispaeal*. Le jour du répétiteur de latin, tapi devant le seuil de la porte, Edelshtein entendait : *ego, mei, mihi, me, me. Mai, mai.* Cette belle incantation étrangère, ces nasales de la richesse. Le latin ! Une souillure sur les lèvres des idolâtres. Une famille d'apostats. Edelshtein et son père acceptaient leur café et leur pain, mais pour le reste ils se nourrissaient d'œufs durs : un jour, Kirilov père ramena à la maison le *mashgiash* de l'hospice juif pour attester la pureté de la cuisine des domestiques, mais le père d'Edelshtein estimait que toute la maison n'était pas kasher et que le *mashgiash* n'était qu'un imposteur à la solde de Kirilov. Qui aurait pu surveiller le surveillant ? Chez les Kirilov avec leur nom mensonger, l'argent était le meilleur surveillant. L'argent veillait à tout. Certes, ils avaient des talents bien à eux. Dans la mécanique. Alexeï Y. Kirilov, ingénieur : des ponts, des tours. Consultant au Caire. Constructeur du barrage d'Assouan, assistant du pharaon pour la dernière pyramide. Inventer une fable pareille à propos d'un grand cerveau soviétique... Pauvre petit Alexeï, Avrameleh, je vais compromettre ta situation, petit cadavre de Babi Yar.

Mais concentre-toi donc, Hersh ! Descendant du Gaon de Vilno, prince de la rationalité. Fais attention !

Il écrivit :

> L'allure — le caracolement, le clopinement — du yiddish n'est pas celui de l'anglais. Un casse-

tête pour les traducteurs, sans doute. En yiddish, on utilise plus de mots qu'en anglais. Personne ne le croit, mais c'est ainsi. Un autre gros problème est celui de la forme. Les modernes prennent des formes anciennes et les remplissent de dérision : amour, drame, satire, etc. Jeux en tout genre. Mais malgré tout, ce sont LES FORMES D'AUTREFOIS, des conventions qui datent du siècle dernier. Peu importe qui nie ce fait, par orgueil ; c'est vrai. Versez-y du symbolisme, de l'impressionnisme, soyez complexe, subtil, soyez hardi, prenez des risques, cassez-vous les dents — quoi que vous fassiez, ce sera toujours du yiddish. Le *mamaloshen* ne produit pas de *Wasteland*. Pas d'aliénation, pas de nihilisme, pas de dadaïsme. Avec toute cette souffrance, pas de démolition ! PAS D'INCOHÉRENCE ! N'oubliez pas ça, Hannah, si vous voulez faire des progrès. Autre chose : s'il vous plaît, n'oubliez pas que lorsqu'un *goy* de Columbus, Ohio, dit : « Élie, le prophète », il ne parle pas d'*Eliohu hanovi*. Eliohu est l'un des nôtres, un *Folksmensch* qui se promène en habits de chez le fripier. Leur Élie est Dieu sait quoi. Le même personnage biblique, avec précisément la même histoire, une fois qu'il revêt un nom de la Bible en version anglaise, DEVIENT UN AUTRE. La vie, l'histoire, l'espoir, la tragédie, rien ne reste pareil. Ils parlent des contrées de la Bible, pour nous c'est *eretz yisroel* ! Un vrai malheur.

Étonné, il se trouva nez à nez avec une cabine — un téléphone ! A un coin de rue. Il dut forcer pour ouvrir la porte, déplaçant un monceau de neige. Puis il se glissa à l'intérieur. Ses doigts étaient des baguettes. Pas question de chercher le bloc, il ne savait même plus où se trouvait sa poche. Dans son manteau ? Sa veste ? Son pantalon ? De mémoire, il composa le numéro de Vorovsky en s'aidant d'une baguette.

— Allô, Chaim ?

— Ici Ostrover.

— Ostrover ! Pourquoi Ostrover ? Qu'est-ce que tu fais là ? Je veux parler à Vorovsky.

— Qui est à l'appareil ?

— Edelshtein.

— Je me disais bien. De la persécution, qu'est-ce que c'est ? Je pourrais t'envoyer en prison pour des tours comme tout à l'heure...

— Vite, passe-moi Vorovsky.

— C'est toi que je ferai passer.

— Vorovsky n'est pas chez lui ?

— Comment veux-tu que je sache si Vorovsky est chez lui ? C'est le petit matin, va lui demander, à Vorovsky.

Edelshtein se sentit faible.

— J'ai fait le mauvais numéro.

— Hersheleh, si tu veux un conseil d'ami, écoute-moi. Je peux te faire avoir des contrats en dehors de New York, dans des country clubs tout ce qu'il y a de bien, même à Miami, en Floride, des tas de discours à ta manière, mais ce qu'ils demandent, c'est des conférenciers sains d'esprit, pas des dingues. Si tu te conduis comme ce soir, tu vas perdre tout ce que tu as.

— Je n'ai rien.

— Accepte la vie, Edelshtein.

— Toi, le mort, merci de tes conseils.

— Hier, j'ai eu des nouvelles de Hollywood, ils vont faire un film avec mes histoires. Alors, tu peux toujours me traiter de mort.

— La marionnette sur les genoux du ventriloque. Un soliveau. C'est la langue d'un autre et il exhibe cette poupée morte.

— Tu plaisantes, tu voudrais qu'ils fassent des films en yiddish à présent ?

— Le Talmud dit que sauver une seule vie, c'est comme sauver le monde entier. Et si on sauve une langue ? Des mondes peut-être. Des galaxies. Tout l'univers.

— Hersheleh, le Dieu des juifs a fait une erreur en n'ayant pas de fils, ce serait un bon métier pour toi.

— Au lieu de quoi, je pourrais faire le figurant dans ton film. S'ils tournent un *shtetl* en extérieurs au Kansas, envoie-moi un défraiment. Je viendrai te fournir de la couleur locale. Je serai habillé avec mon *shtreimal,* au moins que les gens voient un vrai juif. Pour dix dollars de plus, je parlerai même en *mamaloshen.*

Ostrover dit :

— Peu importe en quoi tu parles, la jalousie rend le même son dans toutes les langues.

Edelshtein dit :

— Un jour, il y avait un fantôme qui se croyait encore vivant. Tu sais ce qui lui est arrivé ? Un matin, il s'est levé, il a commencé à se raser et il s'est coupé. Et il n'y avait pas de sang. Pas de sang du tout. Il refusait encore d'y croire, alors il a regardé dans la glace. Et il n'y avait pas d'image dans le miroir, aucune trace de sa présence. Il était absent. Mais il ne voulait toujours pas y croire, alors il s'est mis à hurler, mais il n'y avait aucun bruit, pas de bruit du tout.

Aucun bruit dans le téléphone. Il laissa tomber le combiné qui se balança au bout du fil.

Il cherchait le bloc. Il se consultait avec application : cette façon qu'ont les revers de pantalon de recueillir les objets les plus indispensables. Le numéro était tombé de son corps. S'était détaché de sa peau. Il avait besoin de Vorovsky parce qu'il avait besoin d'Hannah. Vaudrait peut-être la peine d'appeler Baumzweig pour lui demander le numéro de Vorovsky — Paula pourrait le chercher. Le numéro de Baumzweig, il le savait par cœur, pas d'erreur possible. Il avait identifié son besoin. Svengali, Pygmalion, Raspoutine, Dr (blague à part) Frankenstein. Que faut-il pour faire un traducteur ? Un métier de seconde main. Parasite. Mais une créature qui vous appartient. Prendre cette fille, cette Hannah, et la former. Pour lui tout seul. Née en Amérique, mais elle avait barre sur lui, l'anglais n'était pas un ver dans sa bouche ; de plus, elle était capable de lire ses paroles dans l'original. Nièce d'un esprit vaincu — mais après tout ce sont les gènes qui sont en vérité Dieu et si Vorovsky avait quelque talent pour la traduction, pourquoi pas la nièce ? Ou cette autre fille ? En Russie. En Union soviétique, celle qui avait écrit deux strophes en yiddish. En yiddish ! Et elle n'avait que vingt ans. Née en 1948, l'année même où ils avaient fabriqué le Complot des blouses blanches, Staline déjà très occupé à tuer des juifs, Markish, Kvitko, Kushnirov, Hafshtein, Mikhoelen, Susskin, Bergelson, Feffer,

Grazdenski avec sa jambe de bois. Tous massacrés.
Comment le yiddish avait-il survécu dans la bouche de
cette fille ? Cultivé en secret. Enseigné par un grand-
père obsédé, un oncle dément : les marranes. Le poème
republié en Occident, comme on dit. (L'Occident !
Lorsqu'un juif dit *l'Occident,* il a l'air d'un imbécile.
Dans une flaque d'eau, où se trouve l'Occident ?) Des
fleurs, le ciel bleu, elle attend impatiemment la fin de
l'hiver : très joli. Zéro et accueilli comme un prodige !
Une aberration. Un miracle ! Parce que composé dans
la langue perdue. Comme si un enfant de Naples se
mettait soudain à babiller en latin. Pas pareil. Juste des
petits vers. La mort force le respect. Le russe, si riche,
si direct. Un même mot pour « fer » et pour « arme ».
Une langue tout en épaisseur, une langue mondiale. Il
s'imaginait traduit en russe, secrètement, par la fille des
marranes. Circulant en manuscrit d'une main à l'autre,
dans la clandestinité : être lu, ah, être lu !

Comprenez-moi, Hannah — le fait que notre
langue, notre trésor nous vienne des étrangers ne
signifie rien. Quatre-vingt-dix pour cent d'allemand, dix pour cent de slave, ça n'a rien à voir...
L'hébreu va de soi, sans pourcentages. Nous
sommes un peuple qui a su forger la langue du
besoin à partir de la langue de la nécessité. La
réputation que nous nous faisons entre nous, celle
d'être une nation d'érudits, est plus ou moins un
leurre. En réalité, nous sommes une bande de
travailleurs, de tâcherons, de bûcherons, croyez-
moi. Leivik, notre principal poète, était peintre en
bâtiment. Aujourd'hui, ils sont pharmaciens,

juristes, comptables, merciers, mais grattez le juriste et vous trouverez un grand-père qui sciait le bois pour gagner son pain. Voilà ce que nous sommes. Les juifs d'aujourd'hui sont oublieux, tout le monde a une profession, chaque jeune juif est professeur — la justice paraît moins urgente. La plupart ne se rendent pas compte que ces années tranquilles ne sont qu'un intérim. De tout temps, comme dans une terrible tempête wagnérienne, nous avons connu des interludes de repos. Comme maintenant. Autrefois, nous étions esclaves, à présent nous sommes des hommes libres, souvenez-vous du pain de l'affliction. Mais écoutez-moi. Quiconque clame « Justice ! » est un esclave libéré. A ce propos, ils accusent la littérature yiddish de sentimentalité. Très bien, c'est vrai. C'est vrai, soit ! Un nain assis devant une machine à coudre peut se permettre de laisser un peu aller son cœur. Je reviens à Leivik. Il savait poser le papier peint. Un jour, j'ai logé dans une chambre qu'il avait tapissée — un motif de plantes grimpantes jaunes. A Rutgers Street c'était. Du bon travail, pas de cloques, pas de coins décollés. Cela fait par un poète aux tendances très morbides. Mani Leib, lui, raccommodait les souliers. Moshe Leib Halperne était serveur dans un restaurant, bricoleur à ses heures et homme à tout faire. Je pourrais vous donner les noms de vingt poètes de la plus grande pureté d'expression qui ont été machinistes, repasseurs, coupeurs. Mani Leib ne se contentait pas de réparer les souliers, il était aussi blanchisseur.

N'allez pas croire, je vous en prie, que je suis en train de prêcher le socialisme. A mon avis, la politique, c'est du fumier. C'est autre chose que je veux dire. Le Travail, c'est le Travail, et la Pensée, c'est la Pensée. La politique cherche à les mélanger, surtout le socialisme. La langue d'un peuple à qui on mène la vie dure fonctionne selon la loi de pureté qui sépare ce qui est ordonné de ce qui est profane. Je me souviens d'un de mes vieux maîtres. Tous les jours, il faisait l'appel et au conseil qui décidait des taxes, il indiquait son métier comme « faiseur d'appels » — afin de ne pas être payé pour enseigner la Torah. Cela avec cinq élèves tous vivant sous son propre toit et nourris par sa femme ! Libre à vous de dire que c'est du coupage de cheveux en quatre, mais ces cheveux-là venaient d'une tête qui faisait la différence entre nécessité et simple besoin. Les gens qui croient que le yiddish est, comme ils se plaisent à le dire, « riche en apports divers » et que dans la *yiddishkeit* la présence de l'Alliance, du divin, habite les choses humbles et les mots humbles, sont victimes d'un fantasme, d'un leurre. L'esclave sait précisément à quel instant il appartient à son Dieu et à quel instant il appartient à son oppresseur. L'esclave libéré qui n'est point oublieux et se souvient du temps où il était lui-même un artefact connaît précisément la différence entre Dieu et un artefact. Une langue elle aussi sait à chaque instant qui elle sert. J'ai très froid en ce moment. Bien sûr, vous saisissez que quand je dis *libéré,* j'entends libéré par soi-même.

131

Moïse et non pas Lincoln ou François-Joseph. Le yiddish est la langue de l'auto-émancipation. Theodor Herzl a écrit en allemand, mais son message s'est répandu en *mamaloshen* — Dieu, que j'ai froid ! Bien entendu, l'important, c'est de ne pas lâcher la langue apprise dans l'esclavage, de ne pas parler leur langue à eux, sans quoi on devient pareil à eux, on acquiert leur confusion entre Dieu et artefact et par conséquent ce goût qu'ils ont de réduire les êtres à l'esclavage, eux-mêmes comme les autres.

Esclave de la rhétorique ! Voilà ce que c'est de prendre Dieu pour muse. Les philosophes, les penseurs — tous maudits. Les poètes sont mieux lotis : la majorité sont des Grecs, des païens, tous des mécréants ne croyant qu'à la religion naturelle, les pierres, les étoiles, le corps. Cette boîte, cette cellule. Ostrover l'avait déjà condamné à la prison, petite cabane dans une vallée de neige ; instrument noir, bip-bip pendu à une potence. Le bloc blanc — quelque chose de blanc — par terre. A travers la crasse de la porte vitrée, le matin émergeait du noir. Il vit ce qu'il avait dans la main.

« NOUS SOMMES TOUS DES FRÈRES HUMAINS
MAIS CERTAINS HUMAINS DEVRAIENT CREVER. »
D'ACCORD ?
SI OUI, APPELEZ TR 5-2350 ET NOUS VOUS DIRONS SI
VOUS SEREZ PARMI LES SURVIVANTS GRACE AU PLAN
D'ÉLECTION DU CHRIST — CINQ JOURS À PRIX
MODIQUE.

« Phrénologie auditive »
Consultation garantie gratuite.
(Athées ou dingues priés s'abstenir.
Nous sommes des sociologues de l'âme
scientifiques et sincères.)
Demandez rose ou lou.
On vous aime tous.

Il était touché, intrigué, mais lointain. Sous les rayons du froid, il se sentait étranger à lui-même : son corps, une caverne brillante, lumineuse, vidée de ses organes, l'intérieur de ses flancs de verre parfaitement éclairé. Un clair calice. En fait de monnaie, il n'avait qu'une pièce de cinq et une de dix cents. Pour les dix cents, il pouvait APPELER TR 5-2350 et recevoir des conseils en harmonie avec son immaculée transparence. Rose ou Lou. En lui, aucune satire de leur amour. Ah ! la multiplicité, la variété de l'imagination humaine. La simplicité d'une ascension le tentait, il avait une conscience aiguë de la probabilité de lévitation, mais n'en fit aucun cas. Les disciples de Reb Moshe de Kobryn eux aussi ne faisaient aucun cas de prouesses contraires à la nature, ils ne respectaient pas leur maître quand ils le voyaient suspendu dans l'air, mais quand ils le regardaient dormir — le miracle de ses poumons, sa respiration, le battement de son cœur ! S'extrayant de la cabine, il tituba dans le torrent de la lumière du jour. Profonde, la neige engloutit un de ses souliers. Le serpent, lui aussi, prospère sans pieds, il se défit donc des siens et reprit sa progression chancelante. Ses bras, surtout ses mains, ses doigts surtout, ces partenaires de sa pensée, ceux-là, il regrettait de les perdre. Il avait connaissance de ses yeux, du picotement de ses flancs. Une fois encore, il fut tenté par l'ascension. Le monticule était profond. Il le prit par la ruse, en se faufilant à travers lui, en forant patiemment la neige. Il voulut alors se mettre debout, mais sans jambes, la chose était impossible. Se laissant mollement soulever, il parvint juste assez haut pour voir les trottoirs enneigés, les tas de neige dans les caniveaux et contre les perrons, le début d'un jour ouvrable. Lumière ascendante. Un portier sortit en trombe d'un bâtiment, portant des protège-oreilles et tirant derrière lui une pelle comme une petite voiture de fer-blanc. Flottant, Edelshtein n'arriva que jusqu'aux épaules de l'homme. Il regarda la pelle percer la neige, creuser un tunnel, mais il n'y avait pas de fond, la terre manquait de fondement.

Il se retrouva sous une aile noire. Il crut à la première cécité de la mort, mais ce n'était qu'une marquise, un dais. Edelshtein sentit un goût de vin et crut à un mariage, à son mariage, le dais recouvrant ses lunettes dorées et embuées, aveuglées par le voile de Mireleh. Quatre êtres tenaient les montants : l'un d'eux, le facteur, cousin de sa femme, l'autre son cousin à lui, celui de la droguerie ; deux poètes. Le premier poète était un mendiant vivant de charité institutionnelle — Baumzweig ; le second, Silverman, vendait des bas élastiques pour femmes, des bas à varices. Le facteur et le droguiste étaient encore en vie, l'un d'eux seulement avait pris sa retraite. Les poètes étaient des fantômes, Baumzweig se grattant dans son lit, lui aussi un fantôme. Silverman, mort depuis longtemps, depuis plus de vingt ans, *lideleh-schreiber*, faiseur de chansonnettes, c'est comme ça qu'ils l'appelaient. Il écrivait pour le théâtre populaire. *Les Chants de l'entrepont.*

Dans l'entrepont il y avait foule, nous n'étions pas
[seuls
Les hardes du vieux pays, nous les prîmes comme
[linceuls
Les jetant à la mer dès qu'apparut devant nous le
[port
Pour renaître en franchissant la porte d'or

Même sur la Deuxième Avenue, 1905, c'était de l'histoire ancienne, mais cette chanson-là souleva la salle en applaudissements fiévreux, en rappels, en larmes et cris. Les rues pavées d'or. L'Amérique, la fiancée dans ses beaux atours et rien dessous. Ce pauvre Silverman, amoureux du bras tendu de la statue de la Liberté, qu'avait-il fait d'autre dans sa vie que de tenir le montant du dais à un mariage vide, sans progéniture ?

Le portier dégagea un ornement de pierre, une urne entourée d'une couronne.

Sous l'auvent, Edelshtein la reconnut. Du sable dans l'urne, des mégots, un angelot à demi nu chevauchant la couronne. Un jour, Edelshtein y avait vu un préservatif.

Eurêka ! L'immeuble de Vorovsky. Il n'y a pas de Dieu, mais qui l'avait conduit ici, sinon le Roi de l'Univers ? Après tout, il ne s'en tirait pas si mal, même dans une tempête de neige il retrouvait son chemin, un expert, il distinguait un bloc de l'autre au milieu de ce monde de désolation.

Il transporta son soulier dans l'ascenseur comme un bébé, un orphelin, une rédemption. Il pouvait même embrasser un soulier.

Dans le couloir, des rires, des chasses d'eau tirées ; une odeur de café le frappa en plein cœur.

Il sonna.

Derrière la porte de Vorovsky, du rire, du rire !

Personne ne vint.

Il sonna derechef. Personne. Il tapa.

— Chaim, espèce de fou, ouvre-moi !

Personne.

— Un mort qui revient du froid frappe à ta porte et tu n'ouvres pas ? Dépêche-toi, ouvre, je suis un bloc de glace, tu veux un cadavre sur le pas de ta porte ? Pour l'amour du ciel ! Pitié ! Ouvre !

Personne ne vint.

Il écouta le rire. Il avait une forme ; plutôt une méthode ; une sorte de principe, plus proche de la physique que de la musique, le rire s'enflait, puis retombait. A l'intérieur de cette forme, des aboiements, des hurlements, des chiens, des loups, la steppe. Après chaque frayeur, une faille pour y tomber. Il prit son soulier pour enclume, le bouton de la porte pour un marteau de fer et frappa. Encore et encore. La force d'un iceberg.

Près du bouton, un panneau se gonfla et craqua. Pas de sa faute. De l'autre côté, quelqu'un qui n'avait pas l'habitude de cette serrure.

Il entendit Vorovsky, mais ce fut Hannah qu'il vit. Elle dit :

— Quoi ?

— Vous ne vous souvenez pas de moi ? C'est moi ce soir qui vous ai récité mon œuvre d'il y a quelques années, je passais ici, dans le quartier de votre oncle.

— Il est malade.

— Quoi ? Une crise ?

— Toute la nuit. Je suis restée ici toute la nuit. Toute la nuit...

— Laissez-moi entrer.

— Allez-vous-en, je vous en prie. Je viens de vous expliquer.

— Entrer. Qu'est-ce que vous avez ? Je suis malade, moi aussi. Je suis mort de froid ! Hé, Chaim, vieux lunatique, arrête-toi !

Vorovsky était à plat ventre par terre, bâillonnant sa bouche avec un oreiller comme si c'eût été une pierre, cognant sa tête dessus, mais en vain, le rire secouait l'oreiller et en sortait sous forme de jappement, pas étouffé, mais amplifié, assombri. Il rit, dit « Hannah » et se remit à rire.

Edelshtein prit une chaise, la tira près de Vorovsky et s'assit. La pièce puait, une latrine de métro.

— Arrête, dit-il.

Vorovsky riait.

— Très bien, la gaieté, c'est très bien, sois heureux. Tu as chaud, moi j'ai froid. Pitié, petite fille — du thé. Fais-moi un thé bouillant. J'ai la chair qui tombe en lambeaux.

Il s'entendit parler en yiddish, alors il reprit à son intention :

— Mes excuses. Pardonnez-moi. C'est terrible de

vous faire ça. Je m'étais perdu dehors, je cherchais et alors maintenant je vous ai trouvée. Mes excuses.

— Vous tombez mal, c'est tout.

— Apportez aussi du thé à votre oncle.

— Il ne peut pas boire.

— Peut-être que si, qu'il essaie. Quelqu'un qui rit comme lui est prêt pour un festin — *flanken, tsimmis, rosselfleisch...*

En yiddish, il dit :

— Dans le monde à venir, les gens dansent ainsi, des fêtes, des rires et de la joie partout. Le jour après la venue du Messie, les gens rient ainsi.

Vorovsky rit, dit « Messie » et suça l'oreiller en crachant. Son visage était une inondation : des larmes coulaient à l'envers, tombaient dans ses yeux, roulaient sur son front, la salive jaillissait en flaques autour de ses oreilles. Il crachait, pleurait, gargouillait, haletait, larmoyait, expectorait. Ses yeux étaient injectés de sang, les blancs avaient l'air d'entailles, de blessures ; il portait encore son chapeau. Il riait, il continuait à rire. Son pantalon était mouillé, la braguette ouverte, laissant de temps en temps filtrer quelques gouttes. Il laissa tomber l'oreiller pour prendre la tasse de thé et tenta une petite lampée comme un animal plein d'espoir — du vomi remonta avec la troisième gorgée et il riait entre les spasmes, il riait toujours, puant, un cloaque.

Edelshtein prenait plaisir à son thé, le thé l'atteignait au tréfonds, s'accrochant à ses entrailles plus fort que l'odeur piquante du café dans le hall. Il se complimentait lui-même sans mesquinerie, sans amertume : prince de la rationalité ! En plein dégel, il dit :

— Donnez-lui du schnaps, du schnaps, il pourra le garder, c'est certain.

— Il a bu et il a vomi.

— Chaim, ma petite âme, dit Edelshtein, qu'est-ce qui t'a déclenché ? C'était moi. J'étais là. C'est moi qui ai dit tombeaux, j'ai dit fumée. C'est ma faute, la mort, la mort, c'est moi qui ai dit cela. C'est de la mort que tu ris, tu n'es pas un poltron.

— Si vous avez à parler affaires à mon oncle, revenez un autre jour.

— La mort, c'est des affaires ?

A présent, il examinait la jeune fille. Née en 1945, à l'heure des camps de la mort. Pas sélectionnée. Bénéficiant de l'immunité. Tout dans sa manière de se tenir respirait l'immunité, par quoi il voulait dire l'Amérique. Pourtant, elle était épuisée, cette enfant, les cheveux en désordre, remarquable, cette enfant, d'être restée toute la nuit à veiller un fou.

— Où est votre mère ? Pourquoi ne vient-elle pas s'occuper de son frère ? Pourquoi est-ce que ça retombe sur vous ? Vous devriez être libre, vous avez votre propre vie.

— Vous ne connaissez rien aux familles.

Elle était fine : pas de mère, de père, de femme, d'enfant, que connaissait-il aux familles ? Il était coupé du monde, un survivant.

— Je connais votre oncle, dit-il, mais sans conviction (pour commencer, Vorovsky, lui, avait fait des études). Lorsqu'il a toute sa tête, votre oncle ne veut pas vous voir souffrir.

Vorovsky dit en riant « souffrir ».

— Il aime souffrir. Il a envie de souffrir. Souffrir, il

trouve que c'est admirable. Vous autres, vous avez tous envie de souffrir.

Picotements et fourmillements : Edelshtein sentait la fièvre gagner le bout de ses doigts. Il caressait la chaleur de la tasse. Il retrouvait la sensation. Il dit :

— Vous autres ?

— Vous autres, les juifs.

— Ah ! tu entends ça, Chaim ? Ta nièce, Hannah — elle est déjà passée de l'autre côté, peu importe qu'elle sache le *mamaloshen*. Il a suffi d'une génération ; « Vous autres, juifs. » Vous, vous n'aimez pas la souffrance ? Vous la respectez peut-être ?

— Elle est superflue.

— Elle vient de l'histoire, l'histoire, c'est aussi superflu ?

— L'histoire, c'est du gâchis.

L'Amérique, cette fiancée creuse. Edelshtein dit :

— Vous aviez raison pour les affaires. Je suis venu pour affaires. Mon affaire, c'est le gâchis.

Vorovsky rit et dit :

— Hersheleh, crapaud, crapaud.

— Je crois que vous aggravez son état, dit Hannah. Qu'est-ce que vous lui voulez ? Je lui ferai la commission.

— Il n'est pas sourd.

— Après, il ne se souvient pas.

— Il n'y a pas de commission.

— Alors, que lui voulez-vous ?

— Rien, c'est à vous que j'en ai.

— Crapaud, crapaud, crapaud, crapaud, crapaud.

Edelshtein finit son thé, posa la tasse par terre et pour la première fois imagina l'appartement de

Vorovsky : jusqu'alors, Vorovsky avait bloqué sa vue. C'était une seule pièce, l'évier et le réchaud derrière un rideau en plastique, des rayonnages ployant non pas sous le poids de livres, mais de piles de revues, une table poisseuse, un divan-lit, un bureau, six chaises de cuisine et le long des murs soixante-quinze cartons qui, Edelshtein le savait, recelaient deux mille exemplaires du dictionnaire de Vorovsky. Pauvre Vorovsky, il s'était querellé avec l'éditeur qui lui avait renvoyé la moitié du tirage. Vorovsky avait dû payer deux mille dictionnaires de mathématiques allemand-anglais et maintenant il devait les vendre lui-même, mais il ne savait pas quoi faire, il ne savait pas s'y prendre. C'était son destin d'être contraint d'avaler ce qu'il avait excrété. A cause d'un contretemps en affaires, il était propriétaire de sa propre vie, il possédait ce qu'il était, un esclave, mais invisible. Un serpent affamé doit manger sa propre queue jusqu'à la tête et disparaître tout à fait.

Hannah dit :

— Qu'est-ce que je peux faire pour vous..., avec une intonation plate, sans point d'interrogation.

— Encore « vous ». Une distinction, une séparation. Ce que je vous demande, c'est ceci : annihilez le vous, annihilez le moi. Nous nous mettrons d'accord, nous travaillerons ensemble.

Elle se pencha pour ramasser la tasse vide et il vit sa botte. Une botte, ça fait peur. Il reprit gentiment, poliment :

— Écoutez, votre oncle me raconte que vous êtes une des « nôtres ». Quand il dit « nôtres », il veut dire un écrivain, c'est bien ça ?

— Quand il dit « nôtres », il veut dire juif.

— Et vous n'êtes pas juive, *meydeleh* ?

— Pas de votre espèce.

— Parce qu'à présent, il faut qu'il y ait des espèces ? Des bons, des mauvais, des anciens, des nouveaux ?

— Des anciens et des nouveaux.

— Très bien. Soit, des anciens et des nouveaux, parfait, un début raisonnable. Que l'ancien travaille avec le nouveau. Écoutez-moi, j'ai besoin d'un collaborateur. Pas vraiment un collaborateur, c'est moins compliqué que ça. Ce qu'il me faut, c'est un traducteur.

— Mon oncle, le traducteur, est indisposé.

A cet instant, Edelshtein découvrit qu'il haïssait l'ironie. Il cria :

— Pas votre oncle ! Vous, vous !

Hurlant, Vorovsky rampa vers une tour de cartons qu'il se mit à frapper de ses talons nus. Il y avait quelque chose d'altéré dans son rire, il n'était pas théâtral, mais renvoyait au théâtre — il était amusé, distrait, des clowns défilaient entre ses jambes.

— Vous sauverez le yiddish, dit Edelshtein. Vous serez comme un messie pour toute une génération, toute une littérature. Naturellement, il faudra faire un effort, s'entraîner, il faut des connaissances, il faut du talent, du génie, être un poète né...

Hannah, toujours bottée, emporta la tasse vide. Il entendit le robinet couler derrière le plastique. Elle écarta le rideau, sortit et dit :

— Vous autres, vieux...

— Les pages d'Ostrover, vous les couvrez de baisers !

— Des vieillards jaloux dans votre ghetto.

— Et Ostrover, il est jeune, lui, un jeune prince ? Écoutez-moi. Vous ne me comprenez pas, vous ne me suivez pas — traduisez-moi ; sortez-moi du ghetto, c'est ma vie que vous tenez entre vos mains.

Une voix comme une cravache :

— Tous des vampires. Ce n'est pas un traducteur que vous cherchez, c'est l'Âme d'autrui. L'excès d'histoire vous a vidé de votre sang, vous voulez que quelqu'un vienne vous habiter, un dybbouk !

— Un dybbouk ! C'est du Ostrover, ça. Fort bien, j'ai besoin d'un dybbouk, je me changerai en golem, peu importe, ça m'est égal. Soufflez dans ma bouche, Animez-moi. Sans vous, je ne suis qu'un vase d'argile.

Désespéré, il hurla :

— Traduisez-moi !

Les clowns gambadaient sur le ventre magique de Vorovsky.

Hannah dit :

— Vous croyez que j'ai lu Ostrover en traduction ? Vous croyez que c'est la traduction qui a fait d'Ostrover ce qu'il est ?

Edelshtein se fit accusateur :

— Qui vous a appris à lire le yiddish ? Une fille comme vous, connaître les lettres qui méritent de vivre et être si ignorante ! « Vous, les juifs », « vous autres », « vous, vous, vous ».

— J'ai appris, c'est mon grand-père qui m'a appris, je n'y suis pour rien. Ce n'est pas moi qui suis allée chercher ça, j'étais douée, une vraie tête en or, comme maintenant. Mais j'ai ma vie à moi, vous l'avez dit vous-même, je ne suis pas obligée de la jeter par la fenêtre. Donc, écoutez-moi bien, monsieur le vam-

143

pire : même en yiddish, Ostrover n'est pas dans le ghetto. Même en yiddish, il n'est pas comme vous autres.

— Il n'est pas dans le ghetto ? Le ghetto de quoi, le ghetto de qui ? Alors, où est-il ? Au ciel ? Dans les nuages ? Avec les anges ? Où ?

Elle réfléchissait, elle était tout intelligence.

— Dans le monde, répondit-elle.

— Sur le marché. Une harangère, un gâte-sauce, il met son nez partout, il vous donne des autographes, il vous trouve de menus travaux, il écoute tout le monde.

— Alors que vous autres, vous n'écoutez que vous-mêmes.

Dans la pièce, il y avait comme une absence.

Edelshtein, poussant son pied dans la chaussure trempée par la neige, dit dans ce vide :

— Alors, vous n'êtes pas intéressée ?

— Seulement par les grands courants. Pas par vos petites flaques.

— Revoilà le ghetto. Votre oncle pue le ghetto ? Diplômé de l'université de Berlin en 1924, Vorovsky pue le ghetto ? Moi, quatre livres par la grâce de Dieu, pas un être humain qui les connaisse, moi, je pue le ghetto ? Et Dieu, quatre mille ans depuis Abraham qu'il fréquente les juifs, Dieu aussi, il pue le ghetto ?

— Des discours, dit Hannah. Des discours litté-raires yiddish. C'est ça, votre style.

— Il n'y a qu'Ostrover qui ne pue pas le ghetto ?

— C'est une affaire de vision.

— De ses visions, vous voulez dire. Il ignore les réalités.

— Il connaît une réalité au-delà du réalisme.

— Ces bébés américains qui se mêlent de littérature ! Et dans votre langue, il n'y a pas de discours ? s'exclama Edelshtein. Fort bien, il y est arrivé. Ostrover, c'est le monde. Un panthéiste, un païen, un goy.

— Parfaitement, vous avez mis le doigt dessus. Un freudien, un jungien, une sensibilité. Pas de petites histoires d'amour. Notre contemporain. Il parle pour nous tous.

— Ah ! il me semble déjà avoir entendu cela quelque part. Il parle pour l'humanité, c'est ça, l'humanité ?

— L'humanité.

— Et parler pour les juifs, ce n'est pas parler pour l'humanité ? Nous ne sommes pas des humains ? Nous ne sommes pas là, sur la face de la terre ? Nous ne souffrons pas ? En Russie, est-ce qu'ils nous laissent vivre ? En Égypte, ils ne veulent pas nous assassiner ?

— Souffrir, souffrir. Moi, c'est les diables que je préfère. Ils ne passent pas tout leur temps à penser à eux-mêmes et ils ne souffrent pas.

Soudain devant Hannah, Dieu du ciel, un vieil homme, le voilà qui regardait sa taille étroite et sous la taille l'endroit où se cachait la petite pomme de son ventre — soudain, immédiatement, instantanément, il tomba dans un chaos, dans une transe de vérité et d'immédiateté : était-ce possible ! Tout s'inversait miraculeusement, tout était béni, tout était simple, distinct, compréhensible, vrai. Ce qu'il venait de comprendre, c'était ceci : le ghetto était le monde réel et le monde extérieur n'était qu'un ghetto. Car à la vérité, qui se trouvait exclu ? Qui donc était vraiment enterré, supprimé, habité par les ténèbres ? A qui et dans quel petit espace Dieu avait-il donné le Sinaï ? Qui avait gardé Terach et suivi Abraham? Le Talmud explique que lorsque les juifs sont partis en exil, Dieu aussi est parti en exil. Peut-être Babi Yar est-il le monde réel alors que Kiev avec ses jouets allemands, New York avec toute sa terrifiante intelligence ne sont que fiction et fantasme. Irréalité.

Une foucade! Il était pareil, toute sa vie il avait été pareil à cette sauvageonne venimeuse, il convoitait des mythologies, des spectres, des animaux, des voix. La civilisation occidentale, son péché secret, il avait honte de ce petit frisson d'amour de soi, dégradé à force d'avoir été ravalé à l'intérieur. Alexeï avec sa peau, un brasier de désir, ses camions et ses trains! Il aurait voulu être Alexeï. Alexeï avec ses jouets allemands et son latin! Alexeï dont la destinée était de devenir adulte dans le vaste monde du dehors, de s'esquiver du ghetto, de s'épanouir en ingénieur de la Civilisation Occidentale! Alexeï, je t'abandonne! Je n'ai d'autre demeure que la prison, l'histoire est ma prison, le ravin ma demeure, mais écoute-moi — supposons qu'il s'avère que le destin des juifs est vaste, ouvert, éternel et que la Civilisation Occidentale, elle, finira par s'amenuiser, se flétrir, se rétrécir pour devenir le ghetto du monde, alors qu'en sera-t-il de l'histoire? Les rois, les parlements tels des insectes, les présidents pareils à de la vermine, leur religion une rangée de petites poupées, leur art un barbouillis dans une grotte, leur poésie une concupiscence. Avrameleh, lorsque tu es tombé du bord du ravin, tombé dans ta tombe, tu tombais pour la première fois dans la réalité.

Il se tourna vers Hannah :

— Je n'ai pas demandé à naître dans le yiddish. Il m'a été donné.

Il pensait que c'était une bénédiction.

— Alors, gardez-le, dit-elle, et ne venez pas vous plaindre.

Avec toute la férocité du plaisir qu'il y prenait, il la frappa sur la bouche. Le rire du fou fusa à nouveau. Ce n'était que maintenant qu'il se rendait compte qu'auparavant quelque chose s'était arrêté. Une harpe s'était tue. L'absence se remplit d'un rire saignant, avec des petits bouts de quelque chose qui semblait être du piment rouge accroché au vomi sur le menton de Vorovsky, les clowns avaient fui, le chapeau de Vorovsky avec sa crête de fourrure branlait sur sa poitrine — il était épuisé, il commençait à tomber dans les spasmes du sommeil, il dormait, il somnolait, des rugissements éclataient dans sa bouche, il hoquetait, se réveillait, riait, une énorme tristesse s'installait en lui, il continuait à sommeiller et à rire, la tristesse le tenait dans ses serres.

La main d'Edelshtein, les coussinets de sa paume, brûlaient du coup qu'il avait asséné.

— Vous, dit-il, vous n'avez pas d'idées, qu'êtes-vous ?

Une lamelle de connaissance se détacha de lui, ce que les sages avaient dit à propos de Job arraché à sa langue, comme l'écorchement de la langue elle-même, il n'avait jamais été, jamais existé.

— Vous n'êtes jamais née, vous n'avez jamais été créée, hurla-t-il. Laissez-moi vous dire, c'est un homme mort qui vous le dit, moi au moins j'ai eu une vie, au moins j'ai compris quelque chose.

— Mourez, lui dit-elle. Mourez tout de suite, vous autres, les vieux, qu'est-ce que vous attendez ? Lui que je traîne comme un boulet et vous à présent, toute la bande, des parasites, dépêchez-vous de mourir.

Sa paume brûlait, c'était la première fois qu'il avait frappé un enfant. Il se sentait tel un père. La bouche de Hannah s'étalait nue sur son visage. Pour se venger, contrairement à son instinct, elle ne portait pas ses mains sur la meurtrissure, il pouvait voir la forme des dents, elles se chevauchaient un peu, une imperfection, encore une vulnérabilité. La fureur lui faisait couler le nez. Il avait fait enfler sa lèvre.

— Oubliez le yiddish ! lui cria-t-il. Effacez-le de votre cerveau ! Extirpez-le. Faites-vous opérer de la mémoire. Vous n'y avez pas droit, vous n'avez pas droit à un oncle, à un grand-père. Il n'y a eu personne avant vous, vous n'êtes jamais née ! Rien que du vide !

— Bande de vieux athées ! s'exclama-t-elle dans son dos. Vieux cadavres de socialistes ! Des raseurs. Vous me rasez à mort. Vous détestez la magie, vous détestez l'imagination, vous parlez de Dieu et vous détestez Dieu, vous méprisez, vous rasez, vous enviez, vous dévorez les gens avec votre dégoûtante vieillesse — des cannibales, c'est ce que vous êtes, tout ce qui vous intéresse, c'est votre propre jeunesse, vous êtes finis, c'est au tour des autres.

Ce propos l'arrêta. Il s'appuya à l'encadrement de la porte :

— Un tour de quoi ? Je ne vous ai pas offert un tour. La chance d'une vie. Être publiée maintenant, jeune, encore bébé, au début de votre vie ! Traduit, je serais célèbre, c'est ce que vous ne comprenez pas, Hannah, écoutez-moi, dit-il, l'amadouant, raisonnant avec elle comme un père. Vous n'avez pas besoin d'aimer mes poèmes, est-ce que je vous demande de les *aimer*? Je ne vous demande pas de les aimer, je ne vous demande pas de les respecter, je ne vous demande pas de les adorer. Un homme de mon âge, c'est une amante qu'il cherche ou une traductrice? Est-ce que je vous demande un service? Pas du tout. Comprenez-moi, dit-il, il y a une chose que j'ai oublié de vous dire. C'est une affaire que je vous propose. C'est tout. Une affaire, tout simplement. Vous serez payée. Pour l'amour de Dieu, vous ne pensiez quand même pas que je n'allais pas vous payer!

Maintenant, elle cachait sa bouche. Il s'étonna du besoin qu'il éprouvait de pleurer; il avait honte.

— Hannah, je vous en prie, combien? Je paierai, vous verrez. Vous achèterez tout ce qui vous fait envie. Des robes, des chaussures. (*Gottenyou,* que pouvait-elle désirer, cette bête sauvage?)... Vous achèterez d'autres bottes, toutes sortes de bottes, tout ce que vous voulez, des livres, tout...

Il ajouta implacablement :

— De l'argent, je vous donnerai.

— Non, dit-elle, non.

— Je vous en prie. Qu'est-ce que je deviendrai? Qu'est-ce qui ne va pas? Mes idées ne sont pas assez bonnes? Qui vous demande de croire à mes croyances? Je suis vieux, je suis usé, je n'ai plus rien à dire, tout ce que j'ai jamais dit, c'était de l'imitation. Walt Whitman, je l'aimais dans le temps. Aussi John Donne, des poètes, des maîtres. Nous, qu'est-ce que nous avons? Un Keats yiddish? Jamais...

Il avait honte, il essuya donc ses joues des deux manches.

— Une affaire, je vous paierai.

— Non.

— Parce que j'ai porté la main sur vous ? Pardonnez-moi, je vous fais mes excuses. Je suis plus fou que lui, on devrait m'enfermer...

— Pas à cause de ça.

— Alors, pourquoi pas, *meydeleh,* pourquoi pas ? Quel mal cela vous ferait-il ? Aidez un vieil homme.

Désolée, elle dit :

— Vous ne m'intéressez pas. Il faudrait que ça m'intéresse.

— Je vois. Bien entendu.

Il regarda Vorovsky.

— Au revoir, Chaim, bon souvenir d'Aristote. Ce qui distingue l'homme de la bête, c'est le pouvoir de faire ah, ah, ah. Alors, bien le bonjour, mesdames, messieurs. Portez-vous bien. Chaim, je te souhaite de vivre jusqu'à cent vingt ans. La santé, il n'y a que ça qui compte.

Dans la rue, il faisait tout à fait jour et le thé lui avait donné chaud. La chaussée brillait, les trottoirs. Des sentiers se croisaient à des points inattendus, des traîneaux s'entrechoquaient, des gens couraient. Un drugstore était ouvert et il entra pour appeler Baumzweig : il composa le numéro, mais, chemin faisant, sauta un chiffre, entendit un bruit de fer comme celui d'une arme et dut recommencer. « Paula, s'entraînait-il à dire, je reviens pour un moment, tu veux bien ? Peut-être pour le petit déjeuner », mais il changea d'avis et décida d'APPELER TR 5-2350. A l'autre bout du fil, c'était soit Rose, soit Lou. Il dit à la voix d'eunuque :

— Je crois comme vous qu'il y a des gens qui devraient crever. Le pharaon, la reine Isabelle, Haman, ce pogromchik de roi Louis qu'ils appellent Saint Louis en histoire, Hitler, Staline, Nasser...

La voix demanda :

— Vous êtes juif ?

C'était une voix du Sud, mais qui ne semblait pas nègre — peut-être parce que travaillée, cultivée.

— Acceptez Jésus comme votre Sauveur et Jérusalem vous sera rendue.

— On l'a déjà, dit Edelshtein. Le temps du Messie !

— La Jérusalem terrestre ne signifie rien. La terre n'est que poussière. Le royaume de Dieu est au-dedans de nous. Le Christ a délivré les hommes de l'exclusivisme judaïque.

— Qui exclut qui ?

— Le christianisme, c'est le judaïsme universalisé. Jésus, c'est Moïse diffusé et aisément disponible. Notre Dieu est le Dieu d'amour, votre Dieu est un Dieu vengeur. Voyez comme il vous a abandonnés à Auschwitz.

— Ce n'est pas seulement Dieu qui n'a rien vu.

— Vous autres, vous êtes des poltrons, vous n'avez jamais essayé de vous défendre. Vous avez une bonne dose de lâcheté, vous n'êtes pas capables de tenir un fusil.

— Allez dire ça aux Égyptiens !

— Tous les gens qui entrent en contact avec vous deviennent vos ennemis. Quand vous étiez en Europe, vous étiez méprisés par toutes les nations. Quand vous êtes partis occuper le Moyen-Orient, les nations arabes, des visages de bougnouls comme les vôtres, du même sang que vous, se sont mises à vous haïr. Vous êtes un os en travers de la gorge du genre humain.

— Et qui ronge les os ? Seulement les chiens et les rats.

— Même vos habitudes alimentaires sont anormales, elles vont contre le grain des plaisirs quotidiens. Vous refusez de cuire l'agneau dans le lait de sa mère. Vous n'acceptez pas de manger un œuf fertilisé parce qu'il a une tache de sang. Vous psalmodiez en vous lavant les mains. Vous priez dans un jargon infect et non pas dans le bel anglais sacré de notre Sainte Bible.

— C'est juste, dit Edelshtein, Jésus parlait l'anglais de la Bible.

— Même maintenant, après je ne sais pas combien d'années en Amérique, vous parlez avec un accent de youpin. Youpin, youtre !

Edelshtein cria dans le téléphone :

— Amalékite ! Titus ! Nazi ! Le monde entier est infecté par vous, les antisémites. C'est par votre faute que nos enfants sont corrompus ! Par votre faute que j'ai tout perdu, ma vie entière ! Par votre faute que je n'ai pas de traducteur !

La valise

M. Hencke, le père de l'artiste, était allemand, architecte et voyageur, sans que cette liste corresponde à un ordre d'importance. Il avait piloté un Fokker pour le Kaiser, mais on ne reconnaissait plus guère l'aviateur en lui : si ses épaules se figeaient en une banale raideur militaire, surtout lors des présentations, ce n'était point parce qu'il avait servi dans cette arme féroce et rigide qu'est l'aviation, mais parce que l'homme était un timide clandestin. Son long visage lugubre, avec l'ourlet du bas barré par une bouche pareille à un fil tiré dans un sac de lin, était labouré comme un champ de bataille. Une loupe y aurait révélé des cratères lunaires. Enfant, il avait eu la variole. Il vivait dans une grande maison de briques jaunes en Virginie et ne se considérait plus comme allemand. Il ne lui venait aucune pensée allemande, sauf dans un rêve récurrent où il chevauchait tout nu un cheval sans selle. S'accrochant à sa crinière noire et moite en criant : « *Schneller, schneller !* » Avec la lenteur de l'angoisse, ils glissaient sur un pré qui était un souvenir d'enfance, passaient devant le moulin pour s'enfoncer dans une verte et brumeuse infinité parsemée de boutons d'or. Parfois le cheval — c'était un étalon, il le savait — paraissait cependant être sa défunte femme. Il regrettait d'avoir donné son nom à son fils — avec un prénom pareil il n'avait pas dû être à la fête pendant ses études à Yale. Si c'était à refaire, il l'appellerait John.

— Où veux-tu que je pose ma valise ? demanda-t-il à Gottfried.

Celui-ci était en train de payer les camionneurs et ne l'entendit pas. Le père vit l'éclair gris-vert des dollars. Les camionneurs se mirent à installer des rangées de chaises pliantes et il comprit que Gottfried leur avait donné un pourboire pour qu'ils se chargent de ce travail. Gottfried avait tout organisé lui-même — loué le loft, qu'il avait transformé en galerie, et invité le célèbre critique à venir parler au vernissage.

Il y avait même une pancarte accrochée à la fenêtre qui surplomblait la 53e Rue : GALERIE NEMO, pouvait-on lire sur la pancarte — une blague métaphysique. Gottfried n'était pas personne, la preuve, c'est qu'il avait épousé QUELQU'UN. Le quelqu'un en question touchait, sans avoir à lever le petit doigt, des revenus de 50 000 dollars par an. C'était une aristocrate de Chicago, une belle créature au long cou, à la chevelure noire, douce et parfaitement bien élevée, avec une voix d'oiseau. Ce n'était qu'après deux dîners avec elle que M. Hencke avait compris qu'elle n'avait pas de vocabulaire, ne comprenait rien, que rien ne l'étonnait et que rien ne l'ennuyait. Elle était d'une totale stupidité. Comme elle n'avait rien à faire — il y avait un cuisinier, une bonne, une gouvernante —, elle ne pouvait guère s'améliorer et épuisait ses étés à se donner des airs diaphanes. M. Hencke était à la retraite, mais son fils ne pourrait jamais prendre de retraite puisqu'il n'avait jamais travaillé. Catherine aimait le voir à la maison : de temps à autre, il faisait sauter le bébé sur ses genoux, passait un disque, dansait, à l'occasion congédiait la gouvernante dont elle avait coutume de soupçonner la moralité. Pourtant, tous les jours, il allait dans le haut de Manhattan, à Lexington Avenue, où, à côté d'une Mme Siebzehnhauer, il louait un appartement qu'il appelait son studio. Peignant timidement, il percevait à travers la paroi les bêlements du coucou de Mme Siebzehnhauer. Comme il lui arrivait de se sentir fatigué, il installa un lit. Dans ce lit, il recevait sa maîtresse juive.

Le célèbre critique était déjà à pied d'œuvre, en train d'examiner les tableaux de Gottfried. Soufflant laborieusement, il fourrait sa tête à quelques centimètres des toiles, si bien que la pointe de sa barbichette venait épousseter le bas des cadres. Les tableaux de Gottfried défilaient massivement autour des parois et le célèbre critique les suivait. Ce n'était pas un critique d'art, mais un critique littéraire, un critique culturel — il se proposait de parler de la signification de l'Œuvre sur le plan du *Zeitgeist*. Ses honoraires de conférence étaient des plus élevés : M. Hencke espérait que son opinion ne serait pas trop en reste. Quant à lui, il ne savait que penser des entreprises de Gottfried. Ses toiles fourmillaient de trucages optiques cachés et déroutaient les anticipations ordinaires de la rétine, si bien que lorsque le regard s'en était déjà détourné, un bourdonnement se produisait au fond de la pupille et les peintures commençaient à parler par le truchement de leur image résiduelle. Tout était déconcertant, tout semblait plaqué sur la toile — des bandes, des coins, des angles, des éclats. Gottfried aurait-il simplement découpé les plans d'un ancien immeuble de bureaux avec des ciseaux extraordinairement petits ? se demandait M. Hencke dans un certain affolement. Toutes les peintures étaient en noir et blanc, mais il y avait aussi des dessins au crayon marron. Ces derniers étaient surtout composés de points mystérieux, comme des notes sur une partition. Ils partaient en flèche et s'écrasaient en catastrophe. Le célèbre critique les scrutait avec une ardente gravité, prenant des notes sur une serviette en papier cueillie sur le buffet où attendaient les rafraîchissements.

— Où dois-je poser ma valise ? demanda M. Hencke à Catherine alors qu'elle passait devant lui, bras dessus, bras dessous avec la maîtresse de Gottfried.

— Oh ! n'importe où, répondit aussitôt Geneviève.

— Descendez chez nous pour une fois, papa. Vous pouvez prendre la grande chambre du premier, dit Catherine, parfaitement polie et sûre d'elle.

— C'est que j'ai réservé dans un hôtel tellement agréable, dit M. Hencke.

— Rien n'est plus agréable que la grande chambre du haut. Je viens de faire mettre des rideaux neufs. Ils sont entièrement jaunes maintenant, papa, dit Catherine avec son sempiternel et désarmant sourire.

Alors, l'âme de son beau-père, transparente comme il se doit et à laquelle il vouait une solide croyance paysanne, fut effleurée par un poil de la crinière du cheval, comme le fil d'une toile d'araignée qui aurait touché la toile de sac rêche de sa joue : ce n'était pas pour rien qu'il était le père d'un artiste, il était sensible au jaune, il se souvenait encore des boutons d'or jaunes du talus au-dessous du moulin.

— Tu es impossible, Cathy, dit Geneviève. Quelle idée de vouloir enfermer un authentique célibataire en haut de ta vieille maison qui sent le renfermé ?

— Pas célibataire, mais veuf, dit M. Hencke. Ce n'est pas tout à fait pareil.

— C'est pareil, en fin de compte, dit Geneviève. Vous ne voulez pas être enfermé, vous voulez aller et venir à votre guise et recevoir des gens comme il vous plaît.

— C'est une maison agréable. Pas d'odeur de moisi, elle est très aérée. On sent même le fleuve. C'est une maison élégante dans une rue élégante, protesta Catherine.

— Une très belle maison, confirma M. Hencke, bien qu'il eût un secret mépris pour les maisons de pierre brune de New York. C'est juste que j'ai l'impression que Gottfried n'est pas à l'aise quand je suis là. Donc, dans l'intérêt de la paix familiale, je préfère l'hôtel.

— Papa, Gottfried a promis de ne pas se disputer cette fois-ci.

— Sur quoi peuvent-ils bien se disputer ? demanda Geneviève.

— Papa trouve que Gottfried devrait avoir un travail. Il n'en a pas *besoin*.

— Rockefeller non plus n'en a pas besoin. Trouvez-moi un Rockefeller qui reste à ne rien faire. Tous les Rockefeller ont un travail.

— Ah ! ces luthériens, dit Geneviève. Vous êtes

d'affreux luthériens avec votre affreuse morale du travail.

— Papa, Gottfried ne reste *jamais* sans rien faire. Vous ne savez pas, il va à son studio tous les jours.

— Pour dormir sur le lit.

— Enfin, papa, vous ne croyez tout de même pas que Gottfried pourrait faire toute cette grande exposition s'il ne *travaillait* jamais ! C'est un bourreau de travail, papa, c'est un véritable artiste, et s'il a un lit là-bas, c'est son affaire.

— Voyons, voyons, dit Geneviève, vous êtes injuste, les Rockefeller aussi ont tous des lits. Cathy a raison.

— Indiquez-moi seulement où je dois mettre ma valise, dit M. Hencke.

— Vous n'avez qu'à la mettre là, dit Geneviève. Avec mes affaires. Vous voyez la chaise derrière le bar, là où se tient le barman —, non, par là, le monsieur qui est en train d'enfiler sa veste blanche —, c'est là que j'ai posé mon sac, sous mon manteau. Là, ce manteau avec toute cette géométrie en noir et blanc. Je parie que quelqu'un va penser que c'est une œuvre de Gottfried et l'acheter pour 900 dollars, dit Geneviève et Catherine eut un rire de moineau. Vous n'avez qu'à mettre votre valise sur mon manteau à 900 dollars, elle ne gênera personne. Grand Dieu, mais c'est déjà la cohue !

— Nous avons envoyé des invitations à *tout le monde,* dit Catherine.

— Ne croyez pas qu'ils viennent uniquement pour Gottfried, dit M. Hencke.

— Que voulez-vous dire, papa ?

— Il veut dire qu'ils viennent pour entendre Creighton MacDougal. Regardez un peu, voilà toute la bande — pas là, là-bas, à côté de l'escalier —, toute la bande du *Partisan Review*. Je les reconnais toujours, ces types du *Partisan Review,* ils ont des visages comme des maquereaux qu'on vient de pêcher, avec le hameçon encore dans la gueule.

— Ça pourrait être des marchands de tableaux, ou des représentants de musées, dit Catherine.

— C'est des fans de MacDougal. Lui et ses notes, vise un peu le travail. Il va nous expliquer comment Gottfried représente la révolte existentielle contre Freud, ça sera d'un drôle !

— Gottfried a mis quelque chose sur Freud dans le programme. Vous n'avez pas encore vu le programme, papa ? Il a écrit un genre de préface. Pas vraiment *écrit.* C'est juste des citations. Il y en a une de Freud, je crois.

— Pas de Freud, ma belle, de Jung, dit Geneviève.

— De toute façon, je sais que c'était d'un célèbre psychiatre juif, dit Catherine. Viens, Gen, on va chercher un programme pour papa.

— Ne vous dérangez pas, j'en trouverai bien un, dit M. Hencke. D'abord, je vais poser ma valise.

— Jung n'est pas juif, dit Geneviève.

— N'est pas juif ? Tu ne voulais pas dire n'était pas juif ? Il n'est pas mort ?

— Il n'est pas juif, dit Geneviève, c'est pourquoi il est toujours en vie.

— Tout le monde meurt, dit M. Hencke, en regardant dans la foule : elle avait pris la forme d'une grosse corde hirsute qui se déroulait lentement devant le long assemblage régulier des tableaux de Gottfried, plongeant tour à tour ses regards à l'intérieur, comme dans une cage renfermant quelque invraisemblable animal.

— Comme un camp de concentration, dit Geneviève. Ils regardent tous à travers les barbelés, ils espèrent qu'on viendra les sauver, mais ils savent que c'est fichu. C'est de ça qu'ils ont l'air.

Catherine dit :

— J'espère vraiment qu'il y en a qui sont marchands de tableaux.

— Pas *sur* votre manteau, Geneviève, ce ne serait pas bien, dit M. Hencke. Je risquerais d'écraser vos affaires. Je vais poser la valise derrière la chaise, c'est ce qu'il y aura de mieux.

— Savez-vous ce que me rappellent les machins de Gottfried ? dit Geneviève.

M. Hencke sentit la provocation. Tout à l'heure, lorsqu'elle avait parlé des raisons pour lesquelles il était descendu à l'hôtel et non pas chez son fils — ce qu'elle avait dit à propos de gens qui pouvaient aller et venir — visait manifestement des prostituées. Il était terriblement offensé. Il ne fréquentait jamais de prostituées, tout en sachant que Gottfried le faisait parfois. Mais Gottfried était encore un jeune homme — bizarrement, en Amérique, avoir trente-sept ans passés, et même le derrière du crâne un peu dégarni comme Gottfried, ne contrariait guère son intention de rester jeune. Donc, non content d'être un très jeune homme, Gottfried semblait tout décidé à persévérer dans cette situation pendant de longues années, alors que cette pauvre Catherine avait beau être Quelqu'un sur le plan social et financier, côté sexe, on pouvait être sûr qu'elle n'était personne. Certes, sa taille fine était charmante, son cou tendu en avant (peut-être était-elle myope sans le savoir ?) fleurait l'hygiène. Tout son corps était exceptionnellement policé, jusqu'aux mouvements de marionnette de ses cuisses immaculées sous la robe blanche : donc, Gottfried allait de temps à autre chez les prostituées et parfois — pour les grandes occasions comme le vernissage à la galerie Nemo — Geneviève venait d'il ne savait plus très bien quelle ville du Midwest — Cincinnati ou bien Boise ou Columbus : peut-être Détroit.

— Des croix gammées en charpie, voilà ce que ça me rappelle, annonça Geneviève. Tous ces fichus tableaux, tous tant qu'ils sont. Toute cette terrible précision. Tous tant qu'ils sont, une marmite de croix gammées en charpie, vous voyez ?

Il savait ce qu'elle voulait qu'il vît : elle détestait les Allemands, même maintenant, elle le prenait pour un pro-nazi, un antisémite, un Eichmann. Elle faisait partie de ces gens qui vingt ans après la guerre d'Hitler refusaient d'acheter une Volkswagen. Elle était pleine d'une abominable gesticulation morale, et contre quoi ? A qui en vouloir pour l'histoire ? Il ne fallait pas être grand philosophe (bien qu'il se sentît, lui, attiré par Schopenhauer) pour voir que l'histoire était une Force-en-soi, comme l'évolution. Pour lui, confortablement installé en Amérique, il n'y avait que le sucre qui était un peu rationné, alors que sa sœur, une femme innocente, une intellectuelle, une fidèle adoratrice de Heine qui récitait par cœur *Der Appollogott* et *Zwei Ritter* et *König David* et une bonne douzaine d'autres poèmes, avait perdu sa maison et une fille de onze ans dans un raid de la RAF sur Cologne. Margaretchen avait quitté Francfort pour Cologne après son mariage avec un fabricant de shampooings très cultivé. Une horrible tragédie. Même la cathédrale n'avait pas été épargnée.

— J'étais *sûre* que c'était Freud que Gottfried avait pris pour sa citation, protesta Catherine.

— Gottfried n'irait jamais citer Freud, Cathy, ça le gênerait trop. Tu sais ce que Freud a dit ? « Un artiste qui s'abstient est à peine concevable » — il parlait du sexe, ma belle, pas de la boisson.

— Gottfried ne boit pour ainsi dire jamais.

— C'est parce qu'il est mystique et romantique, ce qu'il peut être bête à la fin ! Cathy, tu devrais vraiment faire quelque chose pour désobriser Gottfried, ça ferait drôlement du bien à son travail. Un peu moins d'Apollon, un peu plus de Dionysos.

Catherine gloussa exactement comme si elle avait saisi le sens d'une plaisanterie sous-entendue : mais s'avisant soudain que les camionneurs avaient oublié d'installer le pupitre de l'orateur, elle s'excusa fort poliment, ouvrant grand la bouche pour gratifier son beau-père d'un sourire appliqué et attentif, avec tant de sérieux et de bonnes manières que les intestins de M. Hencke grognèrent publiquement. Le père de l'artiste détestait sa belle-fille et ne pouvait souffrir de dormir sous le même toit qu'elle, ne fût-ce qu'une seule nuit ; sa conversation le déprimait et lui faisait faire des rêves maléfiques dont il se réveillait en nage : parfois il rêvait qu'il était dans la ville de sa sœur, que la bombe jaillissait de son propre ventre pour exploser, roulait devant lui comme sur une plaque tournante dans la nef violée; le corps de sa petite nièce exposé là, recouvert seulement de ses cheveux jaunes. De l'autre côté de la pièce, Catherine surveillait l'installation du pupitre : à travers le brouhaha qui s'amplifiait, il perçut le frottement des pieds du meuble sur le plancher.

Cependant, Geneviève n'avait pas lâché prise :

— Monsieur Hencke, vous savez parfaitement que Jung a fait du gringue aux nazis. C'est de notoriété publique. Lorsque les nazis ont mis la main sur la Société de psychologie, il les a laissés expulser tous les médecins juifs, et il est resté à la présidence tout ce temps-là, il n'a jamais dit un seul mot pour protester contre tout ça. Et puis, ils ont tous été assassinés.

— *Gnädige Frau,* dit-il — et laissa tomber sa valise par terre avec une sorte d'effroi.

Depuis la mort de sa femme, jamais il n'avait prononcé la moindre syllabe d'allemand, et voilà que ces mots étranges, si familiers, germaient sur sa langue comme si elle avait eu une volonté propre — et avec quelle terrifiante futilité, une locution tirée de quelque texte souverainement démodé, une pièce de théâtre raide et digne, peut-être *Minna von Barnhelm,* une locution qu'il n'avait jamais énoncée de sa vie.

— Qu'est-ce que vous me voulez ? implora-t-il. Je suis un homme de soixante-huit ans. Qu'ai-je fait dans mes soixante-huit ans ? Je n'ai fait de mal à personne. J'ai construit des tours. Des tours ! Rien de plus. Jamais je n'ai détruit.

Il souleva sa valise — lourde comme une icône —, traversa le caquetage pour aller au buffet et posa l'objet derrière une chaise soulignée et épaissie par le tissu imprimé du manteau de Geneviève. Le barman lui tendit un verre. Il le prit et évita les murs, dont le moindre espace portait la marque des productions aztèques de son fils. Il s'assit dans une rangée du milieu et attendit que l'orateur vienne au pupitre. Un dépliant traînait à ses pieds. C'était le programme. Il vit que la conférence avait pour sujet : *Dans l'Esprit de ses Yeux : Hencke et le Nouveau Cubisme*. Puis, revenant d'une page en arrière et sous le titre *Cueilli par Hencke*, il parcourut un trio d'extraits :

« Schuppanzigh, vous croyez que j'écris mes quatuors pour votre crincrin pleurnichard ? » (Beethoven au violoniste qui se lamentait en disant que le quatuor en la majeur était injouable.)

« Mieux vaut ruiner une œuvre et la rendre inutile pour le monde que ne pas aller en tous points jusqu'au bout. » (*Thomas Mann.*)

« Pour le peuple, de joyeux tableaux, pour les connaisseurs, le mystère qui se profile derrière. » (*Goethe*).

Toutes les trois citations portaient la marque de Geneviève. Il chercha la citation de Jung et constata qu'il n'y en avait pas. Pour Catherine, Beethoven et Freud, c'était du pareil au même, tous deux des fardeaux impossibles à distinguer, impossibles à éteindre. Sans doute Geneviève lui avait-elle dit que Schuppanzigh était encore un de ses psychiatres juifs persécutés par les nazis et que Goethe était un *Gauleiter* notoire. Quant à cet idiot de Gottfried, il lisait les nouvelles des galeries dans le *Times* et rien d'autre, il était abonné à *Art News* — il se composait pour deux tiers de l'argent de Catherine, pour un tiers de la cervelle de Geneviève, et le tout trop pleutre pour remuer ce mélange. Catherine, comme toutes les sottes héroïnes, croyait que Geneviève (sortie de Smith College en 48, *summa cum laude,* Phi Beta Kappa) avait pour elle (sortie en 59 de l'école privée de Miss Jewett, diplômée trente-deuxième sur une classe de trente-six élèves) un attachement fait d'affection et d'enthousiasme. « Geneviève adore venir à New York, elle ne peut pas résister », c'était là une des maximes de Catherine : malheureusement, elle l'énonçait comme une épigramme. Elles s'étaient connues chez Myra Jacobson. Myra Jacobson (également de la promotion 48 de Smith College) était marchande de tableaux, de la grande classe — elle *faisait* les réputations, disait-on ; l'année précédente (pour ne citer qu'un exemple) c'était elle qui avait fait Julius Feldstein, peintre actionniste — et Catherine lui avait offert une certaine somme pour se charger de Gottfried, mais elle avait refusé. « Il faut attendre qu'il soit *mûr* », avait-elle dit à Catherine qui s'était mise à pleurer à chaudes larmes jusqu'à ce que Geneviève, tel Polonius de derrière sa tenture, sortît de derrière un Jackson Pollock et lui tendît un mouchoir orange. « Voyons, voyons, dit Geneviève, pas la peine de chialer, amenez-moi le voir, on ne peut pas savoir s'il est mûr sans appuyer dessus. » Geneviève fut escortée au studio de Gottfried, à côté de chez Mme Siebzehnbauer, contempla le lit, contempla Gottfried et appuya. Elle appuya fort. Il n'était pas mûr. Il n'était encore Personne.

D'où la galerie Nemo, une invention de Geneviève. C'était bien entendu pour se moquer de Gottfried qui savait qu'elle se moquait de lui et avait accepté par dépit. Gottfried, comme la plupart des lâches, était obscurément rusé. Mais Catherine débordait de gratitude : une exposition, c'était une exposition. Creighton MacDougal coûtait les yeux de la tête, mais c'était normal pour un homme à barbe — il avait l'air, dit Catherine dans une nouvelle épigramme, l'air de Dieu.

Applaudissements.

Dieu se tenait derrière le pupitre. Il fit couler un verre d'eau d'un robinet d'aluminium, aspira les gouttes en trop à travers le haut de sa barbe (la partie qui, en l'absence de barbe, aurait été une moustache), racla un œsophage tapissé de mucus et se mit à parler de la Baleine blanche de Melville. Pendant dix minutes, M. Hencke eut la pieuse certitude que le grand critique lisait sa conférence de la semaine précédente. Puis il entendit le nom de son fils.

— L'art de la plénitude, disait le critique. Ici, enfin, plus d'aspiration. Pas de nageoires d'albâtre qui se trémoussent à l'horizon et vous invitent à leur donner la chasse. Le complexe de l'achèvement de la salle de classe et/ou de l'asile a enfin pris les commandes. Imaginez un maître tournant le dos aux élèves et effaçant le tableau noir. Il efface et efface encore. Enfin, le tableau est redevenu tout propre et noir — à l'exception d'un lambeau au pied d'une lettre unique, la lettre J — J, mesdames et messieurs, qui représente Justice ou Jésus —, un lambeau de pied donc de cette lettre J à demi effacée, évité par la trajectoire de l'époque qui ne l'a pas oblitérée. Ici, c'est précisément l'art de Gottfried Hencke que je suis en train d'illustrer. L'art de Gottfried Hencke se lève de sa chaise, s'approche du tableau et, avec un geste singulier, un geste vif, minuscule et d'une lancinante exactitude,

mouille son petit doigt et efface à jamais le pied du J.
Cela, mesdames et messieurs, c'est le sens de l'art de
Gottfried Hencke. Ce n'est pas l'art de la faim, pas l'art
de la frustration, mais celui de la satiété. Un art, si je
puis dire, pour les gros.

Nouveaux applaudissements hésitants, cette fois-ci,
comme ceux du vulgaire qui prend la fin du premier
mouvement pour celle de la symphonie.

Grincement du robinet d'aluminium. Dieu a soif.
L'audience observe l'action capillaire des poils du
visage.

— Mesdames, messieurs, reprit le critique, moi aussi
je fais partie des gros. Je cache habilement pas moins de
deux mentons, pas plus de trois. Pourtant, je n'ai pas
toujours été ainsi. Imaginez-moi à l'âge de dix-sept ans,
maigre, hardi, arrogant, aristocratique. Imaginez la
neige. Je cours dans la neige. Blancheur. La blancheur,
mesdames et messieurs, qui n'est autre que celle de la
Baleine de Melville par qui j'ai commencé cette brève
causerie. Tous les hommes commencent au sommet de
la pureté et de l'espoir. Maintenant, voyez-moi à vingt-
quatre ans. Je viens de me faire vider de la faculté de
médecine. Mesdames, messieurs, j'avais le désir de
guérir. De guérir, oui, mes beautés. Imaginez mes
larmes. Je pleure d'humiliation devant le doyen. Je lui
demande de me donner encore une chance. « Non,
mon fils, dit le doyen — comme il est gentil ! comme il
est bon ! et sa femme est une invalide dans un fauteuil
roulant —, tu te tuerais à la tâche. Mieux vaut
renoncer. » Et, depuis trente ans, j'ai tenté de me guérir
moi-même. Des allégories, mes belles dames ; des
allégories, mes bons messieurs : comptez sur moi pour

vous servir des fables, des paraboles, les meilleurs produits de saison. L'art de Gottfried Hencke est un art intact. Y a-t-il jamais eu une blessure dans cet art ? Elle est guérie, nous nous guérissons tous nous-mêmes, merci, merci.

Avec une sereine impartialité, comme si elle arbitrait une négociation dans un bazar, Catherine présenta son beau-père à Creighton MacDougal. M. Hencke était ému. Il sentait s'éveiller en lui un espoir pour son fils et pour le fils de son fils que jusqu'à présent il avait quasiment pris pour un imbécile. Il se mit en devoir d'éclairer le critique sur les avions d'antan.

— Non, non, disait-il, se penchant vers une paire d'yeux rouges comme de la confiture, non, le Fokker était un avion de combat comme chacun sait, mais le Hansa-und-Brandenburger servait à tout — des raids, des bombardements, un peu de combat aérien, de temps à autre quelques missions de reconnaissance au-dessus de la mer pour dépister vos bateaux. De tout. Très polyvalent, très fiable. A la fin, on en avait des quantités, au début on n'avait même pas le Fokker. Tout ce qu'on avait, c'était le Rumpler-Taube, un très bel avion. On lui avait donné ce nom parce qu'il ressemblait à une grande et belle colombe. Vous l'avez peut-être vu dans les vieux films. Ma belle-fille prétend qu'une fois elle en a vu un dans un film à la cinémathèque du Museum of Modern Art. Elle me fait un peu peur, ma belle fille — elle gâte la race, de mauvais gènes dans le mental —, un petit-fils de deux ans, très bel enfant, rien de mental. Vous n'en parlerez pas, n'est-ce pas ? Je vous le dis en privé. Je trouve votre visage sympathique. Vous avez un peu quelque chose de mon père — la vieille école, comme vous dites, très strict. Aujourd'hui, les garçons ne se laissent pas faire. Nous avions aussi des maîtres très stricts pour les avions. Tous des professeurs. Ils savaient tout sur les moteurs. Les meilleurs maîtres on nous donnait. Je crois que s'il le fallait absolument je pourrais encore piloter quelque chose comme un Piper Cub. On avait des biplans de ce temps-là. Des biplans, pas de cockpit fermé. Nous portions des casques de cuir. Quand il pleuvait, c'était comme des aiguilles dans les yeux. On ne pouvait monter qu'à un peu plus de trois cents mètres — la hauteur de l'Empire State Building, c'est ça ? Dans le noyau d'un nuage, vous ne vous rendez pas compte que c'est un nuage, c'est juste du brouillard. Ces casques ! Dans la pluie, ça puait comme dans un abattoir.

Une jeune femme tendue qui venait d'écrire un compte rendu de livre vint lui enlever le critique : il s'essuya la bouche. Un long fil de muqueuse se détacha de la commissure droite. Il flaira l'odeur de sa propre haleine. Signe que son estomac n'allait pas bien. Sur le buffet, il y avait une coupe de pommes. Il se dit que l'une d'elles chasserait la puanteur de son haleine. La coupe se trouvait près d'un plat de canapés au fromage au bout de la table, près de la chaise où Geneviève avait posé son manteau. Mais le manteau n'était pas sur la chaise. Il était sur Geneviève. Par-dessus les pommes, elle chuchotait quelque chose à Gottfried. Il comprit qu'elle voulait partir avant Gottfried pour tromper Catherine. C'était un rendez-vous.

— Gottfried ! appela-t-il.

Son fils vint près de lui.

— Tu ne rentres pas chez toi ?

— Non, papa, j'en ai encore pour des heures. On attend un petit orchestre. Catherine trouve qu'on devrait danser un peu.

— Je voulais dire après. Après, où iras-tu ?

— A la maison. A la maison, papa, où veux-tu que j'aille à cette heure ? Catherine dit que tu ne veux pas venir avec nous. Elle dit qu'une fois de plus tu insistes pour descendre à l'hôtel.

— Tu ne vas pas au studio d'abord ?

— Ce soir, tu veux dire ?

— Après l'orchestre, tu ne vas pas au studio où il y a un lit ?

— Il n'est pas question de travailler ce soir, papa. Pas après tout ça. Écoute, qu'est-ce que tu as pensé de MacDougal ?

— Cet homme se trompe complètement sur ton compte, dit M. Hencke. Je lui ai parlé en particulier, tu as vu ?

— Non, dit Gottfried.

— Je veux que tu m'emmènes dans ton studio, dit M. Hencke.

— Voilà du nouveau, dit Gottfried. Toi qui ne veux jamais voir mes machins.

— Tu as quelque chose qui vaut la peine d'être montré ?

— Mais enfin, quoi, dit Gottfried. Toi qui cherches mon monument, regarde autour de toi. Il n'y a vraiment rien qui te plaise sur les murs ?

— Je veux voir ce que tu as dans ton studio.

— Eh bien, j'ai mis un nouveau truc en train là-bas, dit Gottfried. Si ça t'intéresse.

— Un nouveau truc?

— Il n'y en a qu'un quart de terminé. Tout le coin en bas à droite. Faut croire que j'ai enfin trouvé le courage d'essayer de faire quelque chose en couleur. Du bleu céruléen, comprimé dans une série d'ovales et de rectangles imbriqués. Comme du ciel enfermé dans le noyau d'un atome. En vérité, je fonde pas mal d'espoirs là-dessus.

— Dis-moi, Gottfried, qui a trouvé ça?

— Trouvé quoi?

— Le ciel dans l'atome. C'est Geneviève? Les mots de Geneviève, hein? Elle est brillante, cette dame. Pleine de métaphores. Je voudrais voir ce ciel. Explique à Geneviève que je suis toujours heureux de voir la moindre preuve du courage de mon fils.

— Fort bien, papa, vas-y doucement! Je viendrai te chercher demain matin, si tu veux. C'est tout de même rudement pervers de ta part de ne pas venir à la maison.

— Non, non, ta maison ne m'intéresse pas. Les perrons surélevés, c'est une abomination. Ce soir, je veux voir ton studio.

— Ce soir?

— Après l'orchestre.

— C'est absurde, papa, tout à l'heure on sera tous morts de fatigue.

— Bien, alors on pourra profiter de la commodité du lit.

— Papa, vas-y doucement! C'est sérieux. Ne me brutalise pas *maintenant*, tu m'entends?

— Moi, quand j'étais un très jeune homme de trente-sept ans, je parlais à mon père avec respect.

— Merde alors, tu veux m'obliger à rompre! Tu

173

veux vraiment nous faire rompre. Finalement. Pourquoi ? Tu ne t'en es pas mêlé pendant un bon
moment, toute une année, et tout à coup ça te gêne.

— Un an et demi, dit le père. Et tu continues à
affirmer que c'est quelque chose de nouveau. Tu
appelles ça du nouveau.

— Tu tiens vraiment à nous faire rompre ? Vraiment, tu y tiens ? Qu'est-ce que ça peut te faire ?

— Pauvre, pauvre Catherine, murmura le père.

— Pauvre, pauvre Catherine, dit Geneviève arri-
vant derrière Gottfried.

Elle était en train d'avaler un canapé au fromage et
des miettes de pain mouchetaient ses lèvres et retombaient sur les revers de son manteau. M. Hencke se
trouva nez à nez avec le tissu imprimé : une série
d'ovales et de rectangles imbriqués les uns dans les
autres, sombres et clairs. Vus d'une certaine façon,
un long couloir tubulaire, infiniment vide comme
deux miroirs face à face. Un glissement mental — et
les motifs s'enflaient en un saucisson massif, presque
carré, se gonflant et s'autocréant à l'infini.

— Il veut nous faire rompre, lui dit Gottfried.

— Quel bêta vous faites, dit Geneviève qui tira au
père de l'artiste une langue enrobée de fromage

— Tu m'entends ? demanda Gottfried.

— Oui, chéri. Je ne savais pas que le chéri était au
courant.

— Menteuse ! A faire tes grands yeux innocents.
Je t'ai dit que je lui avais dit. Il a fallu que je lui dise
parce qu'il avait deviné.

— Je suis le confident de Gottfried, dit M.
Hencke.

— Le mien aussi, dit Geneviève qui embrassa le père de l'artiste.

L'odeur à peine perceptible des miettes de pumpernickel sur le dessous du menton — un menton qui commençait tout juste à se relâcher : en bas un frêle filet de peau comme une lèvre retroussée et boudeuse — lacéra sa vision comme une fleur. Une porte s'ouvrit quelque part en lui. Il se souvint d'un autre champ encore, celui-là tout duveté de cumin, comme une épaule jaune et velue se haussant dans le vent. Une éclaboussure de joie aggrava l'état de son estomac : chez lui, autrefois, on prenait du cumin comme carminatif.

« *Childe Roland to the Dark Tower came,* récita Geneviève, *et ce fut la rupture.* » Gottfried, je me porte garant de ton père. Il n'a jamais détruit.

M. Hencke était stupéfait.

— Je suis une trompeuse, s'écria Geneviève, moi aussi il me faut un confident, j'en ai besoin plus que Gottfried. Vous, le papa de Gottfried, il faut que je vous parle de ma fabuleuse existence à Indianapolis, dans l'État d'Indiana. Mon mari est un expert comptable agréé, intelligent et prospère. Vous ne serez pas surpris par son nom : il s'appelle Lewin. Un nom qu'on n'oublie pas. Kagan aussi, ce serait un nom qu'on n'oublie pas, et Rabinowitz aussi, ou Robbins, mais *lui,* c'est Lewin. Un exemple pour nos jeunes. Il donne à toutes sortes d'œuvres. Il est vice-président de la synagogue. Maintenant, il faut que je vous parle de nos quatre filles qui ont toutes moins de douze ans. L'une est trop jeune pour l'école. L'autre n'en est encore qu'à la maternelle. Mais les deux grandes ! Nora et Bonnie. Les premières de la classe et elles lisent déjà *Tom Sawyer, Les Quatre Filles du Dr March* et l'*Encyclopedia Britannica*. Tous les mois elles rédigent le journal de la famille sur une vieille Smith Corona dans la cave de notre maison de style colonial hollandais à Indianapolis, Indiana. Elles l'appellent *Le Bulletin Mezouzah* — parce qu'elles le punaisent sur le montant de la porte. Toutes les quatre ont des cervelles juives.

Gottfried était en colère :

— Tout le monde te regarde.

— C'est parce que je suis drapée dans une de tes peintures de satiété. Monsieur Hencke, saviez-vous que certaines des œuvres expressionnistes les plus d'avant-garde sont faites par les gens qui dessinent les tissus du côté de la Huitième Avenue ? Mais je n'ai pas fini de me confier. Vous, le papa de Gottfried, voici encore des confidences. D'abord que je me décrive. Grande. Ne met jamais de chaussures plates. Des bras dodus. Des cuisses moelleuses. Une jeune femme splendide. Un nez fin et délicat comme une hostie. Donne l'impression d'être à la fois gentille et sans aspérités. De grandes dents saines, indestructibles. Une demi-douzaine d'inlays en or, payés par Lewin, l'expert comptable agréé. Excellent mari. A votre tour, maintenant, monsieur Hencke. Je me suis déshabillée devant vous. A votre tour, ce n'est que justice. Votre beau-frère, le fabricant de shampooings dont Cathy a parlé une fois — celui qui habite à Cologne, dont la maison a été démolie par les bombes ?

M. Hencke implora :

— Qu'est-ce que vous me voulez ? Pourquoi parler de vous comme ça ?

— Parlez-moi de lui. Faites-moi des confidences sur

la nature du shampooing. Il le fabriquait avec quoi ? Pas maintenant. Je veux dire pendant la guerre. Pas la guerre quand vous étiez aviateur, celle d'après. Il fabriquait des shampooings à Cologne pendant tout ce temps où vous, vous étiez un architecte patriote américain, érigeant des tours, ne détruisant rien. S'il vous plaît, analysons le shampooing de votre beau-frère. Quels étaient ses ingrédients secrets ? La graisse de quels êtres humains ? Quel lard de juifs ?

— Boucle-la, Geneviève. Boucle-la, je te dis. Fiche la paix à mon père.

— Pauvre, pauvre Catherine, dit Geneviève. Je viens de tout arranger avec elle. Je lui ai dit que j'allais attraper l'avion de minuit pour rentrer et que toi, tu avais une inspiration et qu'il fallait que tu y travailles toute la nuit au studio.

— Boucle-la, c'est tout ce que je te demande.

— Fort bien, mon chéri. Je te verrai quand le coucou de Mme Siebzehnhauer coassera les deux heures.

— Laisse tomber. Pas ce soir.

— Qui nous l'interdit ? Le papa de Gottfried ?

— Je n'ai rien contre vous, croyez-moi, dit M. Hencke. Je vous admire beaucoup, Geneviève. Je n'ai aucune animosité.

— Quel dommage, dit Geneviève. Tout homme devrait avoir un peu d'animosité.

— Bonté divine, Geneviève, fiche-lui la paix.

— Au revoir. Je retourne chez Nora Lewin, Bonnie Lewin, Andrea Lewin, Céleste Lewin et Edward K. Lewin, tous résidant à Indianapolis, Indiana. D'abord, il faut que je fasse mes adieux à cette pauvre,

pauvre Catherine. Au revoir, monsieur Hencke. Ne vous en faites pas. Quant à moi, je suis gentille et sans aspérités. Mes inlays en or claquent comme des castagnettes fabriquées dans l'Espagne de Franco. Mes seins sont comme deux grenades. Comme deux colombes blanches descendant du mont Gilead, ça vous va ?

Elle embrassa le père de l'artiste. Le vallon de cumin velu fut photographié par un flash jouxtant son pancréas.

— Vous avez des joues comme des barbelés. Des joues labourées par les tanks du général Rommel.

L'artiste et son père la regardèrent qui s'éloignait, faisant tomber les miettes de son manteau du bout des doigts.

— Une femme supérieure, dit M. Hencke.

Il se sentait fantastiquement maître de soi. Comme s'il avait reçu un ordre et désobéi.

— Une race supérieure, c'est ce que j'ai toujours pensé. Pleine d'imagination. On dit que Le Corbusier était secrètement juif, un descendant des marranes. Une belle peau, de beaux cils. Elles ont des compulsions, ces femmes-là. Lorsqu'il s'en présente une avec le type blond, on pourrait presque la prendre pour une des nôtres.

Le fils ne dit rien.

— Elle te donne du plaisir, Gottfried ?

Le fils ne dit rien.

— Je pense bien qu'elle te donne du plaisir, hein ? Plein d'imagination. Du plaisir, je suppose. Une superconscience.

Le fils continuait à tenir bon. M. Hencke attendait

passionnément les larmes de la confession. Il les invoquait. Elles ne tombèrent point.

Il dit enfin :

— Est-ce qu'elle te mène la vie dure ?

— Jamais, dit Gottfried. Jamais, jamais. Je crois que tu as tout cassé, papa. Va au diable, papa.

Les mains agrippées dans le dos, le père de l'artiste regardait peu à peu s'estomper le flot des visiteurs. Dans sa robe de mariée, Catherine scintillait en haut des marches, énonçant les au revoir distingués appris chez Miss Jewett. Creighton MacDougal cligna des yeux, salua et fit claquer ses talons comme un officier prussien. Un merveilleux mimétisme s'envola en spirale de sa tête : le bourdonnement d'un biplan. Simultanément, un saxophone ouvrit le feu.

— Venez danser avec moi, papa ! dit Catherine. Mais non, ce que vous pouvez être vieux jeu ! De nos jours, vous n'êtes pas même censé *toucher*.

Elle lui apprit comment faire : jamais il ne l'avait vue aussi intelligente.

— M. MacDougal a dû partir, mais vous savez ce qu'il a dit ? Il a dit que vous étiez quelqu'un de bien. Il a dit — son rire se brisa comme une assiette — que vous étiez un ermite né et que si vous décidiez un jour de construire un pilier pour vous asseoir dessus, il durerait mille ans.

M. Hencke copiait ses gestes, mais sans toucher.

— Est-ce qu'il y a eu des ventes ?

— Pas encore, mais après tout ce n'est que le *vernissage*. Et même s'il n'y en a pas, ce n'est pas ça qui compte. C'est seulement pour encourager Gottfried. Dans notre monde, on a besoin d'être remarqué, le savez-vous, papa? Sans quoi vous n'avez pas vraiment le sentiment d'exister. Vous ne comprenez vraiment pas Gottfried. — Non papa, la révérence à la fin, ça ne se fait *plus du tout*. C'est tellement vieux jeu! Je veux dire que Gottfried travaille comme un fou. Il est très malheureux quand vous parlez comme tout à l'heure au sujet de Rockefeller. Enfin, papa, il va même travailler quand nous aurons terminé ici, il s'en ira tout de suite au studio.

— Je ne crois pas. Il sera bien trop fatigué, dit le père de l'artiste.

— Mais il m'a *dit* qu'il voulait travailler ce soir. C'était sérieux, papa. Et ce n'est pas comme si j'étais la seule à qui il l'ait dit, il l'a dit à tout le monde...

Un cri jaillit de la coupe de pommes.

— Oh, mais qu'est-ce qui arrive à Geneviève?

Curieuse comme une enfant, Catherine courut voir.

Il temporisa, envisageant des blessures. Dans son cœur elle saignait, elle saignait. Il s'écarta. Il resta en retrait. Il écoutait sa voix — une voix si grossière. La voix ou la contrebasse? Un hurlement biblique, comme celui des juifs exilés à Babylone. D'horribles tragédies ne cessent de frapper les innocents. Elle n'était pas innocente. Il subodorait quelles blessures. Le saxophone mitrailla son intestin grêle.

Un mouvement serpentin et nerveux ramena Catherine.

— Quelqu'un a volé le sac à main de Geneviève. Elle l'avait laissé comme ça, sur la chaise, sauf qu'il était sous son manteau et il y avait dedans 100 dollars et son permis de conduire et le billet d'avion et des tas d'autres choses encore. Avec tout ce monde, on ne croirait pas qu'un voleur...

Il était ahuri.

— Blessée ? Elle est blessée ?

— Mais non, elle n'était même pas encore sortie, elle était juste sur le départ. Ce n'est pas comme si il y avait un hold-up ou qu'on l'aurait agressée dans la rue. Je veux dire, on le lui a tout simplement *pris*. Il était juste posé là et on le lui a pris. Vous imaginez une chose pareille ?

Une certaine vivacité la déréglait mais l'illuminait : sa belle-fille exultait. Elle assumait le lustre que méritait sa richesse : il aperçut en elle, à cet instant d'aventure, les corsaires-ranchers roués qui avaient engendré son tempérament. L'appât du butin résiste à l'éducation : à cet instant, elle était une véritable héritière et pour la première fois le père de l'artiste était presque fier que son fils l'eût choisie. Ce que Gottfried avait vu, il le voyait maintenant. Le crime la mettait en joie, détendait les ficelles de marionnette de sa terrifiante courtoisie. Le crime la rendait intelligente. Il avait été lui aussi un être qu'exaltaient les crises, il savait. Un jour, il avait fait un atterrissage avec une moitié d'aile arrachée par les balles ; après coup, sa blessure héroïque lui sembla plus douce que toutes les crises qu'il allait endurer en amour.

— Gottfried affirme que c'était sûrement l'un des camionneurs, dit Catherine.

Ah ! comme elle serrait ses bras contre ses épaules.

— Certainement, les camionneurs, acquiesça M. Hencke. Il n'y avait personne d'autre de cette espèce ici.

— Le barman ?

— Peut-être, le barman, convint une nouvelle fois M. Hencke.

— Mais c'est impossible que ce soit le barman, le barman est encore *là*. Si c'était le barman, on pourrait le prendre la main dans le sac. Un voleur, ca s'éclipse toujours aussi vite que ça peut

— Alors, les camionneurs, dit M Hencke. Sans conteste, les camionneurs

— Très bien, mais vous savez ce que je pense, papa ?

— Non.

Catherine suça sa lèvre jusqu'à la faire briller.

— Eh bien, la façon dont ce sinistre bonhomme a *discuté* de ses honoraires lorsque nous l'avons engagé — je suppose qu'on ne dit pas engager pour un critique, mais, franchement, c'est bien ce que nous avons fait — bref, il trouvait qu'on ne lui donnait pas assez, surtout parce que cette petite radio FM, W-K je ne sais pas quoi, a envoyé deux types pour enregistrer son topo sur une bande et il a dit qu'on ne lui versait même pas de droits là-dessus, alors ce que je pense, moi — son beau rire frémissant se brisa encore et encore, ce n'était pas une assiette mais une houle — c'est que M. MacDougal a trouvé cet expédient-là pour relever ses honoraires.

— C'étaient les camionneurs, dit M. Hencke, avec la douceur d'un jugement sans appel.

— Je voulais juste vous faire marcher. Vous êtes toujours d'accord avec Gottfried, papa. Je veux dire sur le fond. Je me demande pourquoi vous vous disputez sur tout le reste.

— Il faut donner un peu d'argent à Geneviève pour qu'elle puisse rentrer.

— Elle est dans tous ses états, vous l'avez vue ? Ça m'étonne de sa part. Il paraît que son mari lui rappelle toujours d'être moins nerveuse et d'emporter des chèques...

— Dites à Gottfried de lui donner de l'argent, dit M. Hencke.

— Oh, papa, c'est *à vous* de lui demander. Quand il s'agit de quelque chose d'important, il ne m'écoute jamais.

Il chercha Gottfried du regard : le voici, en train de se disputer avec le barman qui affirmait n'avoir vu personne et ne rien savoir.

Geneviève mordillait un de ses gants.

— Ne discute pas avec lui, Gottfried, c'est parfaitement irrécupérable. C'est si bête et c'est vraiment la faute de ma stupidité. Ed me tuerait, pas à cause de l'argent, mais, comme on dit, pour le principe. Tu me connais. Il m'accuse d'être d'une négligence crasse. Lui, son fort c'est de croire aux actes prévisibles. L'an dernier, j'ai perdu la Buick, l'année d'avant, j'ai perdu le bébé dans le parking. Seigneur, ce que je hais les gens à principes ! Tous les persécuteurs du monde ont toujours été des gens à principes.

— Toujours, Geneviève invoque l'histoire, dit M. Hencke.

A sa surprise, elle ne réagit pas ; il regretta aussitôt son propos. Elle dit d'une voix enrouée :

— Je suis résignée, c'est tout. Je ne le retrouverai jamais. Bon, bon, c'est irrécupérable.

— Comme tant d'autres choses dans la vie, dit M. Hencke.

Gottfried se retourna, sombre :

— Qu'est-ce que tu veux, papa ?

Le barman prit la fuite.

— Je veux que tu donnes de l'argent à Geneviève.

— De l'argent ?

— Étant donné la situation.

Le père de l'artiste découvrit tendrement ses dents. Gottfried répéta.

— De l'argent ?

— Pour Geneviève. C'est le moins que tu puisses faire, Gottfried.

— Je ne donne pas d'argent à Geneviève, papa.

Il observa les plis humides sous le nez de son fils. Même en Amérique, la jeunesse n'est pas éternelle.

— Ah ! mais tu devrais, Gottfried. Dans la vie, on n'a rien pour rien.

Il ressentait une joie obscure à la vue de la bouche pâle et encombrée de Gottfried. Son fils ressemblait à un joli petit cheval pommelé recrachant du foin insatisfaisant.

— Prendre l'avion pour Indianapolis, c'est pas gratuit dans ce bas monde, conclut-il dans le brouillard fugace de son propre rire.

— Eh bien, voyez-vous ça, dit Geneviève. Le papa de Gottfried veut se débarrasser de moi. Tu avais parfaitement raison, Gottfried, il veut se débarrasser de moi.

— Non, non, protesta M. Hencke. Seulement de l'orchestre. Quelle horrible musique ! Ça fait peur, les saxophones. Un bruit de forêt si fort et solitaire. Pourquoi tu ne les renvoies pas, Gottfried ? Il ne reste plus d'invités, il me semble.

— Par démocratie, révéla Geneviève.

Catherine dansait violemment avec le barman.

— Je vois comment on fait, dit M. Hencke. Ils bougent, mais sans se toucher. Se toucher n'est plus à la mode. Catherine croit qu'elle est en train de danser avec le voleur, c'est ça ? Gottfried, donne de l'argent à Geneviève.

— Que Catherine le fasse, grommela Gottfried.

Il nagea vers sa femme comme traversant un élément résistant, épais.

— Il est presque inaudible quand il se sent offensé, nota le père. Est-ce qu'il a dit qu'il vous en donnerait ?

— De toute façon, ça allait bientôt finir. Comme je déteste les esclandres ! dit Geneviève qui suivait Gottfried du regard.

— Quel mot amusant. Après tant d'années, je ne connais pas tous les mots. Ah ! une dame brillante comme vous, vous vous ennuyez avec mon fils au cœur ordinaire.

— C'est Cathy qui m'ennuie. C'est New York qui m'ennuie.

— Et l'art ? L'art aussi ?

Il fit une pause désespérée.

— Mon fils n'a pas voulu me dire si ça a bien marché. Il n'a pas voulu me dire si ç'avait été un plaisir.

— Ah ! dit Geneviève, si seulement je n'avais pas perdu ce maudit sac à main. L'expert comptable agréé m'a donné son dernier avertissement. La prochaine fois, ce sera la guillotine.

— Voyons, voyons, dit M. Hencke, des voleurs et des pickpockets, on en trouve partout.

— Pour l'argent, ça m'est *égal,* dit Geneviève d'un ton aigre.

— Chère madame, c'est la dignité qui ne vous est pas égale.

— Oui, dit Geneviève, c'est cela.

— Asseyez-vous, dit M. Hencke, manœuvrant avec un frottement de semelles vers la chaise coupable.

C'est sur cette chaise qu'avait reposé le sac de Geneviève recouvert de son manteau imprimé. La chaise était vide. Apathique, Geneviève releva l'ourlet de son manteau et s'assit.

— Ma valise, dit M. Hencke, la soulevant et la posant à ses pieds.

— Eh bien, vous avez de la chance qu'ils ne l'aient pas prise aussi.

— La dignité, dit M. Hencke, la dignité avant toute chose. Moi aussi, j'y crois. Les gens ont tendance à présupposer des choses à propos d'autres gens. Par exemple, mon fils croit que je suis venu à New York uniquement pour lui — vous comprenez —, pour voir la galerie, pour voir son travail. Pour les connaisseurs, le mystère derrière le tableau, c'est ça ? A la vérité, tôt demain matin, je vais sur un bateau. Je pars pour un beau voyage, vous savez.

— En Allemagne ?

Mais elle semblait indifférente. Elle regardait la cage d'escalier avaler les musiciens. Catherine se servait du dos de Gottfried comme pupitre pour écrire quelque chose. Son stylo vacillait tel un poignard plongeant nerveusement dans sa victime.

— Pas en Allemagne. En Suède. J'admire la Scandinavie. Des brouillards exquis. Le vert des campagnes là-bas. A présent, il n'y a que la Scandinavie pour me rappeler l'Allemagne de mon enfance. L'Allemagne n'est plus la même. Partout des usines, des cheminées.

— Ne me parlez pas des cheminées allemandes, dit Geneviève. Je sais quelle fumée est sortie de ces cheminées-là.

Ses yeux pleuraient, sa gorge pleurait, elle n'était pas indifférente, elle était sans merci.

— Je n'ai pas eu le cœur d'annoncer à Gottfried que je repartais en voyage. Ne lui dites pas, hein ? Qu'il pense que je suis venu tout exprès. Vous comprenez, hein, Geneviève ? Pour voir ses machins, qu'il croie ça, pas juste en passant, en route pour ailleurs. Je suis venu avec une seule valise pour le tromper, je l'avoue, tout exprès pour le tromper. Dans ma chambre d'hôtel déjà, il y a quatre autres valises.

— Je parie que vous avez parlé de la Suède pour me tromper. Je parie que vous allez en Allemagne, pourquoi pas ? Je ne pense pas que ce soit mal, pourquoi n'iriez-vous pas en Allemagne ?

— Pas en Allemagne. En Suède. Les Suédois étaient innocents pendant la guerre, ils ont sauvé tant de juifs. Je vous jure, pas en Allemagne. C'étaient les camionneurs, je vous jure.

— Je suppose que c'était *un* des camionneurs, dit Geneviève nonchalamment.

— Le plus logique, c'étaient les camionneurs. Je vous le jure. Regardez, regardez un peu, Geneviève, je vais vous montrer, dit-il. Regardez voir...

Il fit tourner la petite clé et ouvrit sa valise avec une énergie si sauvage qu'elle trembla sur ses gonds.

— Regardez un peu, regardez tout, rien d'autre que

mes affaires à moi, voilà mes chemises, pas toutes, j'en ai tant d'autres dans mes valises à l'hôtel, ici j'ai surtout, sauf votre respect, mon linge neuf. Seulement des chaussettes, vous voyez ? Des chaussettes et des chaussettes, des caleçons, pleins de caleçons, tous neufs, j'aime voyager avec rien que des affaires neuves et propres, des maillots de corps et encore des maillots de corps, de la crème à raser, un rasoir, du déodorant, encore du linge, de la pâte dentifrice, vous voyez, Geneviève ? Je jure que ça devait être un des camionneurs, c'est logique, après tout. S'il vous plaît, Geneviève, je vous jure, dit M. Hencke, forçant de ses doigts rigides les couches profondes de ses caleçons neufs, voyez vous-même...

Catherine dans sa robe blanche (la femme de l'artiste portait une robe blanche) apparut dans une saccade : elle resta suspendue comme une marionnette aux marges du théâtre de ses yeux.

— Vraiment, Geneviève, Gottfried est bizarre, parfois, il a tout plein d'argent dans son portefeuille, mais il m'a fait écrire ce chèque, il y tenait absolument. Bonté divine, il a ses propres chèques. Tu crois que tu peux encore attraper l'avion de minuit, Gen ? Parce que vraiment, si c'est trop tard, tu peux facilement dormir à la maison chez nous. Pourquoi tu ne viendrais pas, cette jolie chambre est toute prête et papa ne vient pas...

— Oh ! non, dit Geneviève, en bondissant de sa chaise. Pas question de rester dormir !

Elle s'empara du chèque et descendit le long escalier en courant. Les séries d'ovales et de rectangles imbriqués flambèrent en grisaille. Dans le filament ténu de son âme à qui il vouait une certitude ancestrale, le père de l'artiste brûlait dans l'écume de tant de cumin, de tant de boutons d'or, de tant de jaune soyeux, et la crinière du cheval brouillait son regard comme une grille, et pourquoi le cheval ne va-t-il pas plus vite, plus vite ?

— Enfin quoi, dit Catherine, pourquoi cette valise ouverte et toutes ces affaires en bataille comme ça ? Papa, ils vous ont aussi volé quelque chose ? énonça-t-elle de son ton le plus distingué et le plus ventriloque. Quels criminels nous avons abrités sous notre toit ce soir à notre insu ! — on aurait cru à s'y méprendre que Geneviève parlait par sa bouche.

La sorcière des docks

Ce printemps-là, j'eus pour fréquente mission — en tant que pionnier de la famille — d'accompagner des parents en partance. C'était un peu bizarre, vu que nous formons un clan de l'intérieur des terres ; depuis des générations nous sommes accrochés à ces hameaux du sud de l'Ohio qui surprennent le touriste ; celui-ci ne s'attend qu'à voir encore un champ de maïs et ne se trouve récompensé, comme il se doit, par rien d'autre qu'un nouveau champ de maïs, mais qui abrite, miraculeusement, un bureau de poste fugace et une épicerie parfaitement identifiable. Longtemps nous avons demeuré dans ces lieux sans déplaisir, en été nous nous hélions amicalement d'une véranda à l'autre à travers des écrans antimoustiques gagnés par la rouille, en hiver nous dégourdissions nos mains sur nos livres de cantiques dans l'église surchauffée. Nous sommes possesseurs de petits lacs noirs et, si l'envie nous en prend, nous pouvons partir en pique-nique sur la berge verte d'une rivière, mais l'eau n'a pas d'autre place dans notre philosophie.

Ma demeure à moi, c'est un appartement au dix-septième étage d'une tour qui en compte trente et un. Comme vous le montrera un petit calcul, je me situe plutôt vers le bas de l'immeuble — peut-être, venue de l'Ohio, reste-t-il en moi une substance adductrice qui me pousse vers la terre. La terre, pourtant, est recouverte d'une laque de pierre et arpentée par un portier costumé en capitaine de bateau. Mon immeuble a un petit côté nautique — de mes fenêtres je peux voir l'East River et je sais qu'en suivant le fleuve jusqu'au bout de la ville je trouverai l'embouchure de la vaste mer.

Je suis le seul de la famille à m'être transformé en homme de la Côte Est. D'abord on crut à une révolte et haussa les épaules, ensuite, avec une féroce concentration, ce changement fut tenu pour une trahison ; puis on finit par m'écrire de longues lettres parlant de la bonne vieille chaleur sèche de chez nous et comme quoi de dormir à pareille altitude dans l'air humide me donnerait sûrement des rhumatismes et que telle ou telle ferme avait été rachetée par des promoteurs. Chez nous, me disait-on, le progrès et la prospérité allaient bon train et j'y trouverais des filles de ma propre espèce et surtout la vaste et claire pureté de la terre. Moi, je répondais à chaque fois en citant mon salaire. Lors de mes débuts, j'étais ce que les avocats dans le cabinet desquels je travaillais appelaient « un élément prometteur » et ma paie grimpait en épingle à cheveux, comme un graphique de notre richesse nationale — il n'y avait guère que deux ou trois ans que j'avais terminé mon droit à Yale, appliqué plutôt que précoce, perfectionniste jusqu'à la manie et mâchant des notes en bas de page comme autant de pâtes pectorales. Le cabinet

travaillait à son tour pour un groupe immense de
sociétés de transport maritime, fusionnées en une
mystique intégration. Nous, les jeunes, trimant dans
les bureaux du fond, étions tous originaires de petites
villes de l'intérieur, loin de la mer ; la grappe de nos
crânes juridiques suant au-dessus de bureaux serrés les
uns contre les autres faisait penser à un lopin de blé
bruni sous un ciel immobile. Dans les plaisanteries que
nous échangions à l'heure du déjeuner (accablés de
travail, nous apportions en général notre casse-croûte
au bureau dans un sac en papier), nous méprisions les
terriens et parlions des splendides paquebots, des
Queens dont les imposants documents traversaient nos
journées comme de tendres voiles mouchetées. Nous
soutenions tous que dans ces papiers nous sentions la
mer plus intensément qu'un marin à l'entrepont ; avec
les pointes consciencieuses de nos stylos à bille, nous
étions des travailleurs de la mer. Certes, il y avait là une
part de dérision et l'un ou l'autre plaisantin ne manquait jamais de fredonner « va astiquer la poignée de la
grande porte d'entrée » de *Pinafore*, mais dans un sens
nous y croyions vraiment. Ces fabuleux navires aux
cuisses blanches dans le port à quelques rues seulement
à l'ouest de nos bureaux, c'était du commerce et des
passagers et *nous* nous étions les dieux mineurs régis-
sant le commerce et les passagers. Un trait de nos stylos
et ce subtil et énorme tremblement se déclencherait
dans les entrailles des navires ; encore un trait, et le
bruit des moteurs se mourait dans les docks. Oui, nous
étions les maîtres des vagues ! Chose étrange, pendant
tout ce temps je n'éprouvai jamais le désir de partir où
que ce soit. D'un côté, je n'osais pas prendre des

vacances, car partir allègrement voir le monde m'aurait fait perdre ma place dans la queue, et s'il y avait une chose dont j'étais certain, c'est que j'étais destiné, pour ainsi dire, à parvenir à la table du capitaine de la maison. De l'autre côté, je me contentais fort bien de humer l'odeur du sel émanant de la pile de papiers sur mon sous-main, chaque feuille couronnée d'un en-tête QUEEN MARY, QUEEN ELISABETH, QUEEN WILHEL-MINA, QUEEN FREDERICA, QUEEN EKENEWASA — c'était le sel de ma propre sueur de bon serviteur.

Quant aux bateaux eux-mêmes, bien entendu, nous ne les voyions jamais; ils étaient pour nous des légendes musclées. De temps à autre, cependant, nous avions l'occasion d'entendre des hommes que nous prenions pour de vrais capitaines. Lorsqu'un capitaine se présentait dans nos bureaux, on pouvait être sûr de l'entendre, on pouvait être sûr qu'il était en colère — en géréral contre l'un de nous. C'était alors une demi-heure de vitupérations au sujet de quelque bévue embrouillée commise par nous en triple liasse et nous percevions leurs vibrations à travers les portes de chêne massif de l'Olympe où siégeaient les patrons — des hurlements de courroux; mais ces hurlements étaient toujours décevants. Si pour commencer nous n'avions pas su qu'un capitaine était entré dans leur bureau, nous aurions pu penser que c'était le chef du syndicat des fabricants de boutons, ou d'une usine de mobilier ou d'une plantation de coton. Toute cette mousson de fureur n'avait pour objet que du fret retardé dans des trains, ou du fret arrivé trois semaines à l'avance, ou du fret impayé, surtout du fret impayé. Ou encore il s'agissait de plaintes à propos de pavillons ou de droits de douane, ou d'une querelle autour de pétroliers. Rien ne servait d'imaginer des commandants de trirème ou de galion — presque tous les capitaines que nous entendions hurler à travers les portes de chêne appartenaient à la gent pétrolière et lorsqu'ils ressortaient, montrant encore vaguement leurs dents, mais plus ou moins pacifiés (ce n'était guère une coïncidence si après ces incursions l'un de nous sentait planer sur lui une menace de renvoi), il s'avérait qu'ils étaient tous plutôt courtauds, avec des chairs molles, en tenue de ville, chaussés de souliers marron pas très bien cirés. Mon portier avait une prestance autrement maritime que n'importe lequel d'entre eux.

C'est, voyez-vous, qu'il y avait un secret : ils n'étaient capitaines que dans notre imagination. A la vérité, ces personnages furieux et banals n'étaient que cadres des lignes maritimes venus pour démêler quelque embrouillamini dans un contrat d'affrètement. Après tout, il ne s'agissait que de contrats — des histoires de terriens. Les fermiers du côté de Clarksburg râlaient exactement comme eux, du pareil au même, au sujet des prix du marché, des subventions de transport. Quant aux capitaines — c'était cela le plus triste —, ces glorieux capitaines, ces princes et ces maîtres que nous ne voyions jamais et dont nous nous contentions d'imaginer les bateaux, ils étaient comme nous, de simples employés. Ils n'avaient aucun empire sur les entreprises de la mer qui appartenaient à nos calmes patrons derrière leurs portes et à ces hommes sans panache, du type fermier-pétrolier, qui dirigeaient les lignes avec leurs pieds chaussés de marron plantés sur la terre ferme d'un tapis de haute laine.

Mais à condition d'éviter les cadres des lignes maritimes et les transitaires, de s'en tenir aux noms des *Queens*, de faire galoper son stylo à travers la fantastique géographie des dossiers — Porto Amelia, Androko, Funchal, Yokohama, Messine, Kristiansand, Reykjavik, Tel-Aviv et tout le reste —, nous arrivions à garder notre perception de la mer et tous ses articles de foi lumineux et salins. Un printemps, je me souviens, il y eut une période où tous les soirs et jusque tard dans la nuit, je lisais du Conrad, un roman après l'autre, et finis par croire que si je n'avais pas été marin lors de ma dernière incarnation je le serais à coup sûr dans la prochaine. Et lorsque le matin, engourdi, hébété devant mon bureau, je me trouvais face à une nouvelle enveloppe bourrée de réclamations contradictoires et de clauses annexes intolérablement détaillées, j'avais l'impression de plonger dans les vagues de la vie elle-même : Aruba, Suez, Cristobal et les autres montaient dans mes narines comme l'insupportable parfum de quelque sirène, profonde, sauvage et sentant le varech.

Pourtant, jamais je n'étais vraiment monté sur un bateau jusqu'au jour où mon oncle Al, qui était dans l'alimentation du bétail à Chillicothe, décida qu'il était temps que Paris et Rome fissent sa connaissance. L'homme était économe, mais non pas ennemi du progrès ; il avait choisi une traversée en mer et refusé l'avion parce que tante Essie avait toujours tenu les frères Wright pour des blasphémateurs. « Si Dieu avait voulu que les hommes aient des ailes, toi et moi serions en train de voler en ce moment », Al se plaisait à citer. Elle était morte depuis trois ans et le voyage de mon oncle était une sorte de mémorial à Essie, qui avait la réputation d'être une grande voyageuse. Une fois, elle avait passé la nuit à Québec et il lui semblait qu'il serait intéressant de séjourner une petite semaine dans un lieu peuplé de fous ; elle visait là l'effet qu'avait sur elle une langue étrangère. Al disait que pour sa part, il lui serait bien égal de ne jamais mettre le nez en dehors de Chillicothe et de ses environs, mais que pour l'amour d'Essie il irait voir ces endroits. « Elle aurait voulu que j'y aille », disait-il en plissant ses paupières pour regarder le fleuve à travers mes fenêtres. Il n'y avait pas d'enfants à qui il aurait pu laisser son argent ; il était décidé à s'en défaire par ses propres moyens.

— C'est l'Océan, là-bas ? demanda-t-il.

— Non, c'est l'East River.

— Beurk, comment peux-tu vivre avec une pareille odeur ?

Le lendemain — c'était un samedi —, nous prîmes un taxi pour descendre au quai. Al me laissa payer. Il y avait une grève des dockers et nous dûmes nous-mêmes porter les valises à bord. Le bateau était grec, compact, étouffant. Sur les parois des couloirs tubulaires la peinture blanche pelait par plaques et transpirait.

— Sans blague, les lavabos du rez-de-chaussée chez moi sont plus grands que ça, dit Al, tournant sur lui-même dans la boîte qu'était sa cabine.

Il la partageait avec un autre passager qui n'était pas encore à bord ; tout ce que nous savions de lui, c'était son nom, M. Lewis, et qu'il venait de Chicago.

— Un citadin, dit mon oncle d'un ton inquiet.

M. Lewis était tellement en retard que le signal du départ des visiteurs, quelque chose entre un gong et un sifflet, avait déjà retenti deux fois ; il ne portait qu'un petit sac de toile avec un motif genre tapisserie où figuraient des roses et un L calligraphié sur les côtés — il balançait ce sac entre des béquilles de bouleau. Il dit à mon oncle qu'il était menuisier à la retraite et qu'il avait de l'arthrite. Il s'appelait Laokonos de son vrai nom et allait à Paris faire la connaissance de la famille de son frère. M. Lewis parlait avec un accent déplorable et je compris que l'oncle allait le traiter de haut pendant toute la traversée.

— Au revoir et fais un bon voyage, dis-je.

— Pour sûr, dit l'oncle. Comptes-y. Merci de m'avoir hébergé et tout le reste. Je te coucherai sur mon testament, ajouta-t-il en riant.

Le signal retentit pour la troisième fois et je descendis par la passerelle sur l'embarcadère couvert, il s'agissait en fait d'un toit en béton avec un sol en béton ouvert sur les côtés. On se serait cru à l'intérieur de quelque étrange entrepôt et pas du tout sur un embarcadère. On ne voyait même pas l'eau — dissimulée par la masse du bateau pressé contre le trottoir —, mais le vent était tangible et panaché d'une saveur rocailleuse et enivrante. Je me dis que j'allais attendre pour voir le bateau lever l'ancre. Il était petit, exigu, mesquin, décevant, et il ne semblait pas y avoir le moindre marin à bord ; il me vint à l'esprit que les armateurs étaient peut-être trop pauvres pour payer de vraies tenues de marin et qu'on ne pouvait voir la différence entre passagers, visiteurs et marins, tous en civil. Quoi qu'il en soit, ils étaient en majorité grecs. Sur le quai, tous ces gens qui attendaient le premier soubresaut de l'adieu du bateau parlaient en grec. Grappe patiente, mouvante, ondulante, nous nous pressions en désordre contre la barrière au bout du trottoir sous l'auvent de cette espèce d'entrepôt, regardant fixement la peinture écaillée d'une longue portion de coque éclairée par le soleil. Le haut du bateau était caché par le toit de l'embarcadère, le milieu tranché par le trottoir, tout cela encadrant pour nous quelques centaines de mètres de flanc, sans même l'élégance d'un hublot. Les Grecs continuaient à s'étrangler avec ce baragouinage qui semblait leur cogner les dents lorsqu'ils parlaient ; cependant, le bateau ne bougeait pas. Ce n'était pas ainsi que j'avais imaginé une scène de départ sur le quai et au bout d'une demi-heure de faction muette, je me dis que le plus intelligent serait de disparaître. L'oncle était irrémédiablement enchâssé quelque part dans la moelle de ce crabe immobile et crasseux et de toute manière le bateau n'avait même pas de pont et de bastingage au-dessus duquel il aurait pu se pencher pendant que nous agiterions nos bras et chercherions à lire sur nos lèvres — rien de tel.

— Vous croyez qu'ils ont un problème ? Le moteur ? demanda un des Grecs visiteurs à côté de moi en anglais de New York tout à fait honnête. Ma mère est là-haut, elle va en visite dans la famille, vous auriez dû la voir pleurer lorsque j'ai apporté les fruits. Et vous, c'est qui qui part ?

— Mon oncle, dis-je, ravalé au rang d'un Grec avec de la famille.

— Vous êtes déjà venu ici ? demanda le Grec. Comment ça se fait qu'ils mettent tant de temps à démarrer ?

— Je parie qu'ils ont une fuite, proposa un autre.

— Le cuisinier a une indigestion. Il s'est trompé et il a mangé un plat pour les passagers.

— Il y a eu mutinerie, ils ont découvert que le capitaine est pas grec.

— C'est un Turc, ils l'ont jeté aux requins.

— Croyez-moi, quand vous retournez là-bas avec un costume correct, ils sont pires que des requins, ils croient que si vous êtes américain, vous êtes millionnaire.

Le segment le plus proche de la foule hurla de rire : il y avait entre accompagnateurs une camaraderie dont je ne m'étais pas douté.

— Excusez-moi, dis-je en essayant de me forcer un passage.

— Vous vous en allez ?

— Pourquoi vous partez ? Vous allez manquer le départ ! me criait-on tout autour de moi.

Puis, avec une clarté frappante au milieu des voix plus sourdes, une voix toute différente des autres :

— Ne partez pas. C'est une erreur de partir trop tôt. Il y a toujours du retard même avec les *Queens* et si vous partez vous ne verrez pas couler le lait.

Cette voix impertinente — puis ce mot irisé de *Queens* qui recelait toutes mes visions intimes — me cloua sur place. J'ouvrais de grands yeux.

— Du lait ? m'écriai-je sottement.

— Le sillage. On dirait une cascade de lait tirée de la moelle de notre Mère océane.

Elle se trouvait à deux mètres de l'endroit où je me tenais coincé par la foule riante, une femme aux alentours de la quarantaine, petite, ballonnée par une robe trop empesée. Cette robe était grise mais un peu enfantine vu son âge et son visage. Ses yeux fendus étaient entourés d'anneaux sombres comme ceux d'un oiseau de nuit.

— Quand vous accompagnez quelqu'un, il faut aller jusqu'au bout, reprit-elle d'un ton aigu.

Je baissai les bras :

— J'ai attendu...

— Comme tout le monde. C'est la règle du jeu. Ça fait partie des rites sacrés du quai. Et quand le bateau se met enfin en route, on est censé pousser un grand cri. C'est la première fois que vous venez, je parie. Je parie que vous êtes un terrien. Peut-être du Middle West ? s'interrogeait-elle de loin.

Un grognement se préparait sous nos pieds. Le béton vibra comme une fraise de dentiste. « Il y va ! » « Il part ! » « Je le vois bouger. Ça y est, il bouge ! » Le rectangle lépreux de la coque du bateau nous fixait, parfaitement immobile ; comme pour lui donner l'exemple, la foule se mit en mouvement. Puis, avec une sorte de petit hoquet, la coque se mit à frémir visiblement, presque à tressaillir comme la croupe d'un cheval. Un cri de jungle émana du navire et vint frapper nos visages. « Là ! » « Vous voyez quelqu'un ? » « Le pont est de l'autre côté. » « Y a pas de pont. » « Cherchez un hublot. » « Les hublots sont trop bas. » « Du mazout, c'est ça. Du mazout, je te dis. »

Une odeur métallique, la senteur de quelque lourde et suspecte machine agressa le vent. Soudain, l'eau nous fut révélée, un vomi neigeux. Des masses d'écume tourbillonnantes s'empilaient l'une sur l'autre pour se fondre en une laborieuse obscurité, comme la margelle sinistre d'un puits ou un œil injecté de sang noir. Le sillage crémeux filait derrière la poupe. Sans crier gare, le bateau prit du champ et nous pûmes le voir tout entier, cheminées, coque, tout enfin, grognant vers le large. Plus il s'éloignait, plus il était beau. Il se lissa en une blancheur immaculée ; il naviguait la tête haute, le port royal et les Grecs criaient et agitaient leurs bras. Puis il fit un large virage, abandonnant lentement le port pour le lumineux plateau qui s'ouvrait devant lui et, sur son autre hanche, nous aperçûmes un pont minuscule peuplé de minuscules personnages. Mon oncle et M. Lewis étaient certainement parmi ces poupées. Mais j'en avais assez et pris le long chemin bétonné et crépusculaire vers Canal Street et un taxi, me sentant curieusement attristé.

Juste une semaine après, ce fut le voyage de fin d'études de ma petite cousine : trente filles de la Consolidated High School, des pimbêches coiffées de casquettes de marin en route pour un périple à travers l'Écosse, les Hébrides, l'Angleterre et le pays de Galles, comme l'annonçait pompeusement la brochure de l'agence de voyages.

— Et l'Irlande ? dis-je.

— George, *personne* ne s'intéresse à l'Irlande, dit ma cousine (c'était en fait une cousine germaine), on va voir le tabouret de Robert Burns en personne. Il se trouve dans un musée à Édimbourg. Tu savais, toi, qu'il y a un vieux château, comme un château de roi, au beau milieu d'Édimbourg ? C'est dans le catalogue, tu veux que je te montre la photo ? Je ne comprends pas comment tu peux supporter New York. Maman pense que tu es fou de vivre dans un endroit pareil, plein de tueurs avec des poignards.

Elle fit une grimace de pirate et me tendit un gobelet de champagne. Les filles avaient organisé une fête. Partout sur le bateau — c'était un bateau d'étudiants, allemand de surcroît — on faisait la fête. Une bande de garçons avait tiré la bâche d'un canot de sauvetage et, genoux coincés sous les sièges, buvait dans des bouteilles vertes. Le bateau exhalait une odeur de désinfectant insolite, comme s'il avait été rageusement briqué au nom de l'hygiène. L'odeur ne semblait pas gêner les étudiants. Des valises et des sacs à dos bourrés à bloc étaient empilés sur les couchettes.

— On débarque d'abord à Hambourg et après on doit retourner *en arrière* pour aller à Southampton, expliqua la cousine. C'est moins cher de faire le voyage à l'envers. Il ne reste plus de champagne, tu veux une bière ?

Elle partit m'en chercher une, mais oublia de revenir. Les élèves de dernière année de la Consolidated High School se mirent à brailler une chanson. Elles braillaient à tue-tête et bien que j'eusse promis à la mère de la cousine de m'occuper de Suzy tant qu'elle serait à New York, je me sentis soudain superflu et partis faire un tour. Le désinfectant me suivait comme un nuage malveillant. Descendu au deuxième niveau, je découvris la femme empesée dans le coin d'une cabine, enfoncée dans l'angle d'une couchette. Elle mangeait un morceau de gâteau marbré à l'orange et quatre étudiants bruyants étaient à croupetons à côté d'elle.

— Qui est-ce que vous êtes venu accompagner ? m'interpella-t-elle à travers le vacarme. Votre sœur ?

— J'ai pas de sœur.

— Un frère ? Pas de frère. Alors, un bout de gâteau ?

Je me poussai dans la cabine et me fis offrir quelques miettes de glaçage sur une assiette en carton.

— Et vous, qui est-ce que vous accompagnez ?

— Les marins. Qu'est-ce que vous faites ?

— Très bien, dis-je.

— Je ne vous ai pas dit comment, je vous ai demandé quoi. Je vois que vous êtes très bien, vous avez une jolie peau, de toute façon vous n'êtes pas marin. Grand Dieu, que de bruit sur celui-là ! Je crois que je suis bonne pour sortir sur le quai. Vous allez rester jusqu'au bout aujourd'hui ?

— Le bout de quoi ?

Elle me semblait trop cordiale et trop obscure.

— De ce qui se passe sur le quai. Il faut que vous le regardiez partir.

— J'ai pris mon temps pour regarder la dernière fois.

— On ne peut parler de temps lorsqu'il s'agit de marins grecs. Les marins grecs sont hors du temps. Les marins grecs sont immortels. je parie que vous travaillez dans un bureau. Quelque chose de sec, sans fuites.

— Un cabinet d'avocats, avouai-je.

— Logique, mais moi, je n'aime pas les avocats. Je ne ferais ce métier pour rien au monde. Si j'étais un homme, je serais marin. Vous me prenez sans doute pour une vieille fille — eh bien ; c'est faux. J'ai deux filles mariées, vous me croirez si vous voulez.

Je murmurai poliment que cela paraissait à peine croyable.

— Je sais bien, convint-elle. J'ai gardé ma jeunesse.

Ensemble, nous nous frayâmes un chemin à travers le bateau pour arriver enfin à la sortie et descendre la passerelle, alors qu'à part moi je notais que sa dernière remarque était presque justifiée.

— Si vous accompagnez quelqu'un, il faut aller jusqu'au bout, dit-elle avec la même autorité, la même certitude que la dernière fois.

Elle avait un visage long, mais pourtant enjoué : des oreilles aux longs lobes transpercés de longues boucles d'oreilles en bois, un long nez serré, un long menton dur. Ses cheveux étaient trop longs. Un premier coup d'œil rapide lui enlevait quinze ans et la changeait en jeune fille, pas jolie, mais plutôt de la catégorie « intéressante » qui m'a toujours assommé ; le deuxième regard, moins rapide, lui rendait ses années, mais promettait quelque chose de sage et d'agréable. Nous attendîmes le moment où se forma le sillage et attendîmes encore qu'elle lui trouvât une métaphore laitière.

— Barattage du beurre, dit-elle enfin, la croisière beurre et œufs. Je n'aime pas les adolescents. Ils sont incapables de concentration. Les marins, eux, se concentrent — peut-être parce qu'ils sont bien obligés. Vous êtes obligé de rentrer maintenant ?

— Mon heure de déjeuner est déjà terminée.

— Mon pauvre ! Un petit esclave. Vous voyez ce drugstore là-bas — non, là de l'autre côté.

Elle désigna le bout de Canal Street.

— Il est à mon mari. Ça fait une éternité qu'il est pharmacien dans le coin. Un esclave, pire que vous encore, et depuis plus longtemps. Je me demande s'il a jamais descendu les deux blocs jusqu'au quai, juste pour le plaisir. Moi, je fais ça pratiquement tous les jours. Vous aimez l'eau, n'est-ce pas ?

Je sursautai.

— Oui.

— Bah, quand il s'agit de droit, moi aussi, je *nage*.

Cette plaisanterie la plongea dans une cascade de rires. Nous étions arrivés à la hauteur de la petite boutique sombre et elle courut vers l'entrée.

— Je viens parfois donner un coup de main l'après-midi, me lança-t-elle de la porte.

Ensuite, j'eus à héberger un voisin de chez nous et après deux employés du bureau de poste de Clarksburg ; et puis le maire en personne. Il me semblait que toute notre petite ville timorée se vidait pour se jeter, via mon appartement et les quais, dans les bras de l'Europe. Je n'arrivais pas à m'expliquer par quel miracle cette rage de voyager avait atteint l'état de l'Ohio. Quant à tout ce trafic transitant entre mes mains (et entre mes draps et mes serviettes), je compris qu'on avait su là-bas que, bien que fou de vivre dans un endroit pareil, j'étais moins cher que n'importe quel hôtel du lieu et que « ce n'était pas ça qui allait me ruiner ». C'était le prix que je payais pour m'être vanté si souvent de mon mirifique salaire, qui — après un week-end de repas au restaurant et de taxis pour un couple en voyage de noces, les enfants du beau-frère d'un ami intime de ma grand-tante par alliance — ne semblait plus si mirifique que ça. Le prix que payaient mes hôtes, c'était autre chose et peut-être pire — il me vint très vaguement aux oreilles qu'en Ohio je passais pour un type sans vie, un éteignoir, un snob, obsédé par sa propre vanité, un carriériste new-yorkais. Il n'y avait rien à attendre de moi, j'allais finir dans la peau d'un célibataire endurci, d'un sans-cœur.

Quant à moi, je les trouvais tous misérablement ingrats et ne gardais ma maison ouverte que pour étudier leur ingratitude. Ils arrivaient en un flot ininterrompu, marqués au poinçon de tous les clichés vestimentaires de l'intérieur : hommes aux bas de pantalon ridiculement évasés, femmes massives arborant des chapeaux à large bord, des ensembles tunique-pantalon en rayonne à fleurs et des souliers d'un blanc crayeux, toutes gantées et regardant le monde avec méfiance de derrière des visages étroits, squameux et qui craignaient le soleil. Je méprisais leurs voix lentes et j'étais sûr qu'entre eux ils raillaient la mienne, avec son débit laborieusement acquis à Yale. Cela se soldait par des soirées hérissées de piques ; je notais avec satisfaction que les maîtres d'hôtel partageaient visiblement mon mépris pour mes invités. La vérité était sans doute que je le cultivais, ce mépris, que je m'en nourrissais, heureux de voir à quoi j'avais échappé. Les femmes me demandaient avec commisération si je n'avais jamais été à l'étranger et, quand j'avouais que non, les hommes riaient à travers la brume des cigares et disaient : « Tu vois bien, j'ai toujours prétendu qu'il n'y avait pas plus provincial qu'un New-Yorkais. T'as jamais vu la tour Eiffel ? T'as jamais vu Rome ? Eh bien, laisse-moi te dire, George, tu devrais faire un tour à Rome. Ce que je peux te dire, c'est que Rome vaut tout un rouleau de pellicule. »

Ce printemps-là, je pus voir l'intérieur de bateaux et de cabines de toute taille et de toute espèce, crasseuses ou étincelantes, au coude-à-coude avec mes récents invités, formant avec eux un groupe circonspect, nos mains agrippant un modeste verre, tous recrus des

innombrables rosseries que nous nous étions envoyées.
Une fois à bord, ils renonçaient à me demander quand
j'aurais enfin assez de plomb dans la cervelle pour
revenir à la maison, vivre dans la vraie Amérique ; de
mon côté, le soulagement qui suivait toujours ma
débauche de mépris commençait à agir. Debout, secrètement effrayés, dans ces minuscules placards itinérants,
ils représentaient tout ce à quoi j'avais échappé. Ils
partaient pour leurs imbéciles croisières rituelles et se
prenaient pour des gens du monde et, d'ici Noël, ils
auraient tout oublié s'il n'y avait pas eu les rituelles
diapositives couleurs qu'ils montraient comme preuves
rituelles de leur voyage. Cependant, pour moi, ils
étaient, *eux*, les preuves rituelles de mon propre voyage
— attestant combien j'avais été périlleusement près de
devenir un passager de paquebot, plutôt qu'un accom-
pagnateur. Le passager, lui, revient inexorablement dans
sa petite ville, dans la moelle stupide du pays ; l'homme
qui reste à quai continue à vibrer au bord du possible. Ce
que j'avais conquis dans la courte enjambée du milieu du
pays à sa lisière, c'était l'ampleur, l'infini. Agitant
vainement la main sur le quai, je dirais adieu à toutes mes
impasses. Lorsque enfin, vibrant laborieusement, le
bateau appareillait à travers un scribouillis d'écume en
route, non pas vers sa destination, mais plus fondamen-
talement vers son retour, je sentais monter en moi
comme un désir de prière. D'abord, je me disais que
c'était simplement le plaisir d'être débarrassé de mes
encombrants visiteurs ; puis je sus qu'il s'agissait de la
paix de pouvoir rester là, accroché au bord de l'infini,
sans l'obligation de réintégrer les limites de mon ancien
moi enfermé dans les terres.

Pendant tout ce temps, je ne manquais jamais d'apercevoir la femme empesée, avec sa longue tête et son faux air de jeune fille aux longs cheveux ; c'était comme le choc de regarder par un trou de serrure constamment offert ; parfois, bizarrement, je la surprenais dans la cabine d'un passager, faisant silencieusement tinter ses boucles d'oreilles dans un gouffre de bruit, de temps en temps je la voyais, toujours au milieu d'une joyeuse bande, penchée sur le bastingage, un biscuit à la main, ou, chaussée d'espadrilles, enfilant un couloir exigu avec un regard aigu et fureteur. Puis c'étaient les grands coups de gong signalant le départ des visiteurs et souvent je me retrouvais à ses côtés dans la foule sur le quai, fixant avidement le tourbillon blanc sécrété par le bateau en partance. Toujours, elle était mise avec une propreté et une raideur évidentes — manches et jupes rigides comme des voiles de lin sombre. « De la crème fouettée », disait-elle en regardant le sillage ; puis, comme à l'accoutumée, emplis d'une satisfaisante et sage tristesse, nous débouchions dans le plein midi scintillant de Canal Street et marchions ensemble jusqu'à ce qu'elle soit brusquement aspirée par la porte noire du drugstore.

Ou alors, elle n'était pas là. Sur quoi — le jour après avoir accompagné quelqu'un sans l'avoir vue — je quittais le bureau à l'heure du déjeuner, j'emportais mon sandwich dans un sac en papier et je partais à l'ouest, vers les docks, je longeais Canal Street, passais devant les étals de quincailliers qui envahissaient tous les trottoirs, choisissais un quai où un paquebot blanc se trouvait à l'ancre et la cherchais des yeux. Et je la découvrais, riant sérieusement au milieu d'inconnus, mangeant du gâteau, tapant de ses pieds aux orteils propres et visibles sur le béton, tout cela en signe d'adieu aux voyageurs en partance. Ou alors, je ne la découvrais pas.

Elle était absente plus souvent que présente et ces jours-là, j'étais toujours déçu. Je tournicotais un moment sur le béton du quai, mâchant mon sandwich au côté d'un bateau désœuvré de la Cunard et, enflammé de regret, rotant de la moutarde, je regagnais mon bureau et ses documents tachés. Jamais elle ne venait pour accompagner quelqu'un en particulier, je le savais désormais ; aucune personne de sa connaissance n'allait jamais à l'étranger ; elle venait pour la chose en soi — mais jamais je ne pus sonder ce qu'était cette chose : les bateaux ? les marins ? toute cette ambiance étrangère et polyglotte ? Était-ce seulement sa promenade de l'après-midi l'amenant au lieu animé le plus proche ? Était-elle folle ? Je me mis à espérer, par goût du pittoresque, qu'elle fût réellement dingue ; mais lorsque nous conversions, elle se montrait toujours correctement et gaiement saine d'esprit — mais différente des autres, il faut bien le dire. Elle était un peu étrange.

Un jour, elle voulut savoir si j'étais doué pour interroger les témoins.

— Ça n'arrive pas souvent dans notre cabinet. C'est surtout du travail de bureau. On ne va presque pas au tribunal — le but c'est d'éviter à nos clients d'avoir à comparaître.

— Vous n'êtes jamais allé à un procès ?

— Oh ! bien sûr que si.

— Mais vous n'avez jamais fait craquer un témoin ?

Sa brutalité me fit sourire.

— Non, vraiment, je ne suis pas un avocat qui plaide des procès. Je suis derrière un bureau, c'est tout.

— Vous êtes un intellectuel passif.

— Non, pas du tout. Pas vraiment.

— Bien, je suis contente que vous ne soyez pas du genre à soutirer des choses aux gens — des aveux, je veux dire.

— Je ne vous demande aucun aveu, l'assurai-je.

— De toute façon, ça ne marcherait pas, dit-elle. Moi, je suis du genre à ne rien dire. Si on dit des choses, ça vous empêche de les garder.

— *Moi,* je n'aime pas garder les choses.

— Et les gens ?

— Je ne crois pas. Si je tenais à garder les gens, je ne serais pas tout le temps en train de leur faire mes adieux.

— Aujourd'hui, vous n'avez accompagné personne, constata-t-elle. Et vous étiez là avant-hier et là non plus vous n'aviez personne sur le bateau.

— Exact.

— Vous gardez quelqu'un en réserve ?

Cela me fit rire, mais sans gaieté.

— Je vous garantis qu'en ce moment mon appartement est vide.

— Je voudrais le voir. L'appartement. Vous avez dit que vous voyiez l'eau de vos fenêtres.

— Pas cette eau-ci — seulement le fleuve.

— L'eau est toujours l'eau, déclara-t-elle. Je veux voir. Il n'y a vraiment personne là-bas ?

— Je n'ai personne. Vraiment personne. Pas même une maîtresse.

213

Elle parut offensée :

— J'ai des filles mariées, je vous l'ai dit. Et un mari. C'est mon sillage. Vous comprenez ? Quand on vit, on laisse un sillage derrière soi et il vous suit toujours, quoi qu'on fasse. Ce que vous avez vécu et où vous avez vécu, c'est comme un flot de lait qui s'échappe de vous sans cesse, on ne peut pas s'en débarrasser. La mortalité qui émet sa trace.

Soudain, j'étais furieux. Elle m'assenait des vérités premières comme si j'étais un petit garçon.

— Eh bien, vous n'avez pas à vous inquiéter, dis-je, je ne vous ai pas fait de propositions !

— C'est vrai, dit-elle. Mais vous y viendrez, vous y viendrez.

Elle m'exaspérait.

— Vous êtes une voyante ?

— Soyez pas ironique. Il suffit d'être en harmonie avec la Nature. Vous n'êtes pas de bois.

Je touchai le côté de sa robe évasée et croquante comme la peau d'un arbre.

— Non, moi je ne suis pas de bois. C'est *vous* qui l'êtes. Pourquoi vous habiller comme ça ? Pourquoi ne jamais rien porter de doux ?

— C'est ma carapace. Si j'étais douce, vous me feriez des propositions.

— Vous m'embêtez à la fin !

— Dites tout de suite que je vous donne le mal de mer ! fit-elle en me tournant son dos rigide.

Alors, je ne descendis plus au quai, pendant près d'une semaine. Je connaissais même pas son nom (bien qu'elle sût le mien) et pourtant elle me déplaisait. Une banalité, une épouse de pharmacien, une détraquée qui traînait sur les quais et je me trouvais absurde d'avoir consacré tant de déjeuners à son étrange compagnie. Je posais mon sandwich sur mon bureau et remuais des papiers tout en mangeant : mes collègues faisaient de même ; déjà, d'avoir sacrifié aux docks tous ces midis lumineux, j'avais pris un peu de retard sur eux. Nous étions engagés dans une course inavouée. Plus on digérait de documents, plus on était digéré par la maison : je dus me rappeler à moi-même que l'assimilation à cet organisme mystique était toute mon ambition. Mais je me sentais vaguement énervé. Cette course ne me paraissait pas entièrement justifiée, pourtant j'ignorais ce qui l'eût été davantage. A présent, mes collègues me semblaient niais lorsqu'ils sifflotaient *Pinafore* ou ricanaient avec leurs petites blagues sur les pétroliers. Je pris mes distances — je crois qu'ils tardèrent à s'en apercevoir — et le cerveau en proie à un subit ennui, je me plongeai dans les dossiers des *Queens*. Mais maintenant, je n'avais plus le sentiment de toucher des voiles — plutôt des draps. Les papiers tremblaient dans mes mains avec la mollesse de draps de lit en désordre. Je savais que leur émanation saline n'était rien de plus que de la sueur humaine. Je renonçai à lire la nuit ; je renonçai à rester chez moi la nuit. J'enfilais mes plus vieilles chaussures et battais la semelle le long du fleuve — pour y parvenir, je devais affronter la voie express qui fourmillait sur son bord. Les phares de voitures cognaient mes yeux et je risquais ma vie pour traverser en courant cette route sauvage peuplée d'un troupeau sauvage et étincelant. Des eaux puantes montaient les bruits d'ordures décomposées venant frapper la berge artificielle. Rarement j'apercevais une péniche qui rampait sur l'eau, la rivière ne me suffisait pas.

Le vendredi soir — à la fin de cette semaine d'abstinence — je traversai d'est en ouest à pied et pris un bus qui, coupant Manhattan, filait inexorablement vers le bas de la ville où languissait le port. Une brume piquante saturait l'air. Il faisait noir là-bas, une obscurité patrouillée par les mines renfrognées des gardiens. Ils refusaient de me laisser entrer dans les docks, et je me mis à errer sur les trottoirs pavés, regardant le fond des passages étroits ; une fois, je vis un couple de rats de la taille de pingouins accroupis, l'un filant derrière l'autre en une procession rapide mais cérémonieuse, comme deux prêtres en retard pour dire la messe. Les docks étaient curieusement dépeuplés, à l'exception d'une rangée de médiocres bateaux, silhouettes mornes aux bords irréguliers comme mâchonnées par de mauvaises dents — les fières géantes étaient toutes en mer ou alors dispersées dans les ports plus fastes du globe. Pourtant, j'aurais donné cher pour en voir une : l'une de ces *Queens* radieuses — ce pèlerinage nocturne, c'était pour l'amour d'elles, dans l'espoir de l'odeur et de l'annonce des profondeurs de l'océan. La solitude de l'endroit était lancinante ; un clochard passait de temps en temps en traînant les pieds ou un malfaiteur en quête de viol glissait silencieusement le long des murs. Pour la première fois j'éprouvais un incontestable désir de voyage — il s'imposait à moi comme un goût dans ma bouche : il me fallait absolument la moelle d'un grain de sel. Je devais fouiller le passage le plus secret de cette exigence. Je filai vers l'est, puis vers le sud (imitant l'allure et le trot de ces rats sacerdotaux) et rejoignis le

Battery avec son illumination mortelle. Le terminus était un enfer inondé d'électricité.

Un ferry haletait à l'embarcadère et j'y montai en courant juste au moment où les portes commençaient à se fermer. Le dock et la poupe se scindèrent, découvrant un barbotis d'eau domestiquée et dodelinante pratiquement sous mes pieds. Des crachats d'écume montèrent vers moi, de plus en plus forts. Sur le pont le vent était d'une brutale chaleur. Je plongeai mon regard dans ce bassin portuaire et attirai une corde d'odeur maritime dans mes poumons affamés ; ce n'était pas assez. Ce n'était pas le fond de l'abysse, ce n'était pas assez océanique, pas assez sauvage. Pas assez salé.

Revenant de Staten Island, je dormis sur l'un des bancs du pont ; un ivrogne et moi partagions tendrement nos épaules. Le ferry était illuminé comme une salle pour banquets de noces ou un manège. Il était rempli de musique portée par des amoureux enlaçant des transistors. A un moment, lorsque la tête de l'ivrogne tomba de mon épaule, je me réveillai et vis dans le noir derrière l'auréole du ferry un défilé fantasmagorique, plein de majesté et de cérémonie — je crus à une galaxie de rats glissant à la surface de l'eau ; j'aperçus des oreilles pointues, attentives. Mais c'étaient des voiles. Je vis les voiles de galions, de deux-mâts, de navires de Vikings, flottant noirs et gonflés, comme de sombres cerfs-volants.

Le samedi matin, je ne descendis pas ; je crus avoir la fièvre, bien que le thermomètre affichât une température normale. Je passai tout de même la journée à me tourner et me retourner dans mon lit brûlant, ne me levant que pour boire de l'eau glacée. Je tirai les stores pour exclure le fleuve ; j'étais affreusement desséché. Le soir, je versai du whisky dans l'eau froide, puis un peu d'eau dans trop de whisky. Le dimanche, bien que je ne me sentisse pas mieux, une crise d'atavisme me conduisit à l'église. Le texte biblique était tiré de Jonas : « Tu m'avais précipité dans l'abîme, au sein des eaux, et les ondes m'engloutissaient ; les vagues et les flots passaient sur ma tête. » Ensuite, je vomis dans la sacristie.

Le lendemain à midi (je n'avais pas apporté de déjeuner), trop impatient pour marcher, je hélai un taxi pour descendre au port, mais me fis débarquer en plein milieu de Canal Street, à un bloc des quais que je voyais au bout de la rue. Nous nous étions trouvé englués dans un flot de voitures ; c'était insupportable. Je fis le reste du chemin en courant. Je montai l'escalier en courant et me précipitai dans le long hangar de béton. Tout était comme à l'accoutumée — la foule, le bruit, les glapissements familiers des adieux. Des flancs d'un bateau d'un gris sourd m'arriva le bruit, tout aussi sourd, du gong invitant les visiteurs à s'en aller. C'était un bateau juif en partance pour la Terre sainte — une entaille mal cicatrisée courait sur la proue et sur une partie du côté tourné vers nous. Partout, des zélateurs orthodoxes portant des chapeaux noirs, de longs manteaux noirs et des barbes grotesques, certaines rouges comme celles des clowns. Ils se lamentaient comme si le mur écorné du bateau avait été un mortier sacré, témoin de ravages anciens. Battant des bras comme une autruche affolée, je me poussais à travers leurs cris dans le flot qui descendait de la passerelle. Une femme à la poitrine massive vêtue d'un solide

uniforme blanc, portant de solides rayures aux poignets, me somma de rebrousser chemin, mais je fonçai
contre ces seins qui voulaient bloquer mon ascension.
Continuant à me démener, je fus projeté dans le bateau,
entendis le haut-parleur ordonner le départ et me mis à
battre les couloirs à la recherche de ma proie empesée.
Je la découvris presque aussitôt : elle s'appuyait à la
porte des toilettes, resplendissante de larmes : son long
visage semblait verni. Nouveau coup de gong et la voix
du haut-parleur se fit plus rauque et brutale.

— Pour l'amour du ciel, pourquoi pleurez-vous ?

— Ils pleurent tous, tous tant qu'ils sont.

— Vite, allons-nous-en si vous ne voulez pas qu'on
se retrouve à Jérusalem.

Je la tirai par la manche — l'amidon me grattait la
paume — et nous descendîmes en courant. A l'instant
même, le bateau impatient se détacha du dock avec un
gémissement. Un frémissement d'extase émana des
spectateurs. Ils se prirent tous par le cou et lancèrent
leurs jambes en avant, en arrière, se mirent à tourner :
leur danse propulsait le bateau vers la terre sacrée.

— Entrons dans la ronde, dis-je ; j'étais fou de joie
de l'avoir miraculeusement prise dans l'étau de ma
volonté.

— Non, non, moi, je ne danse pas, danser ça me fait
grincer, je suis une vieille peau, je ne suis pas jeune.

Je la soulevai dans mes bras — mais elle était lourde
comme une poutre — et la reposai brutalement,
essoufflé.

— Vous voyez ? Je vous avais bien dit !

— Votre nom ? Pendant tout le week-end j'ai pensé
que je ne sais pas comment vous vous appelez.

— Ondine.

— Ondine ?

— Appelez-moi Ondine, insista-t-elle.

— Si ça vous fait plaisir. Et le pharmacien, comment vous appelle-t-il ?

— Sylvia. Un nom d'intérieur. Un nom pantou-flard.

— Ondine, dis-je.

Cet après-midi-là, elle devint ma maîtresse. Elle regardait la rue des fenêtres de mon appartement.

— Ça me plaît d'être si haut, criait-elle, mais tu m'avais dit qu'on voyait le fleuve ?

— Là.

— Ce bout de ficelle sale ?

— L'eau est toujours l'eau, dis-je en la singeant.

Elle me regarda d'un air méditatif :

— C'est *moi* qui t'ai appris ça.

Puis, secouant la fenêtre :

— Ça me plaît d'être si haut. La hauteur, ça me manque. Là où je vis, c'est tout en bas.

— Cette fenêtre n'est pas faite pour être ouverte. Nous sommes climatisés, tu ne sens pas ?

— Bien sûr, je le sens. De l'air qui vient d'une machine. C'est anormal, ça. C'est pas naturel. Je suis contre.

— Reviens au lit, la suppliai-je. Ici, il fait bon.

— Au bureau ils vont se demander où tu es passé.

— Au bureau, c'est tous des esclaves.

— C'est moi qui t'ai appris ça.

— Apprends-moi des choses, apprends-moi.

— Je vais commencer par t'apprendre la mode. Tu n'aimes pas mes vêtements.

— Je suis contre les vêtements, ce n'est pas naturel.
De toute façon, tu n'es pas à la mode — tes vêtements
sont comme de l'écorce. J'écorce un arbre, voilà ce que
je fais.

— Je sais. Je savais que tu le ferais.

— Tu es une voyante.

Elle eut un rire d'une étrange clarté automnale,
comme un frémissement de feuilles.

— Mais non. Je me laisse porter par le courant.
Lorsque je vois une lame de fond, je l'enfourche, c'est
tout.

— Le courant, c'est moi, dis-je.

— Et moi, je suis une vague.

— Je suis la crête de la vague.

— Je suis le creux.

— Nous scintillons.

— Comme le dos d'un poisson.

— Nous oscillons, nous retombons, nous nous
enroulons.

— D'ici, je peux voir toute l'eau du monde, tellement nous sommes hauts.

— Reste couchée.

C'était un ordre.

Elle resta toute la nuit et toute la journée du
lendemain et encore la nuit suivante. Au matin du
troisième jour, je mis un costume — quelle curieuse
sensation sur ma peau libérée, aiguisée ! — et arrivai au
bureau comme dans une transe. Mes collègues parais-
saient bizarrement non humains, comme une espèce
inconnue d'animaux maritimes, les papiers languissant
sur mon bureau, semblaient gagnés par la pourriture.

— Vous ne répondiez pas au téléphone, dirent-ils

d'un ton accusateur. Vous étiez parti ? Quelque chose de grave ?

— Je crois que j'étais malade, dis-je et le crus aussitôt.

— Vous êtes maigre, comme vous avez maigri !

Dans le miroir des lavabos, j'examinai ma maigreur. C'était vrai. J'avais beaucoup maigri.

— Vous restez déjeuner ? demandèrent-ils. Ou vous sortez comme l'autre semaine ?

— Sûrement, dis-je, n'étant sûr de rien.

— L'autre jour, on a vu un type de l'une des *Queens*. Vous avez loupé un de ces orages, mon vieux ! Un type à galons.

— Un typhon ?

— Vous êtes malade ? Vous avez l'air malade, firent-ils en ricanant.

Je leur donnai raison.

— Je ferais mieux de rentrer.

L'appartement sentait la décomposition. Elle était partie ; elle avait coupé la climatisation et le réfrigérateur. Mon oreiller sentait la pourriture. Le lait avait tourné ; le vin et la crème aussi ; deux ou trois pêches avaient noirci. Un bol de myrtilles s'était mué en fleur incroyablement belle, toute dorée de moisi.

J'étais étendu sur mon lit, épuisé par le désir du désir ; en une spirale de songe, je rêvais nos trois journées d'amour. Comment son corps avait glissé hors de sa gaine de parchemin et comment toutes mes pulsations s'étaient mêlées aux siennes. « Ondine », me dis-je à moi-même, vidé. La ceinture de sa robe était enroulée sur une chaise ; je tendis une main molle et la déroulai. Elle était raide, comme du lin gelé, comme le flanc d'un arbre fossilisé. Mais sa taille avait été de chair et aussi souple qu'une langue. Je cachai la ceinture sous mon oreiller ; elle était repartie chez son mari — c'est cela qui me fit bondir du lit. Une demi-heure plus tard, mes semelles truculentes battaient le trottoir de Canal Street. Je piétinais, je frottais l'asphalte, j'avais peur de traverser. De l'autre côté de la rue, entre deux étals de quincaillerie, le drugstore, tapi comme une mouche noire. Personne n'entrait, personne ne sortait. Je me demandai comment ils pouvaient gagner leur vie avec une boutique pareille. Un camion aveugla la rue, je me jetai devant lui ; une symphonie de klaxons, contre toute attente, j'étais encore en vie. J'achetai le premier objet qui me tomba sous la main — une planche à laver. La serrant contre moi comme une lyre, j'entrai dans le drugstore. Derrière le comptoir maculé de chiures de mouche, encombré de cartons, elle se tenait, brandissant une vraie lyre (me sembla-t-il) et riant de son rire assuré.

— On installe un présentoir de rouges à lèvres. N'est-ce pas que c'est joli ? Regarde...

Son instrument se transforma en un mince plateau cannelé de tubes dorés avec des pointes ensanglantées. Je lus les noms de tous les rouges à lèvres : Flamme Pourpre, Glace Vermillon, Entaille d'Argent, Cœur Blessé.

— Le pharmacien est sorti, dit-elle. Je veux dire qu'il est à la cave. Il remonte des cartons. Des produits de beauté. Depuis Cléopâtre, les femmes ont un faible pour ces machins. Moi, rien ne touche mon visage, tu peux en être sûr — seulement de l'eau. Si tu attends, tu peux faire sa connaissance.

— Je t'en prie, reviens chez moi.

— Et si tes cousins étaient là ? Ou ton frère ? Ou ton oncle ?

— Tu sais bien que je n'ai pas de frère. Il n'y a personne, lui jurai-je. Personne. Et je n'attends personne. L'appartement est vide.

— J'ai coupé tout ce simili-froid, tu as remarqué ?

— Reviens avec moi, Ondine.

— Sylvia. *Lui*, il m'appelle Sylvia. Dans le temps, ça allait, mais maintenant, il est tout desséché, il ne reste pour ainsi dire rien. Je ne l'aime pas. Je ne sais pas pourquoi je suis encore ici. Mais où irais-je ? Ce n'est pas comme si nous avions des enfants.

— Tes filles ? Tes filles mar...

Sortant d'un trou dans le plancher à l'arrière de la boutique, une grosse boîte couleur tabac affleura la surface ; derrière elle (avec des battements de nageur sortant d'un tourbillon) je vis émerger le mari d'Ondine.

— Mon mari s'appelle George, comme toi, est-ce que je te l'avais dit ?

Il était manifestement déçu que je ne fusse pas un vrai client ; il me serra la main, puis leva la main qu'il venait de me donner et écarta les doigts pour faire des cornes derrière sa tête.

— Elle vous a rencontré là-bas ? Sur les quais ? Elle va toujours traîner par là. Un jour ou l'autre, je finis par faire leur connaissance, tous tant qu'ils sont. N'allez pas croire que ça me vexe, ça ne me fait ni chaud ni froid, mon vieux.

Il regarda ma planche à laver d'un air mécontent :

— Vous l'avez payée au moins ?

— C'est à lui, mon chéri, il l'a achetée à côté. C'est un article que nous ne vendons pas.

— Alors, mets-le sur le carnet de commandes. Je ne crains pas la concurrence. Cent mille articles en stock. Des épingles neige jusqu'aux sels pour le foie. De l'élixir parégorique jusqu'aux jarretelles. Mais on ne fait pas beaucoup d'ordonnances. Ils vont tous au centre ville, dans ces drugstores discount. C'est des voleurs, ils violent la législation sur la concurrence déloyale, ils ne voient pas plus loin que le bout de leur nez.

— Je déteste mon nez, dit Ondine. Il est trop long. N'est-ce pas qu'il me fait ressembler à Pinocchio ?

— Arrête de faire l'imbécile, dit George. Tu veux sortir avec lui, alors vas-y. J'ai de quoi m'occuper ici et je me passe très bien de ton aide.

— Allons voir s'il y a un bateau qui part, un bateau avec de vraies voiles.

Je la suivis dehors.

— Pourquoi le traites-tu comme ça ?

— Ben, je ne sais pas. Parce que j'en ai envie. Parce qu'il a tout l'air du Diable. Tu ne trouves pas qu'il a *exactement* l'air du Diable, je veux dire pour de bon.

Je réfléchis à la chose ; elle avait parfaitement raison. Il était tout en pointes, comme les oreilles d'un rat — l'homme le plus sec et le plus mince que j'aie jamais vu. Je ne sais pourquoi, je me sentais refroidi envers elle. Ses orteils dans ses sandales à semelle de corde avaient l'air trop droits, trop rigides. Ses manches raides semblaient saillir tout droit de ses épaules. L'ourlet de sa robe était comme une barre.

— Toutes les voiles sont arrivées au port. Tu as vu

225

dans les journaux ? Du monde entier. Ils forment les marins sur ces vieux bateaux à voiles. Des copies. C'est comme ça qu'on leur apprend les histoires de cordage et le reste. Il y a un bateau de Viking d'un film qu'ils ont tourné. Tu n'as pas lu les journaux ? Tous les pays du monde ont envoyé un bateau à voiles dans le port de New York. C'est un spectacle, tu n'en as pas entendu parler ?

La voix rauque, je dis :

— Ça fait trois jours que je n'ai pas vu de journal.

— Oh ! ils sont arrivés bien avant. Ils ont commencé à arriver la semaine dernière. C'est formidable, tu ne trouves pas que c'est formidable ?

— Je ne veux pas aller sur les quais. Je veux que tu viennes à la maison avec moi, dis-je.

Mais à présent je ne savais plus vraiment si je le souhaitais. A cause du mari. La mauvaise conscience me raclait la gorge.

— Pourquoi as-tu dit que tu avais des filles ?

Elle s'arrêta :

— Oh ! tu es un menteur.

— Ce n'est pas *moi* qui ai dit des mensonges.

— Tu m'as dit que tu n'interrogeais jamais les témoins. Tu m'as dit que tu n'étais pas inquisiteur. Tu m'as dit que tu n'essayais pas de tirer les vers du nez.

— Qu'est-ce que ça à voir avec le fait d'avoir ou de ne pas avoir de filles ?

— *Naturellement* que j'ai des filles, dit-elle d'une voix maussade. J'ai un mari, non ? — Elles sont mariées, je te l'ai dit, elles sont parties.

— Très bien. J'avais mal compris.

— Je ne veux plus de toi.

— Moi non plus, je ne veux plus de toi.

— Tu es un esclave. Toi aussi, tu as tout à fait l'air du Diable.

— J'ai maigri, dis-je, soucieux de défendre mon corps.

— C'est peut-être le cancer. Le cancer, ça commence toujours comme ça. — Regarde les voiles !

Nous étions arrivés au bout d'une ruelle donnant sur l'eau : un millier d'éblouissements encombraient le ciel. Des voiles sans nombre — comme si une déesse soudain transformée en ménagère était descendue suspendre une éternité de lessive. Ou comme si un vol d'énormes mouettes s'était figé en silence pour exposer la perfection de leurs ventres à l'égale perfection d'une journée lumineuse. Le port semblait très silencieux.

— Si c'est un spectacle, dis-je, où est le public ? Si c'est un musée flottant, où sont les visiteurs ?

— Chut, fit Ondine, c'est simplement une affaire maritime, qui a dit que le public était invité ?

— Et les marins, où sont-ils ?

— Je ne sais pas. Peut-être en ville. Peut-être endormis. Ne me demande pas, c'est peut-être une hallucination. Regarde celui-là !

Si près que nous aurions presque pu la toucher du bout des doigts s'élevait une grande proue émaillée, courbe et dégainée comme un poignard, avec un lustre humide sous le regard du soleil, comme un sein nu : au-dessus du tillac dépouillé se tenaient trente-sept sentinelles vêtues de blanc, au garde-à-vous dans l'air transparent — un bateau toutes voiles dehors.

— Regarde les mâts ! s'écria Ondine. On dirait une

forêt. De gros troncs massifs et puis des branches et des rameaux.

— Je n'aime pas la coque, dis-je, elle a l'air trop fragile. De la sciure en puissance. L'acier, il n'y a que ça de vrai.

— C'est méchant, ce que tu dis. L'acier, ça sort d'un fourneau et puis d'une machine, c'est pas naturel...

— De la sciure, affirmai-je en levant la tête et scrutant la proue vide.

Il me semblait qu'il y manquait une figure de proue.

Elle me suivit comme à regret, d'un pas lourd, la mine renfrognée, faisant claquer ses semelles sur le trottoir, cognant des objets avec la planche à laver. Pendant tout le trajet, elle refusa de me parler ; elle cracha dans le dos de notre portier avec sa somptueuse veste de capitaine ; elle fit sauvagement crisser ses ongles sur le métal gris des parois de l'ascenseur. Elle ne voulut pas venir au lit.

— J'ai faim.

— Tu as coupé le courant. C'est ta faute si tout a pourri, dis-je d'un ton plaintif.

Le sourcil froncé, méprisante, elle quitta la cuisine à pas feutrés, une petite cuiller à café en argent à la main — puis elle s'approcha de la fenêtre de la chambre à coucher et avec le manche de la cuiller elle poignarda la vitre. Elle ne se brisa pas ; elle éructa seulement un petit trou, comme une bouche entourée de tout un réseau de fissures et de ridules.

— De l'air, dit-elle triomphante et enfin nous fîmes l'amour.

Mais elle était lourde comme un soliveau. Le matelas ployait en grinçant sous son poids. Elle leva les jambes et les lança sur mes épaules et c'était comme si j'avais plongé dans la mer, avec un océan tout entier écrasant mon dos cambré et douloureux. Je me sentais comme un porteur d'eau chargé d'un joug avec à chaque bout un seau ensorcelé — l'Atlantique dans le gauche, le Pacifique dans le droit. Lorsque je glissai ma main sous sa nuque pour lever sa bouche vers ma bouche haletante, il me sembla que son cou même était un fagot de bois. Sa chevelure opprimait l'oreiller, chaque mèche une cargaison, un poids, un fardeau de pesanteur planétaire. Qu'elle était devenue lourde ! Sa langue posée sur la mienne m'épuisait. Je m'échinais sur elle sans trouver de soulagement, indiciblement las, esclave condamné à schlitter des troncs d'arbres.

— Qu'est-ce qu'il y a ? murmura-t-elle. Tu ne m'aimes pas ? Tu es fatigué ?

Le souffle convulsé, je lui dis que je l'aimais.

— Tu me satisfais, dit-elle.

Elle resta toute la nuit. Nous ne mangeâmes rien, ne bûmes rien ; pas un seul instant, nous ne quittâmes le lit. Le matin, je dis que j'allais sortir.

— Non, non ! ordonna-t-elle.

Elle attrapa sa ceinture de dessous l'oreiller où elle l'avait découverte et boucla son poignet au montant du lit.

— Je suis attachée. Je ne peux pas m'en aller et toi non plus. Je vais rester pour toujours et toi aussi.

— Mon travail, dis-je.

— Non.

— Ton mari, implorai-je.

— Je n'ai pas de mari.

— Ondine, Ondine...

— Reviens sur moi. Monte à bord. Je te veux.

— On va mourir de faim. On va périr. Ils retrouveront nos corps...

— Je n'ai pas de corps. Tu ne me veux pas ?

— Je te veux.

Gémissant, je me plongeai dans l'obscur bouillonnement de mon lit. Elle me fit suer, elle fit de moi un galérien, ma rame était une poutre jetée dans la mer qu'était cette femme.

— Arrêtons, hurlai-je.

C'était déjà l'aube.

— Mais tu me satisfais, dit-elle d'un ton raisonnable. Je ne te satisfais pas ?

Je baisai ses paumes, sa bouche, ses oreilles, son cou, reconnaissant, tourmenté, terrifié.

— Allons nous promener, suppliai-je.

— Où ça ? Je suis soudée ici, je te l'ai dit.

— N'importe où. Je vais te reconduire. On fera tout le trajet à pied.

— Ça fait des kilomètres. Tu me porteras ?

— Je t'ai déjà portée sur des kilomètres et des kilomètres.

— Je ne veux pas rentrer à la maison.

— Où tu voudras, Ondine ! Seulement pour sortir d'ici un moment. De l'air.

— Mais puisque je t'ai cassé la fenêtre ? dit-elle innocemment.

— On ira regarder les voiliers.

Elle tenait mes cheveux à pleines mains. Elle léchait mes paupières.

— Non. Non, non, non.

230

— C'est bon, dis-je, réaliste et déterminé. Mets tes habits.

— Je n'ai pas d'habits.

— Où est-ce que tu les as jetés ?

Je cherchai dans toute la pièce ; il n'y avait rien, excepté la ceinture raide et empesée qui pendait encore au montant du lit. Mais sur la chaise, je vis la planche à laver de Canal Street — elle l'avait apportée jusqu'ici.

— Tiens, dit-elle, saisissant la planche. Je vais te jouer un air. Tu sais chanter ?

— Non.

Sur le coup je ne me souvenais plus d'avoir fait partie de la chorale de l'église de Clarksburg.

Elle se mit à frotter ses ongles sur la planche à laver.

— C'est affreux. Arrête. Mets tes habits.

— Je n'ai pas de mari, je n'ai pas de filles, je n'ai pas de corps, je n'ai pas d'habits, chanta-t-elle. Je n'ai que ton amour.

Furibond, je dis :

— Alors, je m'en vais tout seul.

— Très bien, dit-elle avec douceur. Où ça ?

— Au travail. Tu sais de quoi j'ai envie ? D'aller au bureau et de faire une bonne journée de travail, voilà de quoi j'ai envie.

J'avais dit vrai. Je ressentais un voluptueux désir de travail. Dans la rue, je passai devant une équipe de la voirie, des hommes enfouis dans un fossé jusqu'à la taille, coiffés de casques jaunes. Je les enviai avec véhémence. Leurs dos étaient lustrés de sueur, leurs vertèbres saillaient sous la peau comme des pépites cachées, sous les lèvres de leurs casques ils montraient des bouches transpirantes, couleur de vin. Ils gro-

231

gnaient, se disputaient, juraient, aboyaient (à quelques mètres de distance, le tout devenait liturgie) et pendant ce temps leurs dos ployaient, tendus vers le fond du fossé. Ils n'avaient rien d'autre à faire que de se consacrer au fossé. Ils étaient comme une troupe de moines, ascétiques, voués à leur tâche, flagellant eux-mêmes leurs torses luisants.

Ce spectacle détourna mes pas. Je haïssais le bureau. Je haïssais son essaim susurrant de documents — ils étaient abstraits tous tant qu'ils étaient, il ne s'agissait que de vente et d'achat, de contrats cadavériques. Le reste n'était que mythe et fantasme — les capitaines, l'écume salée, les *Queens*. De la brume, tout cela, du néant. Ce que je désirais alors, c'était du travail — des pelles, des fourches. Je pensai à toutes ces villes et à ces fermes de l'intérieur que j'avais laissées derrière moi, là où le travail était une réalité et non pas un mirage, où le travail se sentait dans la colonne vertébrale ; le travail, c'était la terre et la terre était le travail. Faute de terre, me dis-je, j'allais descendre sur les quais et me faire embaucher comme docker ou, mieux encore, comme marin. Depuis trop longtemps j'avais été en proie à des fantasmes et à l'instant où je méditais sur cette idée — que la passion était aussi impalpable et fugace que les dentelles de l'écume — je me retrouvai devant le drugstore, j'entrai et eus l'horrible sensation de regarder dans un miroir.

— Ça y est, maintenant on en a, dit mon double. Tout un lot. On vient de les recevoir.

— Un lot de quoi ? mais ma voix était stridente comme celle d'un perroquet.

— Ces machins-là.

Le propriétaire du drugstore montra du doigt toute une pile de minables planches à laver.

— Je soutiens que s'ils ont quelque chose à côté, il faut qu'on le prenne aussi, sans quoi on est étouffé par la concurrence.

— Mais vous êtes pareil à moi, dis-je.

Ce qui le laissa indifférent.

— A *moi*, martelai-je, étirant mes paupières, exposant mon visage.

Il était incroyable que je fusse à ce point émacié, car il était sec comme un fétu de paille, avec une peau tavelée et jaunâtre, une mâchoire pointue comme une épingle. Ses yeux étaient à la fois rusés et désespérés comme ceux d'un homme résigné à son mal, tout en se méprisant peut-être en secret d'être ainsi affligé.

— Regardez-moi !

— Ne criez pas, me reprit-il d'un ton digne. C'est une pharmacie professionnelle ici, on tient à la moralité. Où est-elle maintenant ?

— Dans mon lit.

— A votre place, je n'en serais pas si sûr que ça, mon vieux.

— C'est là que je l'ai laissée.

— Peut-être bien, mais ça ne veut pas dire qu'elle y soit encore.

— Votre tête ne me revient pas.

— Alors comment se fait-il que vous ayez cavalé jusqu'ici pour l'inspecter ? Écoutez, proposa-t-il, il y a un miroir dans l'arrière-boutique, Sylvia l'utilise quelquefois.

Il me fit passer derrière le comptoir des médicaments — incrustés de poussière et de gouttelettes fossilisées —, puis descendre deux marches qui donnaient dans un petit réduit. Un long fragment de glace piquetée était collé au mur. Nous nous mîmes devant, côte à côte.

— Vous voyez ? ricana-t-il. Comme deux gouttes d'eau.

Je regardai fixement deux créatures sèches comme de la paille, yeux papillotants, menton et oreilles pointus.

— Un couple de satans, m'exclamai-je.

— On n'a pas le même métier, dit-il d'un ton rassurant. Qu'est-ce que vous faites dans la vie ?

— Marin, dis-je. Dès que j'aurai mes papiers, je m'embarque.

Mais le mot de « papiers » me fit froid dans le dos.

— J'étais marin dans le temps. L'adjoint du pharmacien. Sur le *SS Wilkinson*. J'ai fait le tour du monde.

— Moi, je ne suis allé nulle part.

— Pour moi, ç'a été juste le contraire. Elle m'a obligé de rester sur place. Elle m'a fait prendre racine dans ce trou et je n'arrive pas à en sortir. Vous voyez ça ?

De son bras décharné il désigna un fouillis dans le coin. C'était un lit de camp étroit enchevêtré de couvertures sales.

— Je dors même ici. On se croirait dans une cale de bateau.

— Et votre femme, où dort-elle ?

Il fit une moue méprisante :

— Là-dessus, mon vieux, vous en savez plus long que moi.

— Écoutez-moi, dis-je comme s'il se fût agi de traiter une affaire, je veux me débarrasser d'elle.

Arrangez-vous pour qu'elle me fiche la paix, oui ?

— Vous en avez assez ? Alors, je vous plains. Ça veut dire qu'elle en est encore à l'entrée en matière.

— Arrêtez de sourire comme ça !

— Il faut bien que je sourie, pourquoi pas ? Elle, elle suit son cours.

— Combien de temps ?

— Qu'est-ce que j'en sais ? Aussi longtemps qu'elle y prend plaisir. Avec moi, ça n'a duré qu'une année à peu près...

— Une année ? Une année ? Mais vous avez des enfants, des filles, de grands enfants...

— C'est *elle* qui a des filles, pas moi. Elle a des filles un peu partout.

— Deux, c'est ce qu'elle a dit. La paire.

— Peut-être bien deux mille.

— Mariée, elle a dit qu'elle était mariée.

— Écoutez-moi, pour elle, tout est mariage. Un clin d'œil et c'est la noce.

— Elle n'est pas votre femme ?

— Pourquoi pas ?

Je pris la fuite.

J'arrivai en retard bien que je ne me fusse pas arrêté pour prendre un petit déjeuner. Mes collègues étaient déjà plongés dans leur travail ; leurs papiers brillaient et frémissaient. Des bruits nous parvenaient du bureau des patrons : comme des claquements de fouet et des sifflements de vent, une dispute.

— C'est à votre sujet, me dirent-ils. Ils veulent vous mettre à la porte. Mais le vieux Hallet a pris parti pour vous. Il dit que jusqu'à présent vous avez fait du bon boulot. Il recommande la clémence.

— Je suis venu, dis-je bravement, pour démissionner.
Ils gloussèrent.

— Maintenant, ce ne sera plus la peine.

— J'ai ma fierté.

— Vous partez ? Mais où étiez-vous ? Bonté divine,
vous avez l'air diablement fatigué, vous avez une mine
infernale.

— Si une femme vient ici, ne lui dites pas que vous
m'avez vu, les suppliai-je.

— Une drôle de petite bonne femme assez forte ?
L'air jeune et vieille à la fois ? Une belle poitrine
ferme ? Un beau ventre plat ? Le bout des seins comme
sculpté ? Elle est déjà venue.

J'étais tout près de la porte. Terrifié, je revins sur
mes pas.

— *Venue* ici ?

— Elle s'est pointée il y a une heure. Elle vous
demandait. Dévêtue, si on peut dire.

— Je vous en supplie ! dis-je, le poumon en feu.

— Nue. Complètement. En costume d'Ève,
George. Un beau corps, droite comme un I.

— Pour me demander !

— Pour demander George.

— Où est-elle ? murmurai-je.

— Dieu sait. C'est qu'on a appelé une ambulance. Y
avait rien d'autre à faire. Bien qu'on ne puisse pas dire
qu'un cabinet d'avocats ne soit pas un endroit pour les
dingues...

Les cris venant du bureau des patrons s'enflèrent ;
j'entendis mon nom.

— Elle portait une lyre. Pour couvrir ses parties.

— Une planche à laver, vous voulez dire.

— Voilà un vrai dingue. Mon pauvre George — ça se voit pourtant, la différence.

— Ce n'était qu'une planche à laver.

— Une lyre. Qui avait l'air authentique, c'est ça le plus fou dans toute cette histoire. En écaille, toute verte. Phosphorescente on aurait dit. L'air de quelque chose qu'on aurait remonté du fond de la mer. Vous croyez qu'elle l'a piquée dans un musée ? Si elle ne se fait pas coffrer pour désordre sur la voie publique, alors ce sera pour vol. Pauvre George ! C'est une amie à vous ?

Je pris la fuite. Je suffoquais.

Elle m'attendait dans mon appartement : j'en fus à peine surpris.

— C'était méchant, ça, dit-elle ; accroupie sur mon lit, sous le flot de ses longs cheveux. Ils m'ont mise dans une sorte de camion. Tu les a laissé faire ! J'ai eu beaucoup de mal pour me sauver. Ils m'auraient jetée en prison !

— Tu es complètement folle, dis-je, d'être allée là-bas dans cet état Tu m'as fait perdre mon travail.

— Qu'est-ce que ça peut te faire ? Puisque tu n'en voulais pas, de toute façon.

C'était irréfutable,. mais je me demandai comment elle avait deviné.

— Viens ici, ordonna-t-elle.

— Aller dans un bureau toute nue, c'est quand même pas une chose à faire.

— Qui dit que j'étais toute nue ? Pour l'amour du ciel, ne va pas me faire la morale, je suis seulement allée là-bas pour te chercher. C'était ta faute, tu n'aurais pas dû partir.

237

— Dans un pays civilisé, ça ne se fait tout simplement pas. On risque d'avoir nos noms dans les journaux. Il se pourrait bien que la police débarque ici d'un instant à l'autre.

— Je n'étais pas toute nue.

— C'est ce qu'ils m'ont dit.

— Tu crois tout le monde, sauf moi ! Je parie que tu crois même à ce que te dit George et George il flotte comme une feuille au vent.

— Ils ont dit que tu n'avais *rien* sur toi.

— J'étais pressée. J'avais besoin de toi, je te l'ai bien dit. Quelle idée aussi de te sauver comme ça. Je ne retrouvais pas mes habits, c'est tout.

— Une exhibition stupide.

— Te voilà encore enragé. Toujours enragé.

— Je ne suis pas...

— Et puis, de toute façon, j'étais couverte.

— Avec quoi ?

— Encore un interrogatoire, dit-elle d'un ton accusateur. Ça ne te regarde pas. J'ai caché ce qui est censé être caché dans un pays civilisé, voilà tout.

— Où est cette espèce de lyre ?

— Ne fais pas l'idiot. Comment veux-tu que je sache ? Viens ici, je te veux.

Elle lança en l'air une jambe lisse. Contre mon gré, je m'approchai d'elle.

— Ils disent que tu l'as volée.

— Où est-ce que je serais allée chercher une lyre ? Un truc aussi bizarre ? Tu me prends pour qui ?

Avec un rire courroucé, elle tira quelque chose de dessous mon oreiller. Et voilà : c'était une vieille petite harpe à main.

— En allant à ton bureau, je suis passée devant un bureau de prêteur sur gages, j'ai vu ça dans la vitrine et je l'ai acheté.

— Tu es entrée chez un prêteur sur gages toute nue ?

— Arrête de vouloir me tirer les vers du nez. Mêle-toi de ce qui te regarde. Tiens, je vais encore te chanter quelque chose, tu veux bien ? Tu sais le grec ? Je vais te chanter une chanson grecque.

— *Toi*, tu ne sais pas le grec.

— Sans blague ? Moi, je sais toutes les langues. Je sais le grec, je sais le wallon, je sais l'orang-outan...

Mais lorsqu'elle se mit à chanter, ce fut en allemand :

Meine Töchter sollen dich warten schön;
meine Töchter führen den nächtlichen Reihn
und wiegen und tanzen und singen dich ein.

Sa voix était rêche ; elle faisait penser à une planche de bois fraîchement sciée frappée à rebrousse-grain ; elle était un peu brouillée, comme une sirène dans le lointain ou comme si son poumon était atteint de brume.

Je me plaignis :

— Je ne reconnais plus ta voix.

— Un rhume. Laisse-moi continuer.

— Arrête. Ça ne me plaît pas.

— Est-ce que tu es comme ces gens qui trouvent que toute langue inconnue fait un bruit désagréable ? Tu devrais avoir plus de jugeote que ça, dit-elle. Un homme comme toi.

Elle m'avait fait honte et je me tus pour l'écouter. Mais à présent elle enchaînait avec des syllabes nouvelles que je ne reconnaissais pas, très brèves et brutales.

— Qu'est-ce que c'est que cette langue ?

— Du phénicien.

— Raconte pas d'histoires ! De l'arabe ?

— Du phénicien, je te dis. Ça parle de la mer quand les vagues sont très hautes et que les rameurs ne peuvent pas voir par-dessus les crêtes.

J'étais mécontent. Ce roulement étrange et sombre dans sa gorge commençait à m'exciter ; à ce moment-là, je trouvais intolérable d'être ainsi aguiché. Je voulais me débarrasser d'elle.

— Très bien, tu as trouvé une chanson sur un vieux parchemin enveloppé dans un vieux rouleau dans une vieille jarre dans une vieille grotte, c'est ça ? Très bien. Maintenant, va-t'en chez toi, veux-tu ?

— Ça ne s'est pas du tout passé comme ça. J'ai appris les mots un jour, c'est tout.

— Sur les quais, c'est ça. De la bouche de la dernière fournée de matelots phéniciens. Rentre chez toi, Ondine.

— Je n'ai pas de chez-moi.

— Va-t'en quand même.

— Tu le regretteras si je m'en vais.

— Tu m'embêtes à la fin, j'ai envie de dormir.

— Je ne te dérangerai pas. Viens dans le lit.

— Non.

— Viens, je te dis.

— Va-t'en. C'est mon appartement. Je ne t'ai pas demandé de venir.

— Si, tu m'as demandé.

— Il y a longtemps. Ça ne compte pas.

— La semaine dernière.

— J'ai l'impression qu'il y a une éternité de ça.

— Viens ici, répéta-t-elle.

Elle fit passer deux doigts dans les cordes de la lyre en un glissando pervers.

— Parce que si tu ne viens pas, tu sais ce que je suis capable de faire ? Je suis capable de jeter ce machin par la fenêtre.

— Je veux la paix, dis-je.

Elle lança la lyre à travers la fenêtre. Le projectile la fendit latéralement, d'une coupure franche comme celle d'un couteau produisant un son doux et clair — une note mince et pâle qui résonna au moment de l'impact, puis la lyre et la vitre tombèrent de concert, en virevoltant ; j'eus encore le temps de voir les deux objets brillant et tournant l'un autour de l'autre dans l'air. Ils tombèrent presque côte à côte, entre deux voitures en stationnement.

— Tu aurais pu tuer quelqu'un dans la rue !

— Je t'avais prévenu !

Alors, soudain docile, j'allai la rejoindre : c'était comme si elle avait brisé quelque chose en moi — une sorte de cristal intérieur à travers lequel, jusqu'à ce qu'elle l'eût fait voler en éclats, j'avais pu entrevoir la raison, la responsabilité ; la lumière. Désormais, je ne voyais rien ; sa bouche devint une fenêtre grande ouverte par laquelle je me jetai, faisant tourbillonner ma langue comme une lyre. Je tendis les cordes de ses cheveux, les tressai, les pinçai ; entre mes dents, ils semblaient rêches comme des cordes. J'étais aveugle et évanescent, mais en proie à son corps affamé ; dès que je sombrais dans l'apaisement, le martèlement d'un gong de désir me réveillait. Malgré tout, cette terrifiante faiblesse revenait, revenait sans cesse, je me réveillais à elle et la faiblesse revenait, c'était insupportable, j'étais vidé, derrière mes yeux brûlants des barreaux apparaissaient dans le noir.

La nuit était tombée.

— Je veux dormir.

Un gémissement.

— Fatigué, déjà ? Ah ! mon petit homme chéri.

Et elle refusait de me lâcher et, une fois de plus, il me fallait me raidir pour le plongeon. Toute la nuit, ce fut un rêve de plongeon et d'immersion ; ses fonds sous-marins n'étaient jamais rassasiés, la plongée était sans fin, une longue chute dans l'immensité.

— Bientôt, bientôt, me promettait-elle, tu pourras dormir, tu verras, fais-moi confiance, tu peux toujours compter sur moi, il n'y a pas plus dévouée que moi, tu le sais bien, chantonna-t-elle et la trame de sa voix me ranima et me souleva comme un arbre. Tu n'es pas heureux, maintenant ? Tu n'es pas content que je sois restée ?

Et, nageant dans un sillage de gratitude, je ne cessais de répondre :

— Oui, oui.

A trois heures — une providentielle petite sieste l'avait calmée pour un temps et elle reposait dans mes bras alors que mes paupières apeurées papillotaient comme des mouches — le téléphone sonna.

— Ce n'est personne, protesta-t-elle avec un bâillement, mais elle me tendit le combiné, couronnant mon membre avec le cordon pour le garder captif.

— C'est toi, George ?

C'était l'oncle Al.

— Écoute-moi, George, je suis rentré plus vite que j'aurais cru — ça me plaisait pas, là-bas. Pareil pour Nick. Tu te souviens pas de lui, sans doute, Le petit étranger, là, à la patte folle, ce Grec avec qui j'ai fait la traversée, dans la même cabine et tout ça. C'est qu'il est avec moi, maintenant. Ça m'embête de t'appeler au milieu de la nuit, mon vieux George, c'est vrai...

— Où es-tu, Al ?

— En bas, sur les quais. Tu devrais voir ce qui se passe ici, George, je ne te dis que ça — on se croirait dans un endroit hanté, il y a de quoi vous donner la chair de poule, une centaine de vieux rafiots de bois partout, comme dans un fichu livre de contes de fées, les voiles sorties comme une bande de fantômes. Chez nous, on a des baignoires qui ont l'air mieux que ça. Écoute voir, George, à vrai dire j'appelle pour savoir si tu pourrais nous héberger tous les deux pour la nuit. Moi et ce petit Grec, c'est pas un mauvais bougre...

— Vous voulez venir ici *à cette heure-ci ?*

— Ben oui. On vient de descendre du bateau. Pour le retour on a réussi à se caser sur un petit rafiot de chez les Ritals, une installation plutôt spaghetti, mais au moins on ne gaspille pas son argent...

— Écoute, Al, vous ne pourriez pas vous trouver une chambre d'hôtel là dans le coin, il est drôlement tard...

— C'est justement ça, petit, Nick qui est là avec son arthrite et tout le reste, c'est un peu tard pour aller chercher quelque chose quand on ne connaît pas la ville...

— Je ne sais pas, Al. C'est un peu le chantier ici pour le moment. Je veux dire, c'est un peu le chantier.

Ondine tira sur le cordon du téléphone.

— Arrête de parler. Je te veux. Reviens !

— Oh ! pas la peine de faire des manières en famille. Un peu de désordre ne nous fait pas peur. A moins que tu n'aies une petite amie chez toi ? beugla-t-il.

— Non, pas de problèmes. Ça va bien, Al. Vous n'avez qu'à venir.

Ses narines s'étaient figées. Son cou se tordit comme une racine.

— Pourquoi tu as fait ça ? *Nous,* on ne veut voir personne.

— Je dois ça à mon oncle. Il ramène aussi ce Grec. Il faut que tu t'en ailles maintenant.

Elle gémit :

— Mais tu as dit que je te rendais heureux !

— J'ai essayé de l'empêcher, non ? Tu m'as entendu.

— Tout ce que j'ai entendu, c'est que l'appartement était un chantier. C'est pas vrai, il est très bien, il me plaît.

— C'était histoire de lui dire de ne pas venir, c'est tout. Tu m'as entendu. Je n'y peux rien.

Elle appuya sa poitrine contre le montant du lit, méditative ; mais ses bras s'étiraient en arrière.

— C'est vrai que tu ne veux pas de moi ?

— Trop, c'est trop.

— Trop, dit-elle, et d'un coup porté sans effort elle cassa la boule du montant du lit, c'est trop.

Armée d'un éclat de vitre égaré, elle se mit à taillader la literie. Des flocons de caoutchouc-mousse voletaient vers le plafond.

— Ondine...

— Un chantier, tu as raison, un chantier ! s'écria-t-elle, procédant avec une solennelle lenteur.

Tendre comme une nourrice, elle prit un abat-jour dans ses bras, puis l'écrasa de ses orteils nus et se servit du lampadaire de bronze pour démolir le cadre du lit. Ses coups étaient prudents, réguliers et précis. Elle coupa le bras d'une chaise et le bras démolit le bureau. L'air grouillait de boutons de tiroir. Dans toutes les pièces, les lames du parquet se soulevèrent avec d'horribles craquements. Des vases roulaient de-ci, de-là, les pieds des tables basses s'ébattaient sur le sol. Le climatiseur dégorgea un à un ses organes ; dans la cuisine, les bacs à glace se vidaient à grand bruit, les grilles du four labourèrent la porte du réfrigérateur réduite à une poussière d'émail jaunâtre, le plafond fut grêlé de manches de robinet incrustés comme des pustules d'argent. Elle taillada les coussins du divan et, criant et gargouillant du fureur et de félicité, elle abattit le réservoir des W.-C. Elle accumulait derrière elle des monticules de débris. Des tumulus naissaient sous ses pieds comme le sillage de civilisations en voie de disparition rapide. Un cimetière croissait sous ses coups. Elle détruisait avec une merveilleuse promiscuité — rien ne comptait pour elle, rien n'était trop évident pour qu'elle l'évite, trop minuscule pour lui échapper. Elle était méthodique, elle était forte. J'attendais la fin et la fin ne venait toujours pas. Ce qui était resté grand, elle le réduisait ; ce qui était resté petit, elle le pulvérisait. Le téléphone (je pensai à appeler la police, mais m'en remis aux voisins) était un tas de confettis noirs en bataille.

Enfin, elle partit.

Je me couchai dans les ruines et dormis modérément jusqu'à l'arrivée de mon oncle et du Grec. Il n'y avait pas de porte à franchir : ils entrèrent tout droit, piétinant la sciure.

— Grand ciel ! dit Al. Seigneur Jésus ! C'étaient des cambrioleurs ?

— Une mégère.

— Une sorcière ? demanda le Grec boitillant entre les gravats sur ses bequilles astiquées.

— Chez nous, au pays, on dit toujours que cette ville est fichtrement dangereuse. Si tu avais un tout petit peu de plomb dans la cervelle, mon vieux George, tu reviendrais à la maison. L'Europe, c'est pratiquement tout du pareil au même. Ça ne vaut pas cher. Je l'aie vue, cette Méditerranée, et je n'ai pas aimé l'odeur. Il faut t'enfoncer loin dans un pays, loin du littoral, si tu veux trouver des gens honnêtes.

— Les sorcières, ça n'existe pas, dit hardiment M. Lewis.

— Il sait ça, le petit, dit mon oncle. Voilà la police.

Les voisins arrivèrent, eux aussi ; il y eut un brouhaha au milieu duquel le Grec oublia son anglais, tout sauf ce drôle de mot : « sorcière » ; ils l'emmenèrent au poste et mon oncle le suivit fidèlement pour verser une caution.

— C'est qu'il est superstitieux, ce gringalet, expliqua-t-il à la ronde, ravi d'avoir un public.

Ce n'était pas encore le matin ; libéré, je courus à travers les rues crépusculaires. De temps en temps, je m'arrêtais devant une vitrine, prenais une pose pour étudier mon reflet ; il me sembla que je n'en avais point. Comme j'avais minci ! Je courus sans relâche vers l'aurore dont la teinture bavait dans le ciel. Je ressentais une insupportable vigueur. Mes pieds avalaient les kilomètres — les kilomètres eux-mêmes exorcicés par ma force et ma joie se raccourcissaient incroyablement. En un instant, j'avais atteint Canal Street, une demi-seconde, je foulais le trottoir devant le drugstore — il semblait intact et dans ma fuite je me demandai si le miroir du pharmacien pourrait me rendre mon reflet perdu. Mais je ne pouvait plus m'arrêter, je continuais à courir, je courus vers les quais gris, je courus vers les voiles effleurées par l'aube et gonflées de vent. Et tout ce temps, je courais avec son nom entre mes dents.

Je savais où la chercher.

— Ondine !

Un cri lancé dans cette allée déserte dont je me souvenais.

— Sylvia ! hurla le droguiste.

Ses restes de cheveux se dressaient en touffes pointues, ses oreilles ébréchées étaient hérissées de poils, son menton triangulaire heurtait le sternum. Il était si filiforme que je craignais de le voir de profil, certain qu'il allait s'évanouir en un trait.

— Vous aussi ? dit-il en me reconnaissant.

— Elle m'a quitté, éructai-je.

— Moi aussi, me fit-il savoir.

Nous nous embrassâmes ; nous dansâmes sur le bord du quai. « Quelle chance ! Quelle chance ! » ne cessions-nous de répéter.

— Est-ce qu'elle reviendra ? demandai-je.

— Qui sait ? Mais je parie que non. Pas cette fois-ci, je parie. Elle n'en pouvait plus, on dirait.

— Elle vous a dit où elle allait ?

— Rendre visite à ses filles, c'est ce qu'elle a dit.

— Où sont-elles ?

— L'Inde, elle a dit. L'Afrique aussi.

J'éprouvais un sentiment de triomphe :

— Il vous est déjà arrivé de l'accompagner au bateau ?

— Oui, c'est arrivé une fois. Mais après, elle est revenue. Elle était montée sur une des *Queens* — c'était ça l'ennui —, elle s'est fait prendre et virer illico. Et, de toute façon, elle a dit qu'elle détestait ce machin, rien que du métal froid, comme si elle était embarquée sur une cuiller, elle a dit. Arrêtez de me balancer des questions, je suis pas votre prof.

— Je voulais seulement savoir si vous pouvez la voir.

Plissant les yeux, il leva la tête vers le ciel jaune d'œuf.

— Pas encore. Vous n'avez qu'à chercher vous-même.

— Mais avec tous ces bateaux, je ne pourrais pas...

— Peut-être qu'elle n'est pas encore montée à bord.

Nous voltigeâmes d'un bout à l'autre du passage, reniflant l'eau. L'aurore l'illuminait peu à peu ; elle déroulait des colonnes de rouge baveux.

— Vous voyez ce deux-mâts ? Elle est pas dessus.

— J'arrive pas — non, vous avez raison, pas sur celui-là.

Jusqu'à l'horizon, jusqu'au fond même du soleil se dressait la flotte, bois contre bois contre bois, les galères et les galions, les schooners et les sloops, un bateau de Viking solitaire et haut de carène, les jonques et boutres et chébecs et les felouques avec leurs coques couvertes de peintures capricieuses et leur foule de voiles en lignes, en rangs et en gradins fantasmagoriques, des géométries comme des pétales de narcisses blancs grimpant sur les mâts et l'eau galopant et crachant sous les hautes proues cambrées.

Le regard du droguiste sautait d'un bateau à l'autre.

Soudain — craignant trop ce que je cherchais pour regarder si loin — je la vis : elle était pratiquement suspendue au-dessus de nos têtes, elle était un madrier ombrageant nos têtes, ses cheveux flottaient en arrière sur ses reins, sa main gauche tenait une lyre, sa main droite s'avançait vers les cordes mais sans les pincer, son échine était rivée en haut de la proue la plus proche. Bien que grands ouverts, ses yeux étaient vides, de bois : jamais je ne lui avais connu de sommeil aussi pur.

— Ondine !

— Sylvia ! se moqua le droguiste.

— Elle ne répond pas.

— Elle ne répondra pas, dit-il d'un ton satisfait. Tu peux rentrer chez toi à présent, mon vieux.

— Elle ne répondra pas ?

— Tu as les yeux dans ta poche, mon vieux ? Elle a l'air de vouloir répondre ?

Je vis le long grain délicat des cuisses, les nodules dans ses poignets droits, les nœux qui formaient des cercles autour de ses mamelons dressés et précis, la planche craquelée qui fendait son flanc (je me souvenais d'un grain de beauté à cet endroit).

— Regarde-moi ça, dit le droguiste, me désignant l'entaille, elle prend de l'âge. Plus d'un siècle, je dirais. Tu veux parier qu'elle ne durera pas jusqu'au retour ? Qu'elle va tomber en plein dans l'Atlantique ? Elle a pas l'air bien amarrée, on dirait qu'elle est collée, elle se fera emporter par l'eau.

J'implorai :

— Elle ne répondra pas ?

— Essaye.

Je rejetai ma tête en arrière et criai :

— Ondine !

Une figure de proue ne respire pas.

— Retourne-t'en à la maison, petit, dit le droguiste.

— Et vous ? lui demandai-je.

Mais il continuait à fixer le troupeau de voiles qui semblaient sortir de ses immuables épaules comme une grande coiffure d'éventails empesés. Les voiles soupiraient et sifflaient doucement et sous ce chapiteau elle tendait son échine à la rencontre du grand arc de la proue et plongeait son regard rigide dans ses lumières.

— Moi, il faut que je m'occupe de mon affaire, me dit-il. M'agrandir un peu peut-être à présent. Engager quelqu'un qui attirera les clients, quelqu'un de plus visible. Elle n'a jamais voulu que j'engage quelqu'un.

— Elle a totalement démoli mon appartement, lui avouai-je. Elle m'a fait perdre mon travail.

— C'est pas ce qu'il y a de plus grave. Crois-moi, mon vieux, pas ce qu'il y a de plus grave. Ça, c'est des choses que tu peux réparer.

— Oui, je pourrais sans doute réparer l'appartement, dis-je tristement.

— Tu vas t'embarquer comme marin comme tu as dit ?

— Non.

Je décelai de la panique en moi.

— Tu vas retourner j' sais pas où, dans ton coin ?

Je réfléchis. Pensai aux champs de chez nous.

— Non, répondis-je au bout d'un moment.

— Bon, alors à un de ces jours, mon vieux, je te souhaite bonne chance quand tu auras trouvé.

D'une voix de martyr, je dis :

— Trouvé quoi ?

Mais il s'était tourné de côté et j'eus beau regarder de toutes mes forces, je ne le vis plus.

La femme du docteur

Les trois sœurs du docteur s'étaient réunies dans la maison de celle qui avait la cuisine la plus vaste. Elles préparaient des salades pour le cinquantième anniversaire du docteur. En bonne logique, la sœur qui avait la plus grande cuisine avait également la plus grande maison : mais elle n'était pas la plus riche des trois. Hélas, aucune d'elles n'était riche, non aucune, bien que Sophie — la sœur qui possédait la plus grande maison — eût sans doute dû l'être. Elle était mariée à un dentiste au cou boursouflé, pratiquement chauve, qui avait, lui, toutes ses dents, des dents intactes qu'il exhibait en un perpétuel rire mélancolique et lustré. Ses yeux étaient de ces billes aux paupières charnues qui semblent une garantie de prospérité, mais il aimait jouer aux courses au trot attelé et, pis encore, il aimait danser. L'hiver, il fermait son cabinet quinze jours d'affilée pour participer à des concours de danse, des marathons de danse, des exhibitions de danse. L'été, il partait seul dans des hôtels de villégiature où se produisaient des orchestres renommés. Petit, l'arrière du crâne encore blond, il avait un langage graveleux,

255

mais s'agissant de nouveaux pas de danse, son érudition n'avait rien à envier à celle des adolescents. A l'exception du docteur, le dentiste était le plus pauvre du lot — deux de ses fils étudiaient dans des universités très chères — et il lui arrivait de demander à l'une des assistantes d'attendre une semaine ou deux qu'il trouve l'argent de ses arriérés de salaire.

Il y avait deux autres beaux-frères : un maître d'école et un photographe. Le maître d'école, un être sévère et morose qui haïssait son métier, était marié à Frieda. Ils habitaient, avec cinq enfants querelleurs, dans un appartement exigu au rez-de-chaussée d'une maison pour deux familles. Olga, la plus jeune des sœurs, n'avait qu'une petite fille, maladive peut-être, ou alors abrutie et qu'on ne voyait jamais fermer les yeux sous les flashes de son père. Le photographe, un grand gars chevelu, musclé, avait en réalité un tempérament enfantin, démenti par ses bruyantes façons d'entraîneur de football. Il était toujours en train de rêvasser. On lui commandait surtout des portraits de bébés, mais il espérait la gloire et assommait le docteur avec des discours sur la théorie de la satire photographique.

Le docteur était effectivement très pauvre, mais pour ses sœurs, c'était un saint.

Frieda aimait son mari. Sophie et Olga n'aimaient pas les leurs.

Il y avait entre Sophie et Olga une extraordinaire ressemblance. Tout le monde soutenait que Sophie, avec ses yeux d'un gris de miroir, était la beauté de la famille, alors qu'Olga avait des cheveux obstinément raides et une poitrine monstrueuse. Mais pour le reste, elles étaient pratiquement des jumelles psychologiques.

Toutes deux trouvaient les bébés assommants, toutes deux étaient artistes, toutes deux étaient insatisfaites, toutes deux détestaient la cuisine et le ménage. De longue date, elles avaient décrété qu'elles étaient supérieures à Frieda, personnage terre à terre et sans talent. Avant de se marier, Frieda avait été infirmière et même maintenant, elle avait toujours le visage embué, comme si elle venait de stériliser des bassins. Son ennuyeuse devise était qu'il fallait voir le bon côté des choses, propos qui pour Sophie et Olga avait des relents de servilité. Sophie et Olga se tenaient pour des rebelles, mais alors que Sophie s'évadait vers son piano et sa boîte d'aquarelles, Olga lisait des ouvrages de philosophie religieuse. Elle était attirée par toutes sortes de cultes ésotériques et Sophie, tout en se moquant d'elle, était presque aussi tolérante que Frieda : Olga était le bébé de la famille.

Le docteur était l'aîné. Il était vieux garçon et pour lui les sœurs et leurs maris formaient une sorte de magma indistinct. Il admettait que le dentiste était un noceur qui jouait et dansait et trompait Sophie tous les étés, que le photographe était sujet à de terribles crises de vanité et d'humiliation, que les superstitions d'Olga l'exaspéraient et que le maître d'école était si radin que Frieda devait acheter les bas morceaux chez le boucher et user ses souliers jusqu'à la corde. Parfois, il confondait les maris, se trompait de nom, mélangeait leurs professions et leurs vices.

Il semblerait que le docteur n'était pas très attentif à ses sœurs. C'était parce qu'il s'agissait de femmes et les femmes n'ont point de catégories. Il n'était pas conscient de ses sœurs en tant que personnes, mais conscient de ce qu'elles étaient. Libres. Libres, parce qu'elles n'étaient pas libres, qu'elles étaient exemptes de choix. Elles n'étaient pas obligées d'*être* ceci ou cela, il suffisait qu'elles fussent femmes. Leurs corps étaient le schéma directeur de leurs vies : elles se mariaient, étaient enceintes, allaitaient les bébés, s'énervaient sur les devoirs à la maison des enfants. Le docteur s'émerveillait que ces trois petites personnes présentes dans la pièce eussent, à elles trois, mis au monde neuf nouvelles âmes. Un jour, elles assisteraient au mariage des enfants, puis il ne leur resterait plus qu'à vieillir confortablement. Quelles vies ! Assis sur la chaise qui recevait le plus de lumière du tube de néon au-dessus de l'évier, il regardait Frieda couper du céleri dans un bol en bois qui avait appartenu à leur grand-mère un demi-siècle auparavant. Tout ce qu'elles faisaient lui semblait un jeu. Voici Sophie léchant la mayonnaise sur une grande cuiller de bois, voilà Olga essayant de regarder au-delà de sa poitrine pour compter des assiettes.

— Thon et saumon, thon et saumon. Ça devient monotone. Toute cette poiscaille ! dit Olga.

— Bon, on passe à la salade aux œufs, promit Frieda, attaquant les légumes sur la planche à découper avec une vigueur qui fit trembler les chairs flasques de ses bras.

Elle était boulotte, mais avec une silhouette accorte et soignée, les pans de son chemisier toujours bien rentrés ; son teint aux pores ouverts était très rouge.

— Qu'est-ce que tu as contre la poiscaille ? Le caviar, c'est de la poiscaille. Les rois et les reines et les stars de cinéma mangent bien du caviar, non ? De toute manière, le poisson, c'est un aliment pour le cerveau.

— Alors, Pug n'en a pas besoin. Pug est l'homme le plus intelligent du monde.

Le docteur replia son journal et regarda l'horloge.

— N'est-ce pas, Pug, que tu es l'homme le plus intelligent du monde ?

— Non, c'est pas lui, dit Olga. Il est classé troisième.

— Et c'est qui le premier et le deuxième ? voulut savoir Sophie.

— Un homme qui s'appelle Sydney Morgenbesser est deuxième et un homme qui s'appelle Shemayim est premier.

— Bonté divine, Sydney *qui* ?

— Ce sont des philosophes, dit Olga. L'un est à Cambridge, Massachusetts, et l'autre est à Columbia University, à New York. Je lis des livres à leur sujet. Ils sont antispiritualistes.

— Est-ce qu'elle a raison, Pug ? demanda Sophie.

Le docteur sourit. Il avait un petit air d'estime pour sa propre. personne, mais le cachait à tous, lui-même compris. Il n'avait jamais entendu parler de Sidney Morgenbesser ni de Shemayim.

— Eh bien, dans ce cas, je ne suis peut-être que quatrième. Je me fais battre par Olga. Olga connaît tous les philosophes.

— Pas personnellement, dit Olga.

— Charnellement, expliqua Sophie. Pug, mais où vas-tu ?

— Je dois faire des visites à la maison ce soir.

— Le jeudi ? Moi je croyais que tu allais chez tes malades le mercredi.

— C'est pas les mêmes visites à la maison, mon chat, demande-lui donc quel *genre* de maison. Sans doute le genre de maison où tous ces vieux garçons vont de temps à autre, hein, Pug ?

— N'embête pas ce garçon, dit Frieda. Où est cette cuiller à mayonnaise, je l'avais à l'instant...

— Défense de faire des visites à la maison demain soir, dit Sophie. Si tu manques cet anniversaire, tu n'en verras plus jamais d'autre, je te promets.

— Soph, tu as *léché* cette cuiller, lave-la d'abord.

— Je ne crois pas aux microbes, dit Sophie, je crois à ce que je vois.

— Tu ne crois pas aux ondes radio ? dit Olga. On ne les voit pas et elles sont pourtant là.

— Ne me parle pas de ce cauchemar. Dieu merci, elle est cassée — la radio, je veux dire. J'ai eu deux soirées entières sans WPAP et les *Swinging Doodlers* d'Art Kane en direct de Miami. Faut pas me parler de radio.

— Arrête, Soph, toi aussi tu aimes danser, dit Frieda, frottant la cuiller avec une éponge imbibée de détergent.

Olga se mit à rire :

— Et Saint-Guy, où est-ce qu'il est ce soir ?

— Au cinéma.

— C'est parce que moi, je suis là, dit Olga. Il a peur de tomber sur Dan, au cas où il viendrait me chercher. Et il viendra.

— Tu devrais faire mettre un masque à Dan,

proposa Sophie, et le présenter comme quelqu'un d'autre. Comme ça, peut-être qu'ils se reparleraient.

— Ça ne marcherait pas, dit Olga. S'ils ne se sont pas parlé depuis deux ans — deux ans *déjà* ? —, ils ne se reparleront plus. En tout cas, Dan ne voudra jamais.

— Avec un masque, dit Sophie, tu pourrais le présenter comme Sydney Morgenfresser.

— Besser.

— B pour bonsoir, dit le docteur en enfilant sa veste. Il faut que j'y aille. A quelle heure est-ce que je dois venir demain ?

— Oh ! attends, tu ne veux pas voir le gâteau ? s'écria Olga.

— Il sera bien temps demain.

— Mais si, il faut que tu regardes. Regarde ce qu'il y a d'écrit. C'est Frieda qui a fait ça, avec ce truc qu'on presse. Il y aura cinq bougies.

— Une par décennie, précisa Sophie.

— Pug sait compter, sosotte. Regarde ce qu'il y a d'écrit.

Il lut, au milieu des roses de sucre rose : A NOTRE CHER DOCTEUR PUG LE PUGNACE.

— C'est drôlement bien trouvé, non ? C'est Sophie qui y a pensé, mais ça ne plaisait pas à Frieda.

Frieda dit :

— S'il y a bien un adjectif qui ne correspond *pas*...

— Enfin, Frieda, c'est justement, c'est pour rire, c'est une plaisanterie. Bonté divine, à t'entendre te battre contre les plaisanteries, c'est *toi* la pugnace...

— Épatant, dit le docteur, mais il était gêné par ce « Docteur ». Après tant d'années, elles ne s'en lassaient pas. Elles savouraient son diplôme, elles suçaient son titre. Si quelqu'un demandait de ses nouvelles, elles ne disaient jamais tout simplement « mon frère » — c'était toujours « Docteur Pug ». Son prénom, c'était Pincus, mais elles en avaient honte. Son père aussi disait « Bonjour Pug », il engueulait son fils, mais s'en vantait devant le blanchisseur. Ils avaient pour lui l'estime des paysans voués au seul villageois qui sût lire et écrire. Quelle ignorance, quelle pitoyable ignorance !

Il retourna à son cabinet et trouva la salle d'attente pleine, bien qu'il n'eût donné aucun rendez-vous. Le dîner gorgé de graisse servi par Sophie lui donnait encore des renvois. Il avait dû l'avaler parce que les sœurs s'étaient dit que ce serait un plaisir qu'il soit là pour une fois qu'elles travaillaient toutes ensemble. Chez Frieda, malgré l'inconfort, malgré la table où on était trop serrés, il mangeait bien. Mais les plats que servait Sophie n'étaient qu'aspirations : elle voulait imiter ces tableaux de famille en couleurs, ces dîners somptueux des publicités pour assurance-vie et ne parvenait qu'à reproduire tant bien que mal la disposition des fourchettes. C'était comme si on mâchait de la peinture. Ce soir, elle lui avait fait manger du bœuf qui n'était que du muscle. Pour les visites à domicile, il avait menti, sans quoi elles l'auraient gardé plus longtemps — les soirs de visite il partait plus tôt.

Comme d'habitude, ses malades s'étaient partagés la salle d'attente. Les nègres étaient tous assis du même côté près de la porte, les Italiens campaient rageusement en face et monopolisaient la table avec les magazines. Les magazines tombaient en loques, chose bizarre car il ne voyait jamais personne en train de les lire. Sa clientèle ne se composait que de pauvres entre les pauvres. Depuis qu'Adam avait été chassé du paradis, ce quartier avait été en déclin. Pendant longtemps il avait surtout été habité par de vieux immigrants, désormais les races y cohabitaient dans l'aigreur. Penchés sur les plants de tomates qu'ils cultivaient dans les terrains vagues au coin des rues, les Italiens levaient la tête et apercevaient les camions de déménagement qui apportaient les guenilles et le fatras des nègres. Quelques Italiens lui dirent qu'ils ne reviendraient plus s'il recevait des nègres. Mais la plupart restèrent parce que, lorsqu'ils disaient qu'ils n'avaient pas d'argent, il ne leur prenait que 50 cents la consultation et promettait de se faire payer la prochaine fois. Mais la prochaine fois, il oubliait toujours.

Chose surprenante, il n'y avait que très peu de maladies physiques chez ces gens. Un vieux Sicilien souffrait d'une cataracte. Une adolescente à la peau lumineuse comme une soie teinte, qui était entrée en s'accrochant à sa tante, avait un minuscule kyste aux confins du tissu mammaire. Mais la majorité se plaignaient de maux de tête, de maux de dos, d'insomnie, de fatigue, de douleurs obscures et itinérantes. C'était l'antique grognement répétitif de la vie. Le bruit de la nature tournant sur ses gonds. Chacun avait son histoire à raconter. Que de rancunes, de haines, d'amertume, combien peu de bonne volonté! Les femmes et les maris se méprisaient les uns les autres, les petits-enfants étaient hargneux, l'argent allait à la boisson, les enfants épousaient des étrangers pleins de morgue, la belle-fille était une misérable au cœur de pierre, les pères quittaient la famille au milieu de la nuit. Chaos, gaspillage, malheur — l'humanité cuisant dans son vieux chaudron.

Le docteur écrivait une ordonnance de phénobarbital pour une femme qui croyait avoir un trou au poumon (mais la vérité, c'était que son fils était marié depuis douze ans et n'avait toujours pas de bambin) lorsqu'on frappa à la fenêtre. Il crut que c'était une branche d'orme et dit à la femme de prendre le médicament trois fois par jour et la sensation de trou allait disparaître.

— Peut-être qu'ils devraient le recoudre, ce trou ? demanda-t-elle.

Elle avait une tête de chien de chasse : des oreilles anormalement étirées par des cylindres de verre qui y étaient suspendus.

— Vos poumons sont en excellent état, Mme Filleti, dit-il et il entendit la vitre qui se fissurait.

Le dentiste pleurait sous l'orme, une poignée de pierres à la main.

— Irwin ! cria le docteur se penchant dehors.

— Pug, je suis seul. Pug, je suis terriblement seul.

— Irwin, je ne t'entends pas. Tu n'as qu'à monter.

— Il y a du monde ?

— Encore un peu.

— Je ne peux pas monter. On pourrait me reconnaître. Je pratique dans cette ville, tout comme toi, sanglota le dentiste.

— Tu veux de l'argent ? dit-il par la fenêtre.

— Ne me fais pas honte, je t'en prie. Qu'est-ce que c'est que l'argent ? C'est du bonheur que je veux, du bonheur.

— Très bien, va à la maison, j'arrive dans un instant.

— Ne m'envoie pas là où se trouve Dan, Pug. C'est fini, ça. Les ponts sont coupés. On ne mélange pas l'eau et l'huile.

— Ma maison, je veux dire, pas la tienne.

— Ton paternel se mêle de tout.

— J'ai des malades, Irwin.

— Moi aussi, moi aussi. Ils font comme si tu étais le seul diplômé dans la famille. Dépêche-toi, je te dis, j'ai la voiture, on fera un tour.

Le docteur prit son temps, pansa un garçon qui s'était battu sur un terrain vague, écouta encore une demi-douzaine de tragédies, écrivit *t.i.d.* sur son bloc en appuyant si fort que son index commença à lui faire mal, éteignit les lumières, ferma à clé et descendit vers l'énorme voiture globulaire du dentiste pour laquelle il avait versé vingt pour cent comptant et qui était bien trop chère pour lui.

Ils parcoururent des rues qui sentaient le lilas. C'était une nuit de mai. Dans l'auto des papiers de bonbons crissaient sous les pieds ; ces petits bruits et les lilas qui chaque printemps le frappaient comme un miracle inédit des sens caressaient et rassuraient le docteur ; pendant un moment, il se dit que peut-être tout n'était vraiment que temporaire, sa vie actuelle un arrangement temporaire, il était jeune, il se préparait pour l'avenir, il aurait une progéniture, il découvrirait un instrument médical utile, il aiderait les opprimés, il suivrait une figure semblable à Gandhi vêtu d'un pagne blanc comme neige, il serait sauvé ; une conviction rayonnante émanait de ce parfum d'enfance : ses aptitudes les plus intenses, ses réalisations les plus profondes étaient devant lui. Son beau-frère, traçant des traînées sales et humides sur son menton brûlé et mal rasé, obliqua vers un quartier qui avait eu son heure de gloire et de richesse, avec de grandes maisons plantées sur de vastes pelouses en pente et des arbres denses comme dans une forêt. A présent, toutes les maisons étaient divisées en appartements et bêlantes de bruits de télévision. Les pelouses étaient labourées et tachées de breaks et de camions et les breaks et les camions des enfants comblaient les interstices entre les véhicules des grands. Les voix de querelleurs nocturnes bondissaient de maison en maison comme de terribles anges en pérégrination.

— La vie est un passage, dit le docteur. Tout change, qu'est-ce que ça peut te faire ?

— Mais elles l'ont fait par malveillance, dit son beau-frère. Par pure méchanceté. Je suis entré dans la maison et je l'ai trouvé là. Elles savent qu'il est mon ennemi et il était là.

— Tu n'as pas d'ennemis, Irwin. Tu es ton propre ennemi, comme nous le sommes tous.

— Tu crois ? Moi, je serais mon propre ennemi ? *Moi*, je ne lui ai pas demandé de venir à la maison. C'est elles. *Moi*, je suis allé au cinéma.

Le docteur dit avec un sourire :

— Tu aurais dû choisir une séance à deux films. Il n'y en avait qu'un et ce n'était pas assez long, tu comprends ? Sinon, le temps que tu reviennes, il n'aurait plus été là. Il était juste venu chercher Olga.

— Olga est une sotte. Une sotte vicieuse par-dessus le marché. Faut pas se laisser berner par son fichu petit rire malicieux, c'est du poison. Et Sophie, c'est encore pire. C'est Sophie qui l'a laissé entrer dans la maison. Je ne peux pas le voir en peinture, je fais tout ce que je peux pour l'éviter, je dois me le taper demain soir, ça ne suffit pas, non ? Je suis un pacifique, moi. La paix, la paix, la paix...

— Dan aussi est un pacifique, dit le docteur.

Il se concentrait ; il méditait ; il spéculait ; il n'arrivait plus à se souvenir du motif de la brouille. Argent ? Jalousie ? Capitulation ? Échec ? Une promesse sabotée ?

— *Lui,* je vais te dire ce qu'il est, un chasseur, un chasseur primitif. A l'affût dans la jungle. Moi, j'en ai par-dessus la tête d'être sa proie. Écoute, Pug, c'est très simple ce que je veux, tout ce que je veux, c'est être heureux, est-ce que c'est trop demander pour un être humain ?

— Tu as les garçons, tu as Sophie.

— Les garçons, ils se croient plus malins que moi. Même les petits. Bon, c'est entendu, ils sont plus malins, il n'y a pas de doute. Quand les deux autres étaient là pour Noël, j'ai dit quelque chose et ils m'ont ri au nez et ils ont commencé à discuter biochimie comme si je n'existais pas. Sophie, Sophie, c'était une femme superbe, avant qu'on se marie on passait des heures à faire des choses. On l'a fait tout de suite après l'enterrement de ta grand-mère, oui, même ce jour-là. Une attraction fantastique, je ne te dis que ça. Entre moi et Sophie c'était spécial, formidable. Ce n'est pas qu'elle m'ait jamais permis d'aller jusqu'au bout, comme on dit, mais elle me permettait de mettre la main sous son soutien-gorge et certains jours même en bas, tu sais. Puis après, quand on s'est mariés, rien. Je lui dis : allons demander conseil à Pug, elle me dit :

non, c'est mon frère, plutôt mourir. L'été dernier à la montagne, un endroit qui s'appelle Shady Green, des toilettes sales, là-bas, elles y jettent n'importe quoi, elles s'en fichent, même des serviettes hygiéniques, si tu veux mon avis, ça ne leur ferait rien d'y jeter un cadavre, enfin bref, il y avait cette fille, pas vieille, pas jeune, dans les trente-deux, trente-trois ans, avec elle c'était comme avec Sophie dans les débuts. Le même type physique, la taille courte, les hanches fortes, elle disait toutes sortes de bêtises, tu vois ce que je veux dire...

Il arrêta la voiture dans une caverne d'arbres en fleur. Le vacarme des maisons et des pelouses encombrées de véhicules les piquait comme un aiguillon. Sous les feuilles, les sons et les formes semblaient en rut ; puis s'accouplaient diaboliquement.

— Je te dis la vérité, Pug, il y a des jours où je me dis que je ne peux plus tenir. J'ai besoin de quelque chose, j'ai cette sensation de creux en moi tout le temps, non, je veux dire que c'est plutôt une sensation de plein, comme quelque chose en moi dont je voudrais me débarrasser et je ne sais pas ce que c'est. On dirait que ça irait mieux si je pouvais vomir ça tout à coup, tu comprends ?

Le docteur dit :

— Tu devrais t'occuper davantage de ta clientèle, Irwin. Pas parce que tu as plein de dettes, c'est pas le problème. Le travail, ça aide, Irwin.

— Ça aide à se distraire. L'ennui, c'est que je ne suis pas comme toi, je ne *veux pas* être distrait. Je veux arracher cette pourriture au centre de moi et la regarder, je veux être heureux, c'est tout. Comment fait-on pour être heureux ?

— Je ne sais pas.

— Écoute-moi, tu sais pourquoi je vais aux courses, hein ? Je ne vais pas chercher de la distraction ou quelque chose dans ce goût-là. Au contraire, j'y vais parce que ça me fait peur. J'ai une peur bleue de perdre, les comptables des universités des gamins m'envoient des lettres de rappel. Je suis mort de trouille. Mais quand j'ai peur, c'est comme si je me *sentais* moi-même, tu vois ce que je veux dire ? Je me mets à croire à ma propre existence, tu saisis ? C'est comme la danse. Merde, j'ai quarante-six ans et quand je me mets à danser certains de ces morceaux, je suis tellement essoufflé que je crois que je vais avoir une attaque. Mais je commence à sentir mes *battements* de cœur, je sais qu'il est là, mon cœur, et je me dis, bon, si j'ai un cœur, j'ai un corps, si j'ai un corps, c'est que je suis en vie. Je me dis que si je suis en vie, il y a quelque chose qui vaut la peine de vivre.

— *Il y a* quelque chose qui vaut la peine de vivre.

— Quoi, alors ? Vas-y, quoi ? Dis-le-moi.

— Je ne sais pas, dit le docteur.

— Et pour Sophie, aussi vrai que je suis assis ici, pour Sophie tu es Dieu ! Vas-y, si tu es Dieu, dis-moi pour quoi je vis.

— Personne ne .peut répondre à cette question.

— Tu veux dire, personne ne peut la poser. Qui demande une chose pareille ? Vas-y, dis-moi, tu connais quelqu'un d'autre qui pose cette question, pourquoi est-ce que je vis ? Il y a cette force en moi, Pug, elle me dévore. Je crois que c'est le sexe. Peut-être qu'il me faut plus de sexe ou alors autre chose ? Tu crois qu'il me faut plus de sexe, Pug ? Écoute, je ne veux pas être indiscret, mais qu'est-ce qui se passe quand un type bien comme toi a envie d'une femme ? S'il n'y avait pas ces toilettes, je te dirais d'essayer Shady Green, Pug, je te jure.

Le père du docteur était éveillé et l'attendait. C'était un vieil homme chancelant et fibreux, perpétuellement furieux, déglingué, paralysé de-ci, de-là — un secteur de la gorge, un bout de lèvre, le mollet gauche, deux doigts de la main gauche et un seul orteil du pied droit. Sa rage se levait avec lui le matin et se couchait avec lui le soir ; la rage était son épouse.

— Où étais-tu encore ? Où étais-tu ? cria-t-il en voyant son fils, et ses gencives — il avait déjà mis ses dents dans un verre d'eau avec de la poudre — semblaient propres, roses, rayonnantes de santé.

— J'ai fait un tour en voiture avec Irwin.

— Fait un tour ! Fait un tour ! Son père peut pourrir à la maison. Tu sais ce qui manque dans cette maison depuis ce matin ? Tu n'as pas apporté ? Tu n'apportes jamais. Des agrumes ! J'ai plus de pamplemousses, j'ai plus de citrons, j'ai plus de Sunkist. Et toi, toi, tu vas faire un tour !

— J'achèterai des oranges demain, dit le docteur.

— Demain, c'est pas aujourd'hui, demain je serai peut-être mort. Va faire un tour avec un bon à rien professionnel. Tu sais que tu as manqué quelqu'un, tu n'étais pas là ? Trois quelqu'un que tu as manqués. Olga, Dan et la petite stupide. Stupide, mais à un point ! Bonté divine, quatre ans, des yeux de mouton. Tu crois que c'est bien que Dan sorte l'enfant si tard le soir ? Il est allé chercher Olga, pourquoi ? Elle ne pouvait pas rentrer plus tard avec Frieda ? Je veux bien qu'elle ne soit pas belle, Frieda, mais c'est un *Mensch,*

elle sait conduire une voiture. Il est venu chercher
Olga, il a pris l'enfant. Je te dis que c'est pour ça qu'elle
n'a pas de cervelle — les sévices. Des sévices jour et
nuit. Est-ce qu'Olga lui donne quelque chose à manger ? Le nez dans un livre, c'est tout ce qu'elle sait faire.
De la religion, de la religion. Elle s'imagine que si elle
lit un livre, elle apprendra pourquoi Dieu a mis de la
cire dans les oreilles. Fi de la religion, fi de Dieu ! Est-
ce qu'il a jamais fait quelque chose pour moi, Dieu ?
Combien d'attaques je me suis payé avec Dieu ou sans
lui ?

— Qu'est-ce qu'ils voulaient ?

— Qui ça ?

— Olga et Dan.

— Toi, qu'ils voulaient. Que tu fasses l'entremet-
teur, le magicien, que tu mettes ton pied sur le bouton
pour que le bouton se casse pas. Téléphone-leur.

— Pas ce soir.

— Alors c'est eux qui vont appeler. Bonne nuit,
bonne nuit, mon ange, mon chéri ! Un docteur et il me
laisse mourir sans vitamine C.

— Je vais acheter des oranges, ne t'en fais pas. Va te
coucher, papa, ne t'en fais pas.

— D'abord regarde dans mon œil.

Le docteur regarda.

— Idiot, crétin, l'autre œil, mon chéri. Injecté de
sang, tu vois ? Enflé, tu vois ?

— Il n'a rien, cet œil.

— J'ai pris un bain, je me suis mis du savon dedans !
Et il dit qu'il n'a rien. Un chéri ! Un docteur !

Le docteur partit dans sa chambre et s'étendit sur
son lit sans même enlever sa veste. Puis il se rendit

compte que la fenêtre était fermée et se leva, avec un sifflement de dégoût, l'ouvrit et installa une vieille moustiquaire dans le cadre. L'air avait changé. Il semblait pâteux, paresseux, chaud, partisan et passionné, comme la respiration d'un juge vindicatif. Il suspendit sa veste sur le bouton de la porte, retourna s'étendre et souffla dans son oreiller. Puis, se mettant sur le dos face au plafond avec ses taches insidieuses, il s'adonna sciemment au deuil : cette façon imperceptible, inexorable qu'ont les arrangements temporaires de devenir permanents ; une à une, il compta ses omissions, ses lâchetés, dont chacune l'avait fixé comme un ciment invisible ou comme un clou. Ce qu'il avait omis de faire s'accumulait d'un moment à l'autre dans sa bouche — le regret de tant d'absences le travaillait comme une glande, sécrétant, remplissant, rejetant, et sa bouche s'emplit de bave, elle coula sur son menton et le long de son cou, mouillant la couverture matelassée. A vingt ans, il avait enduré le choc de se sentir élu, destiné à l'aspiration, à la beauté, à la terreur, à une particularité non encore révélée. A trente ans, il avait cru que tout cela avait été un artifice de son imagination de jeune garçon (jamais l'exaspération du vieillissement n'est aussi aiguë et aussi mélancolique qu'à trente ans), mais il s'enchantait encore de son énergie, il se savait un talent vulgaire pour la compassion, à l'instar de Sophie douée d'un talent, tout aussi vulgaire, pour copier des paysages ; en fait, il se voyait comme une place ouverte, un espace déjà fréquenté, attendant d'être subjugué par une conquête, par une invasion de particularité, par ces éraflures délibérées qui marqueraient le pavé comme un lieu où manifestement il s'est passé quelque chose. A quarante ans, il n'avait toujours pas d'histoire — ses sœurs mettaient au monde leurs derniers bébés, son père avait ses premières attaques —, il se sentit alors coupable, devint cynique et se mit à mépriser sa propre nature d'avoir cru à la possibilité de l'événement significatif, miraculeux. Trop tard, il décida de se marier, mais, comme il arrive aux hommes de cet âge, il tomba amoureux d'une image. Il reconnut la personne dans une biographie de Tchekhov (ah ! oui, lui aussi était docteur, lui aussi vieux garçon jusqu'au dernier moment) : une photographie avec la légende *Famille et Amis,* date : 1890, lieu : rue Sadovaya-Koudrinskaya, sous une tonnelle de vigne — le jeune Tchekhov, sa sœur, l'amie de sa sœur, ses trois frères, son père à la barbe blanche, sa mère coiffée d'un bonnet à rubans mais qui découvrait ses oreilles, un écolier nommé Seriozha en uniforme avec un chapeau bien trop grand pour lui, tenant une branche coupée — et là, là, dans la deuxième rangée, au bout, à gauche, cheveux lisses, grand front, menton pointu et parfait, ne souriant qu'à demi-bouche et creusant ainsi un vallon, une fossette (remarquable, cela !) à la joue gauche — sa bien-aimée. Sur la légende son nom était *Amie inconnue.* Aujourd'hui, si elle était encore en vie (sur la photo, elle ne paraissait pas avoir plus de dix-neuf, vingt ans), elle avait quatre-vingt-treize, quatre-vingt-quatorze ans ; mais à l'époque, lorsque le docteur avait quarante ans et qu'elle, dans son lancinant anonymat, assise là, sans nom, *inconnue,* à côté de Lika Mizinova (l'amie de la sœur de Tchekhov) braqua sur lui sa lèvre à demi souriante et prit son âme, *à l'époque* — si elle était en vie —, elle n'avait que quatre-vingt-trois, quatre-vingt-quatre ans. C'était de cette *Amie inconnue*, de cette jeune fille à l'éternelle fossette (une vieille femme flétrie, une arrière-grand-mère à présent, quelque part en Union soviétique ; une émigrée aigrie, une vieille fille vivant dans un sous-sol à Queens, New York ; ou, plus vraisemblablement, morte ; morte !), c'était d'elle que le docteur était amoureux. Il était à la recherche, disait-il (mais seulement à lui-même — c'était son misérable secret), du style de ce visage, menton pointu, d'étroits yeux slaves, emplis de flou tatar mais affichant de l'impudence, et ce cou un peu tendu, en attente, les épaules sous le châle blanc nerveusement courbées. Si elle avait parlé, il ne l'aurait pas comprise. Elle n'avait pas sa pareille. L'original était une petite vieille, ou dans un tombeau, et, à l'âge de cinquante ans, suant sur son dos dans son propre lit austère, le docteur décida de jeter la biographie avec cette photo si profondément périlleuse. (En réalité, il ne pouvait pas la jeter parce qu'elle ne lui appartenait pas — c'était un livre de bibliothèque, il l'avait gardé trop longtemps, il avait payé son amende, de temps en temps il passait devant ce livre sur l'étagère des T — perversement catalogué sous Tchekhov — et faisait une visite clandestine aux yeux timides et rusés de l'*Amie inconnue*.) Il entendait par là qu'il devait jeter l'illusion. Toutes les photographies dans sa tête — dehors ! Toutes les photographies d'espoir dont il s'était leurré — dehors ! Tout ce qui était gravé, laminé, scellé, sans fruit, sans progrès, sans avancement — dehors ! L'immobilité, l'erreur, le regret, le deuil — dehors !

Pour la deuxième fois de la nuit, il entendit cogner à sa fenêtre. A lui-même, libéré, joyeux, il avoua que

274

tout était nécessaire : que sa vie n'était qu'un os, qu'il n'avait personne et que personne ne l'avait, qu'il n'était pas marié parce qu'il avait omis de chercher une femme, que le genre humain — maris, femmes, enfants — était un puisard, un égout, un cloaque, que la réconciliation était impossible, que sa salle d'attente resterait divisée, que ses beaux-frères resteraient divisés, que ses sœurs n'étaient autre chose que des bêtes porteuses d'ovaires nées pour accomplir la volonté cosmique, qu'il était, lui, stérile par défaut et resterait stérile ; que malgré tout il était possible d'être heureux. Sur ce, un nouveau coup contre la vitre — clac, bang ; le dentiste l'appelant une fois de plus, réclamant philosophie, consolation, justice. Sautant de son lit, il se demanda comment il allait expliquer sa fabuleuse découverte — que la futilité de toute chose en faisait précisément le prix. Irrationalité divine, toute-puissante, exquise, magnifique ! Absurdité sainte et transparente — pendant un instant il arracha à cette absurdité une gracieuse logique, elle lui échappa aussitôt, puis (cependant que son cerveau grondait comme un tournesol) il la saisit à nouveau, pendant un noble et statique éclat de seconde il comprit tout — pourquoi nous sommes ici, la signification du canal alimentaire, l'identité de Zeus —, puis la sagesse s'ébroua comme un chien mouillé et il la perdit.

Un paquet de phalanges frappa la fenêtre. Éclairs sans tonnerre, battement confus d'une paupière en or, martèlement de grands dés lumineux.

Au milieu de cette féerie, le téléphone sonna.

— Nous avons reçu un nouveau signe, Pug. *Un nouveau signe.*

— Dan ? J'ai su que tu étais passé à la maison.

— Ouais, ouais, tu te souviens de la fois avec les ondes de radio ?

— C'est fini, tout ça, Dan. Du calme.

— Je suis mutilé, je suis blessé, je suis saigné, je suis mort. C'est fini pour *qui* ? Pour moi ? Elle a lu quelque part qu'elles interfèrent avec les émanations radioactives de l'esprit humain. Hé, Pug, je te réveille, tu dormais déjà ?

— C'est fini, il ne s'est rien passé, pourquoi remuer tout ça ? dit le docteur.

— Ouais, tu peux bien me demander pourquoi. Six mois avec les stores baissés et à ramper sous les fenêtres pour ne pas être atteint par les ondes de radio qui rentraient ? Tu crois que j'ai oublié ? Se faufiler sous les fenêtres ? Je suis mort, elle m'a tué, c'est mon assassin.

— Hé, dis-moi la vérité, tu ne dormais pas, Pug ?

— Non, non, je suis encore debout.

— Je veux dire, ça m'embêterait de te réveiller, mais ce soir il n'y a pas seulement un signe, Pug, il y en a deux. D'abord quand Irwin la Sale-Bouille s'est pointé avant l'heure. Un ancien mauvais présage des tsiganes : l'Hôte inattendu. Après quoi, comme Signe Numéro Deux, elle me sort les Plaies d'Égypte. Les animaux qui meurent, je ne les vois pas, que je lui dis, les grenouilles et les sauterelles, j'en vois pas. La grêle, qu'elle dit. Il grêle. Je te jure qu'il tombe de la grêle, Pug. Crac-crac. Au mois de mai.

— Oui, dans notre quartier aussi. Je l'entends.

— Il faut deux présages pour faire démarrer les choses. Un ancien dicton de Chaldée, mon pote. Écoute-moi, vieux frère, tu vois ce qui m'attend.

— Bon, Dan, ne t'énerve pas. Elle a besoin de consolation. Tu vois bien qu'elle a besoin de consolation. De toute façon, elle s'en sortira, comme toujours.

— Bien sûr qu'elle s'en sortira comme toujours, et puis après ce sera autre chose. T'as qu'à *compter*, mon vieux — rosicruciens, scientistes de Galilée, anciens croyants, analyste théosophique, les pieux tourneurs, les apologistes de Judas, les glossolales et par-dessus le marché une cuisine strictement kasher — elle n'en rate pas une. Vous autres, vous ne vous rendez pas compte de ce que je dois subir, cette évaporée de Sophie, qu'est-ce qu'elle voit, *elle* ? Et Frieda qui me dit carrément que c'est moi qui invente tout ça. Vous autres qui essayez de jeter le voile de la Bible sur tout ça, et le pire de tous, c'est le vieux. Lui qui me dit que j'ai fait du mal à la gosse ce soir, parce que je voulais qu'Olga puisse rentrer à l'heure. Quel con, le vieux, qu'est-ce qu'il sait ? Elle me dit qu'il faut qu'elle soit de retour à dix heures pour chanter son fichu office de la nuit et moi je tolère ça, qu'est-ce que tu veux que je fasse ? C'est moi que l'ai sur les bras — s'il n'y avait pas la gosse, je mettrais les voiles, je te jure. Tout ce qu'il me faut, c'est des contacts, je pourrais vendre mon idée de photosatire à *Life*, j'en suis sûr, crois-moi. Crois-moi, je sais ce que je vaux. Mais qu'est-ce que tu peux avoir comme contacts avec une femme timbrée ? Avec des corps astraux ? Vous ne vous rendez pas compte, vous autres, si je n'étais pas mort depuis dix ans, Stieglitz aurait l'air d'un piètre amateur.

— Qu'est-ce que c'est que cet *office de la nuit* ?

— C'est un cours par correspondance — comment se faire bonne sœur en restant chez soi, pas besoin d'un

277

couvent, c'est garanti. Cette maudite bonne femme s'en va piquer 450 dollars sur notre compte commun pour payer ces attrape-nigauds sans même me le dire. Toute la nuit j'essaie de lui expliquer que cet hôte inattendu ça compte pas, Irwin Œil-de-Glace, il est le maître de la maison, que je sache. Drôle de maître de la maison — il m'a fichu à la porte, Pug, fichu à la porte. Bon sang, j'aimerais lui casser sa sale gueule mal rasée. Puis voilà la grêle qui se met à tomber et ça, Pug, c'est la fin des haricots. Le Présage Numéro Deux, elle va prononcer ses vœux sur-le-champ. Elle hésitait encore, maintenant ça y est, les cieux ont parlé. A partir de dorénavant, c'est une bonne sœur, seulement motus et bouche cousue, je suis censé n'en parler à personne, sauf à Pug. Le Docteur Pug, lui, ne manque pas de respect. Donc, désormais, elle est vouée au célibat et je suis censé faire pareil. Comme machin truc chouette Abélard et Héloïse — ceux-là, si j'avais à les photographier, je les montrerais accrochés aux pages de garde d'un manuel de sexologie...

— Passe-moi Olga, tu veux ? implora le docteur. Calme-toi, Dan, à quoi ça sert de l'engueuler ? Passe-moi... Ah, c'est toi, Olga ? Salut, ma belle, papa m'a dit que tu étais venue...

— Frieda avait dit de passer pour les fruits, il se plaignait qu'il ne lui restait plus de fruits, dit Olga d'une voix patiente et raisonnable. Frieda va lui porter des oranges, je crois, elle m'a dit de lui dire de ne pas s'inquiéter pour les fruits, mais tu connais Dan, avec Dan dans tous ses états lorsqu'Irwin est arrivé, ça m'a troublée et j'ai oublié.

Olga fit entendre son petit rire fragile et moqueur.

Le docteur n'attendit pas la suite.

— Qu'est-ce que c'est que cette histoire de bonne sœur ?

— Oh, c'est les élucubrations de Dan, dit-elle avec mépris. Il est contre la Constitution, il ne croit pas à la liberté de religion. Il prend tout à la lettre, il ne comprend rien au mysticisme, il prend toutes les métaphores au sérieux. Enfin, Pug, je suis une sœur de *naissance*. Toi, tu peux me *dire* ma sœur si tu veux, ça ne me fait rien.

— Ce n'est pas vrai, Olga ?

— Est-ce que tu as jamais lu *La Sonate à Kreutzer* ? C'est de Tolstoï ? Je veux être chaste, Pug, c'est tout.

— Olga, une femme mariée *est* chaste.

— Je veux dire *vraiment* chaste. Je ne veux qu'une chose, la pureté, c'est pas un péché, non ? A entendre Dan, ce serait un terrible péché. Il ne lit jamais *rien*, il ne peut pas comprendre. « La pureté du cœur, c'est de vouloir une seule chose », c'est Kierkegaard qui l'a dit, mais Dan, tout ce qu'il sait faire, c'est me hurler dessus toute la sainte journée. Toi, *tu sais* ce que je veux dire, n'est-ce pas, Pug ? Je veux dire chaste comme toi. C'est pas vrai, ce qu'elle dit Sophie, n'est-ce pas ? A ton sujet. Je *sais* que c'est pas vrai.

— Quoi ?

— Que tu vas dans des maisons...

Il y eut une bagarre. La bouche du docteur était engorgée de salive.

— Olga ? Olga ? Dan, pourquoi tu as — Dan ?

— Tu vois ? Tu vois ? Est-ce que je mens, est-ce que j'invente ? Vous ne vous rendez pas compte, vous autres, c'est ça qui me démolit dans la vie, c'est ça qui me pompe le sang. Je suis un minable, un raté, ça fait dix ans que je suis complètement mort...

Ils continuèrent une heure durant et le docteur restait là, victime à l'oreille collante et moite, tournoyant intérieurement, tambourinant comme un gong, brûlant contre le combiné, sa gorge une corne d'abondance remplie d'ordures, sa poitrine un navire battu par les vents, amenant inlassablement ses voiles. Ce qu'ils lâchaient, il le mâchait. Son beau-frère faisait courir ses griefs comme des billes sur un boulier, les additionnant dans des affres de douleur qui, le lendemain même, le feraient atterrir chez le docteur, gémissant et quémandant un électrocardiogramme, la main sur sa large mamelle gauche. Et Olga, persévérante souris, faisceau d'inflexibilité, faisant à travers ces débordements couler son filet de voix modeste avec ses petits rires d'Amour Universel. Égotisme, égotisme ! C'était une fille renfermée avec des aspirations au-delà de ses possibilités. Elle était inintelligente, secrètement arrogante, mais ordinaire, sans charme, de grosses jambes, flagorneuse, mais ses yeux étaient ronds et bruns ; elle possédait le pouvoir que confère un ressentiment perpétuel. Le monde pouvait bien la prendre pour un de ces assemblages ménagers roulant entre cuisinière et matelas — qu'importe : sa vision déclarait qu'elle était Jeanne la Pucelle. De là le sourire, le rire, sa longue et servile patience : si seulement les autres savaient !

La grêle s'arrêta, les nuages reprirent leur course haletante, une langue de lune vint hardiment lécher le ciel.

Le lendemain à midi, le docteur se rappela les oranges de son père.

Il admira les chariots, la façon dont ils s'imbriquaient, la couleur des poignées en plastique, bleues, vertes et rouges, chariots venant chacun d'un supermarché différent, mais depuis longtemps en vagabondage : ainsi il voyait *Finast* et *A & P* et *Bohack* nichés l'un dans l'autre comme d'ingénieuses cages argentées, paisibles, brillantes. Extrayant l'un des chariots de cet emboîtement têtu, il le testa, le tirant de-ci, de-là, lui faisant prendre de petits virages : il roulait sans offrir de résistance sur ses roues de caoutchouc dodues et le docteur était content que l'objet eût une poignée bleue et un compartiment spécial formé par un grillage qu'on pouvait rabattre à plat. Il prit le chariot et le poussa dans un jardin intérieur. Tout l'enchantait et le terrifiait : des concombres empilés sur près d'un mètre, leur peau cireuse étincelante de gouttelettes, une pyramide flamboyante de pommes, les laitues comme des guirlandes de roses vert pâle, le violet brillant et sérieux des aubergines, les céleris à la tête frisée, les champignons empilés dans des cageots ovales du bois le plus mince et le plus odorant, le vendeur au tablier taché de carotte et ficelé sur son ventre, un crayon derrière l'oreille, les fragments de pelure d'oignon voletant sur le linoléum, les trois tailles de sacs en papier marron, chacune dans son casier, les femmes qui se promenaient, arrachaient une feuille par-ci, tâtaient un légume par-là, pesaient et remplissaient leurs chariots. Le docteur avait l'impression d'être tombé sur une petite ferme travailleuse et ordonnée, où chacun récoltait avec sérénité, et les dames vêtues de pantalons avaient des visages pleins de gratitude pour tant d'abondance, tant de rondeur, pour ces naissances de couleur et ces tréfonds de lumière.

Les oranges dans leurs seaux de pin à claire-voie dégageaient le parfum d'un sultanat fantastique. Comme elles étaient grosses, ardentes, nombreuses ! Et quelle merveille, leurs mystérieux nombrils par lesquels on voyait parfois poindre les petites lèvres charnues des quartiers intérieurs, gorgés de jus !

— Pug, dit Frieda, espèce de squelette, pas même un sandwich aujourd'hui. Regardez-moi ça ! Qu'est-ce que tu fabriques ici ? Je t'ai vu juste à temps, sans quoi tu aurais pu acheter les mêmes choses que moi.

Le docteur détestait qu'on lui reprochât de sauter son déjeuner.

Dans le chariot de Frieda, il y avait six magnifiques oranges.

— Olga ne t'a pas dit que je descendais faire les courses aujourd'hui ? Et si je ne m'étais pas trouvée nez à nez avec toi, papa aurait croulé sous les provisions, il se serait retrouvé avec tout en double.

— Frieda, tu ne lui en achètes pas assez et après il y a des choses qui lui manquent.

— Toi, tu ne regardes jamais les prix, dit-elle d'un ton indulgent. Les radis sont au prix des orchidées et pour les oranges, on se croirait chez Tiffany's aujourd'hui. Ils prennent leurs pommes de terre pour des éclats de diamant. Des melons d'Espagne à 79 cents la pièce ! Des melons jaunes à 49 ! Oh, regarde comme il est beau...

D'un geste maternel, elle prit un melon grisonnant, appuya sur le creux laissé par le pédoncule, le renifla, ferma les yeux sur cette douceur de colibri et le replaça sur l'étagère comme un bébé princier.

— Trop cher, trop cher. Marvin ne serait pas

content. Marvin dit que ce serait bien si on était tous comme toi, si on ne mangeait jamais rien, on ferait de sacrées économies. Pourquoi est-ce que tu as encore sauté ton déjeuner ? Pourquoi ?

— Je n'ai pas faim. J'ai mal dormi, avoua le docteur.

— La grêle, dit Frieda. C'était quelque chose, hein ? Nous aussi, ça nous a réveillés. Tous les gosses ont hurlé, c'était quelque chose. Je te ramène à la maison, je te ferai manger tout de suite, Marvin est allé à une réunion.

— Il faut que je retourne au cabinet.

— Fais au moins une sieste !

— Ça ira bien.

— Ce sera comme l'année dernière, je sais, nous le savons toutes. Tu vas t'endormir à ton propre anniversaire, Sophie va se remettre à pleurer et on sera bien embêtées.

— Non, non, ça ira bien.

— Viens à l'heure, au moins…

— J'essayerai. Ça dépend.

Il compta une demi-douzaine d'oranges en plus et cinq pamplemousses brillants comme des planètes.

— Je ferai de mon mieux, dit-il.

— Tu te laisses bouffer tout cru par tous ces gens. Des gens communs, des fainéants. Ordonne-leur du savon. (11 cents la pièce, ces fruits, c'est trop tôt dans la saison.) Écoute, tu es un généraliste dans un trou perdu et pas un psychanalyste de Madison Avenue. Si tu veux faire l'analyste, fais-les payer, fais-les payer, fais-les payer les yeux de la tête. (Prends les tomates cerises, ils les ont baissées à 39 cents la barquette.) Puisque tu te laisses dévorer par eux à ce point, non ?

— Ne t'en fais pas, Frieda. Je serai là à huit heures. Neuf heures au plus tard.

— On pourra s'estimer heureuses si tu es là à dix heures. On sera ravies. Juste une chose, Pug, ne te fâche pas...

— J'ai l'impression qu'on gêne ici, dit le docteur.

Des chariots s'entrechoquaient avec fracas. Ils se replièrent sous l'auvent d'une gondole de bouteilles de soda. Les dames en pantalon froncèrent le sourcil.

— ... mais passe d'abord à la maison et change de cravate, tu veux bien ? Prends-en une jolie, une foncée, une grise peut-être, tu sais, la grise avec la petite rayure ?

— Si vous voulez que je vienne *tôt*, protesta-t-il.

— Il y a cette fille, dit Frieda d'un ton vague. Ne te fâche pas, elle vient seulement d'être mutée à l'école de Marvin le mois dernier, c'est pas une simple institutrice, elle est conseillère d'orientation pour toute l'école, Pug, alors pour une fois ne dis pas non. Elle n'a que trente-trois ans à peu près, Marvin dit qu'elle est mignonne.

— Frieda, Frieda, dit le docteur, qu'est-ce que tu veux que je fasse d'une fille ? Je croyais que ce soir on restait en famille.

— Marvin l'a invité, elle a accepté, elle va venir. C'est fait. Personne ne dit que tu dois te *marier* avec elle, répliqua Frieda et, dans le brusque écartement de ses narines rugueuses, le docteur vit les éminentes conjectures d'une marieuse.

Mais il répéta d'un ton morne :

— Qu'est-ce que tu veux que je fasse d'une fille ?

Il était alarmé par les regards de bourreau que

lançaient les dames en pantalon. La corruption et la perversion gagnaient le jardin ; il était entouré de matière organique vouée à la pourriture et à ce moment précis, empoignant son chariot pour prendre la queue devant la caisse, il découvrit une boule de beurre de cacahouète frais sur le bas de sa belle poignée bleue. Il s'essuya les doigts sur le bord d'un sac en papier, puis sur la peau d'une pêche à 11 cents la pièce et comprit que son anniversaire était un prétexte, qu'il était régi par la tromperie, sapé par le faux-semblant, dévoré par l'égotisme, que l'espoir et la dignité étaient fugaces. Même sur le tard, elles avaient encore l'intention de le marier.

Tout le reste de la journée, la face intime de ses paupières fut habitée par un menton imaginaire : le menton hardi de l'*Amie inconnue* qu'il colla docilement sur le visage inimaginable de la conseillère d'orientation.

Dans son cabinet, il tenta de réaliser des unions. Toute la salle d'attente dut se lever, il parla d'une crise d'aération, tira la table aux magazines vers le centre de la pièce, redistribua les chaises, permuta les lampes, leur fit savoir qu'il était indispensable de s'asseoir aussi près que possible de la fenêtre ouverte et attendit le début de la fusion. Ils obéirent pieusement, mais les Italiens allèrent se mettre à droite de la fenêtre et les Noirs prirent le côté opposé. Il avait transformé la ligne de partage diagonale en une verticale : il eut le sentiment d'être un imposteur, un fasciste. Un souffle de vent brassa les magazines et souleva les pages une à une, un lecteur invisible, révélant des réfrigérateurs en quatre couleurs, des machines à laver, des télévisions, des grille-pain. Les Italiens, certains de type négroïde, regardaient leurs souliers ; les nègres, certains au teint olivâtre, regardaient leurs ongles. Il y avait un foisonnement — pas encore une véritable épidémie — de rubéole et le docteur se réjouit de la simplicité de cette éruption. Ces boutons sont des amis, des frères, ils poussent, avec un léger prurit, sur les épidermes de toutes les nations et de toutes les races, ils proclament l'appartenance au genre humain. Il rédigea la même ordonnance pour tous — une lotion, une lotion unifiante, envoyant des hommes différents dans des drugstores différents avec un but unique, le soulagement, la réconciliation, un témoignage infaillible de l'égalité des peaux.

M. Gino Angeloro lui dit entre quatre yeux que c'était les négros avec leurs habitudes malpropres qui propageaient la maladie d'une cour à l'autre.

Mme Nascienta Carpenter lui dit entre quatre yeux que les Ritals avec leurs plants de tomates infestés de vermine propageaient la maladie d'un bloc à l'autre.

Il rentra à la maison et changea de cravate.

Son père avait déjà quitté la maison — ils avaient prévu que Frieda et Marvin viendraient le prendre pour aller chez Sophie, un voyage périlleux dans la petite voiture d'occasion anglaise de Marvin ; les cinq enfants et la guitare de Marvin se disputant la place sur la banquette arrière, son père, étique et aboyant, heurtant les cordes.

Dans le couloir vide devant sa chambre à coucher, le docteur noua sa cravate en prenant du recul pour s'inspecter dans le miroir de sa commode : sa voussure déjà visible, ses cheveux qui commençaient à se couvrir de nuages (comme si son cuir chevelu avait sécrété une insidieuse brume blanche), le bec plat et osseux de son front oblique : cette image fugace de ce qu'il était devenu — sans s'en apercevoir, dans son propre dos — lui remplit de nouveau la bouche et, en sortant, il s'arrêta devant l'évier de la cuisine pour cracher d'abondance.

Le voyant arriver, ils s'écrièrent (la blague de Sophie) « Pas de surprise ! » et « Joyeux anniversaire ! » et il vit toutes les salades de la veille, sapées, creusées de tunnels, en rangées sur une nappe propre et DOCTEUR PUG en lettres grasses et luisantes sur le gâteau. Il était en retard, tout le monde avait mangé, des assiettes en carton où s'empilaient des croûtes de pumpernickel traînaient sur la table basse ; mais on l'applaudit, les enfants crièrent, un accord de guitare retentit avec force, un tourbillon de rires, de baisers, de cris : « un discours ! », brassa et frisa l'air. Le docteur, nullement ému, cachant sa froideur, les remercia : « Je suis arrivé jusqu'à aujourd'hui et je suis resté un honnête homme, du moins, j'ai un corps honnête qui me dit toujours la vérité — au bout d'un demi-siècle mes cheveux sont plus gris que ceux de papa, j'ai une belle bosse qui pousse comme un arbre entre mes épaules et je crois que je suis trop coriace pour tenter un cannibale », et les enfants saluèrent cette comédie à grands cris. Le photographe le fit poser, cadra avec force manœuvres, fit montre de finesse, de tempérament, lui enjoignit l'immobilité sous des lumières qui ensanglantaient sans pitié ses yeux, puis on lui présenta le gâteau pour souffler, couper, distribuer les parts — il tenait le couteau comme un assassin son poignard, le glaçage se mit à teinter ses manchettes et à empoisser ses sourcils, finalement il se sentit un peu sale, blanchi et ratatiné, un garçon de café fatigué et sur le retour. Le dentiste et le photographe passaient à quelques centimètres l'un de l'autre, levant le coude pour éviter de se toucher, communiant dans un silence ostentatoire, invisibles l'un à l'autre ; cependant, Olga insérait une part de gâteau — on pouvait lire TorPugf sur le haut — dans les mâchoires automatiques de sa petite fille : l'hébétude du regard de l'enfant s'approfondit de plus en plus comme une braise voluptueuse. Enfin, le dentiste l'attira dans un coin pour lui montrer une nouvelle lettre reçue le matin même de son aîné.

— Je te le disais bien, Pug ! Brillant ! Regarde-moi ces notes ! Je lui dis : prends exemple sur ton oncle, fais-toi élire à Phi Beta Kappa, gagne ta clé ! Tu veux faire médecine comme Pug ? Gagne ta clé ! Je leur dis à tous les deux, pas seulement à Richy, je dis pareil à Petey.

Frieda lui apporta une assiette de salade au hareng. Contre le mur du fond, sous une aquarelle de Sophie intitulée *Clair de lune et Pins*, grave, doux, lunettes étincelantes, Marvin parlait à une jeune femme inconnue, mais elle était masquée par la volumineuse guitare. Son père dormait dans une poche du divan, la tête raide pivotant sur le côté comme celle d'un édile romain subalterne, sa bouche, un bâillement pétrifié, ses gencives glabres, brillantes, vibrantes — il tenait son dentier à la main. Le photographe vint soumettre au docteur ses dernières idées de satire politique — surprendre, caméra au poing, l'ambassadeur russe dans un urinoir, le Président giflant la Première Dame, le secrétaire à la Défense s'entraînant avec des gants de boxe. Le docteur était harcelé, coincé, inextricable ; puis Sophie bondit :

— Pug ! J'ai failli oublier de te présenter, viens !

Elle était chaussée de mules de bazar, des mules chinoises qui répandaient des flocons de carton doré, et arborait un sourire échauffé, ébréché et vague.

Mais déjà Marvin s'était mis à jouer pour de bon. Il jouait comme un sorcier, la guitare était sa vie, il avait une virtuosité démoniaque. Les enfants se déchaînèrent, le dentiste se déchaîna, même la petite fille tarée d'Olga fut emportée par des spasmes bienheureux — elle tournait et tournait, levait sa jupe, regardait ses genoux, frémissant, miaulant comme un chat nocturne. Le maître d'école jeta à terre son plectre blanc et plongea ses doigts nus dans les cordes comme dans une harpe ou dans une eau striée de sillages contradictoires ou une cellule à barreaux ; il basculait, bousculait, culbutait ses élèves, son pain il devait le gagner avec πr^2, avec le chef de département, le principal, les garnements qui fumaient au fond de la classe : il les bascula, les bouscula, les culbuta jusqu'à s'épuiser dans cette flagellation, jusqu'à être purifié pour l'amour de ce frisson, de ce reflet — ensuite, comme un éclaboussement, comme l'eau métallique que fait jaillir la pénétration d'un plongeur, la musique juste et absolue bégaya ; tel un bâton sur les rayons d'une roue. L'instituteur pinça, frappa, tapa le finale et les enfants roulèrent en masses haletantes sur le tapis, fourbus, le ventre douloureux d'avoir trop ri. Sophie ferma son piano. La jalousie le lui fit fermer avec la grâce simple de quelqu'un qui rentre à peine d'un décevant voyage à

l'étranger — s'il n'y avait eu la piqûre de cette guitare
(elle avait envahi la pièce, insecte rapide, bruyant,
géant, subtil, avec des milliards de pattes, des ailes de
nylon, une taille nulle, des antennes rapides et insi-
nuantes), elle, Sophie, serait en train de faire retentir les
longs trémolos de gigolo européen de l'élégie de
Massenet : c'était là son meilleur morceau.

Ce fut donc Frieda qui vint le chercher.

— Pug ? Viens que je te présente à Gerda.

Il la suivit. Quelque chose tira cruellement sur son
fond de culotte ; pinça très fort sa fesse.

— Mon ange, cette fois-ci, ne fais pas le sot, mon
chéri. Un joli morceau de femme, je l'ai vue de mes
propres yeux. Je n'ai pas la berlue, un peu de sang dans
l'œil, ça n'empêche pas ! dit le père du docteur,
parfaitement éveillé.

Avec un geste de cavalier ganté, il ouvrit son poing et
replanta ses dents dans son visage ; toutes seules elles
grimacèrent un sourire.

— Tu aimes, alors tu te maries, tu aimes pas, alors tu
te maries pas, mais pourquoi tu n'aimerais pas ? C'est
facile d'aimer. Une femme comme tes sœurs, seulement gentille, instruite — des bonnes filles, rien à
redire ! Si elle lit trop, tu lui dis de laisser tomber. Trop,
c'est trop, cinquante ans, c'est trop, faut te marier !
Demain, on fera une noce, fiston, chéri, docteur,
imbécile, idiot, dingue...

Frieda réussit à l'entraîner à la cuisine pour un jus
d'orange. Ensuite :

— Pug, je te présente Mlle Steinweh. Gerda, voici
mon frère, le Dr Pincus Silver.

— Steinway ? demanda le docteur.

— Une parente très éloignée des pianos, vraiment une branche cadette, moi, malheureusement, je n'ai rien d'un piano, pas même la pédale douce, dit la conseillère d'orientation, une humoriste.

Ils s'assirent ensemble sur le divan pour regarder les autres danser le *Virginia Reel*.

— Vous avez une grosse clientèle ?

— Assez grosse, dit le docteur, cachant sa pauvreté.

— Mon cousin Morris est pharmacien. Il dit que tous les docteurs devraient passer chez un graphologue.

— Trouvez-vous, dit le docteur au désespoir, qu'actuellement vous avez plus d'élèves motivés par l'entrée à l'université ?

— *Ma non troppo.* Qui c'est, celui-là ?

Mlle Steinweh pointa l'index.

— Le chauve en train de faire do-si-la-do avec les gosses ? Le clown ? Je le connais.

— C'est mon beau-frère, Irwin Sherman.

— Il est aussi dans les professions libérales ?

— Dentiste.

— Je me disais bien. Comme le monde est petit ! C'est lui qui a joué un mauvais tour à ma copine l'an dernier à la montagne. Il lui a dit qu'il n'était pas marié, puis elle regarde dans la poche où il met ses clés et voilà qu'elle trouve une alliance. Il est marié à *celle-là ?*

Mlle Steinweh pointa à nouveau son index.

— Non, ça, c'est ma sœur Olga. C'est Sophie, la femme d'Irwin.

— Elle a beaucoup d'al-lure. Vous me croirez si vous voulez, je ne me doutais pas que Marv était musicien. A l'école, il est géométrie sur toute la ligne, on l'entend à peine. Sa femme était au courant ?

Le docteur était un peu perdu.

— Pour la montagne. Sa femme à lui. Qu'il racontait à tout le monde qu'il n'était pas ?

— N'était pas…

— Marié. Regardez-le un peu. Un clown, il se prend encore pour un gamin (l'index de Mlle Steinweh désigna le dentiste). A propos, bon anniversaire !

— Merci, dit le docteur qui se sentait étouffer.

— On me dit que vous êtes encore célibataire. A votre âge ! Bon, ne vous en faites pas, j'ai le même point de vue. Soit l'homme de ma vie, soit personne.

Le docteur fit un effort. Il fit l'impasse sur la crampe nerveuse dans son mollet. Il fit ce que ses sœurs attendaient de lui : sa voix se tendit, monta d'un cran. La vie ! clamait-il. Vie, vie, où es-tu, où es-tu partie, pourquoi ne m'as-tu pas attendu ? Je veux vivre ! clama-t-il.

— Oh ! vous, dit-il d'une voix nouvelle, légère, agressive, voilée pourtant et pleine d'espoir, on ne peut vraiment pas dire que vous en soyez au même point que *moi*, Mlle Steinweh…

— Appelez-moi Gerda. Vous ne croyez pas qu'à trente-six ans je suis vieille ? Je ne suis pas jeune, je vous assure. Tout le monde me dit que je n'aurais pas dû faire une maîtrise, c'est en psychologie clinique. Moi, je me le tiens pour dit. Je ne laisse pas dépasser ma science, pas plus que mon jupon, dit Mlle Steinweh en riant et en montrant ses cuisses que recouvrait, vraisemblablement, le jupon. En vérité, j'ai accepté, vraiment, j'ai accepté. Et vous ?

— Accepté quoi ?

Il ressentit comme un effondrement. Sa voix était lourde, très lourde.

— De rester célibataire.

— Pas du tout, dit le docteur.

— Vraiment ?

— Non, absolument pas.

— J'aurais cru qu'à cinquante ans, vous auriez accepté.

— Non, non, insista le docteur. Ce n'est pas ce que je veux dire. Je veux dire que je ne suis pas ce que vous pensez. Je ne suis pas — que sa voix était pesante, son souffle pesant ! — je ne suis pas célibataire.

— Comment ça ? Mais Frieda...

Mlle Steinweh pointa son doigt vers Frieda. Très loin, dans la cuisine, elle était en train de laver la pelle à gâteau.

— Frieda m'a dit que vous étiez célibataire.

— Frieda ne sait pas. Marvin non plus. Personne ne sait.

— Je n'y comprends rien, dit Mlle Steinweh et le docteur la saisit pour la première fois.

Les affres de la capitulation fouettaient déjà sa bouche. Elle était pareille à ses sœurs, perdue : son père, l'esprit aiguisé par de sempiternelles injures, avait tout de suite reconnu en elle une fille spirituelle, la fille ratée d'un camelot raté : avec son astuce de commerçant, son père avait déjà décrit la capitulation et la perte. Mlle Steinweh était très brune, brune comme Olga, mais ses yeux étaient gris comme ceux de Sophie et sous les yeux, le docteur nota un petit froncement, un plissement, une ombre de cordon tiré ; même chose sous le menton, une lassitude du moule, une bouffissure, une mollesse, une perte de précocité. Et, malgré tout, elle avait une longue chevelure de jeune fille, des lunettes de jeune fille, un mouvement de tête abrupt de jeune fille, et un geste de jeune fille lorsqu'elle pointait l'index : c'était un coucher de soleil, la dernière heure avant la nuit, la chaleur de sa dernière jeunesse en décrue, elle était sur le point de basculer dans les tortures d'une transition. Le docteur eut pitié d'elle. ce qu'il avait subi, elle le subirait à son tour. Il la vit à cinquante ans et seule, plus démunie que ses sœurs, sculptée de crèmes et de fards, le col de l'utérus désert, ses marées rouges en décroissance, en disparition ; de la malveillance dans ses joues énergiques.

— C'est une blague ? dit-elle. Je ne crains pas les blagues, je vous assure.

— J'ai une femme, dit le docteur.

— Vous êtes marié ?

— Oui.

— Et elles n'en savent rien ? Vos sœurs ? Votre père ? Je n'y comprends rien.

Elle lui lança un regard fûté.

— Dans ce cas, pourquoi me le dire à *moi* ?

Mais il se fit plus futé qu'elle.

— C'est le contraste qui m'a poussé. Vous ne me rappelez pas ma femme. Ma femme ne vous ressemble pas. Elle ne ressemble pas à Sophie, elle ne ressemble pas à Olga. Dieu sait, elle n'a rien de commun avec Frieda.

— Un mariage secret ? demanda Mlle Steinweh se penchant vers lui. Depuis combien de temps ?

Choisissez un chiffre au hasard (se dit-il). Il était

bien assez rusé, il était le fils de la ruse, la ruse était sa sœur, la ruse était le gène primitif.

— Une douzaine d'années. Il le fallait, il le faut. Qui pourrait se charger de mon père ? Nous sommes tous plus pauvres les uns que les autres...

— Pauvre ? interrompit-elle en pointant l'index vers sa poche de poitrine. Vous avez dit que vous aviez une grosse clientèle.

— Une grosse, grosse, pauvre, pauvre clientèle.

— Vous auriez pu attendre qu'elle croisse, dit-elle d'un ton avisé. Croisse financièrement, je veux dire.

— Il y a des choses dans ce monde qui ne croissent jamais. Elles naissent d'une certaine façon et elles restent pareilles à ce qu'elles étaient au départ.

Il s'arrêta pour regarder la petite fille d'Olga dans sa danse ardente, se faufilant entre les danseurs du *Virginia Reel*, solitaire, à la poursuite de quelque chose qu'elle était seule à voir : une pierre précieuse, là, juste devant elle, un appel rayonnant.

— On ne peut pas regretter quelque chose qui n'a jamais existé. Il faut mesurer la vie à l'aune de ce qui vous est arrivé et non pas de ce qui n'est pas arrivé. Vous croyez que mes sœurs peuvent croître ? Vous croyez que mon père peut croître ? Qui demande à une pierre de croître ?

Il la regarda attentivement.

— Vous ne me croyez pas ?

— Je ne comprends pas. C'était seulement à cause de votre père ? Il n'aurait pas pu venir habiter avec vous ?

Le docteur se couvrit le visage. Une furie vivante entra dans sa gorge.

— Je *ne peux pas* vivre avec mon père, dit-il.

Elle se replia ; elle chuchota :

— Ce que vous me dites là, ce n'est pas seulement — vous me comprenez — un arrangement.

— Un mariage, dit-il d'un ton solennel en la regardant par en dessous. Nous avons un acte de mariage en bonne et due forme. Nous avons des enfants.

— Des enfants ! s'exclama Mlle Steinweh en s'abstenant de pointer son index.

— Trois. Onze ans, neuf ans et quatre ans. Deux filles et un garçon.

— Et elle accepte ça — elle se laisse faire ? Votre femme ? Qu'est-ce que c'est que ce mariage ? Qu'est-ce que c'est, un père comme ça ?

— C'est normal. Tout est normal. Pas de mari caché, pas de père caché. Un soir par semaine, je prends le train et je vais à New York. Il y en a pour vingt minutes. Mes sœurs pensent que je fais des visites. Tous les week-ends, je prends le train. Les familles de représentants de commerce sont plus mal loties que ça.

— Et elles ne savent pas ? Vous ne leur avez jamais dit ? Vos sœurs, votre père ? Pourquoi ne rien leur dire ?

— C'est trop tard. Trop dangereux. Mon père a eu toute cette série de constrictions vasculaires. Je ne suis pas sûr qu'il survivrait à une mauvaise surprise — à un choc.

— Vous pourriez le dire à vos sœurs, insista Mlle Steinweh, et leur dire de ne rien dire à votre père.

— Il finirait par savoir. Il finit toujours par savoir.

— Mais pourquoi ne pas l'avoir dit à tout le monde
dès le début ?

— Par défaut, par défaut ! s'exclama-t-il.

Humblement, il ajouta :

— Je voulais une vie différente.

— Pour être différente, elle l'est ! dit Mlle Steinweh
d'un ton rieur.

Mais elle ne riait pas, elle ne hochait pas la tête ; elle
regardait le docteur.

— Comment est-elle ?

— Ma femme ?

— Oui. Un être pareil.

— Très jeune. Bien plus jeune que moi. Bien plus
jeune que vous. Il ne lui échappa pas à quel point ce
propos la blessait. Une émigrée. Une fugitive. Elle a
enduré de terribles privations pour arriver à sortir. Très
timide. N'a jamais bien appris l'anglais. Elle parle russe
comme un oiseau.

— Russe ?

— Les enfants sont parfaitement bilingues. A part
cela, à part tout ce qui est déposé dans le cerveau de ma
femme — elle ne parle jamais de ses souvenirs,
seulement de la neige et du patinage à Moscou —, il
n'y a rien de russe dans notre appartement. Ah ! si,
il y a un samovar, mais on l'a acheté à New York.
On l'a acheté à Delancey Street. Elle est plus vieille
qu'elle était lorsque je l'ai vue pour la première fois,
mais elle est toujours très belle. Il y a une âme en
elle.

L'instituteur tira de sa guitare un brusque éclair dont
la résonance fit trembler le docteur.

— Ah, *maintenant*, je vois, dit Mlle Steinweh. Elle

ne sait pas où elle a mis les pieds. Elle ne connaît pas les habitudes du pays. Elle est entièrement dans vos mains, elle est à votre merci.

— Elle m'appartient, avoua le docteur.

— C'est pas joli, dit Mlle Steinweh. C'est horrible. Vous devriez l'emmener dans votre propre ville. Vous devriez la présenter à vos sœurs.

— Oh ! mes sœurs !

Elle se leva et continua à le dévisager avidement.

— Vous êtes heureux comme ça ?

— Nous sommes très heureux tous les deux.

Puis un mot resplendissant apparut comme un fantôme : la béatitude, mais il ne l'utilisa point.

— Tous les deux, nous sommes très heureux. Les enfants vont bien.

— Tant que les enfants vont bien, c'est le principal, les enfants vont bien.

Il était stupéfait. Elle le raillait :

— Vous êtes des porcs, les uns et les autres — des porcs, des imposteurs, sans quoi je ne serais pas ici, je n'ai pas de jours à perdre dans ma vie. Porcs ! Je n'ai pas de nuits à perdre !

Lorsque le dentiste la vit qui venait vers lui chancelant sur ses hauts talons, il se rengorgea et, le cou rouge, alla importuner son beau-frère pour qu'il joue une rumba.

Le docteur les regarda danser, le dentiste et la conseillère d'orientation. Mlle Steinweh dansait bien — elle n'était pas aussi experte que le dentiste, mais elle n'avait pas peur de lui. Ses bras étaient épais, mais sinueux. A l'autre bout de la salle de séjour, tapissée des grossières copies de Van Gogh et de Degas faites par Sophie, elle avait l'air gentille. Elle dansait avec le dentiste et était gentille avec lui.

Puis le photographe s'empara encore du docteur pour lui soumettre une nouvelle idée qui allait le rendre célèbre.

Le papillon et le feu rouge

Jérusalem, ce phénix d'entre les villes, n'est pas connue pour ses noms de rues. Pas plus que Bagdad, Copenhague, Rio de Janeiro, Camelot ou Athènes ; pas plus que Pékin, Florence, Babylone, Saint-Pétersbourg. A ces capitales de légende il ne manque pas une flèche, pas un filigrane, pas un dôme fabuleux ; elles surgissent devant nous au bout d'une plaine, derrière une colline ou un nuage, entourées des remparts et fossés du mythe et de la rumeur antiques. Elles sont faites de cuivre, d'argent et d'or ; fondées sur des pierres blanches comme le lait ; incrustées des trônes étincelants de rois idéaux. Balcons, parcs, petits portails, colonnes et statues, remises pour carrosses et étables, greniers, cuisines, pignons, tuiles, cours, clochers de rubis, toits rutilants, paons, chiens de manchon, nobles dames, mendiants, tours, tonnelles, ports, barbiers, perruques, juges, tribunaux et vins de toutes sortes — voilà qui les emplit. Et pourtant, bien que nous soyons frappés par l'éclat du moindre caillou sous le plus humble des pieds dans tous ces hauts lieux de légende, aucune rue n'est célèbre. Je ne sais pourquoi les artères des belles villes sont obscures, à moins, bien sûr, de compter Venise : mais un canal, ce n'est pas la même chose qu'une rue. Les chemins, les avenues, les places et les squares des vieilles villes sont perdus pour nous, nous refusons d'y penser, ils tracent comme de méchantes rayures sur le lisse émail de nos villes dorées ; nous les avons presque toutes oubliées. Une coupe transversale ne nous séduit point — nos villes, comme nos désirs, nous les voulons entières.

Il en va autrement dans les endroits de médiocre réputation et dans ceux où le temps n'a pas encore daigné s'installer à demeure. Il en va autrement surtout en Amérique. On nous dit que Boston est notre Jérusalem ; mais comme tous ceux qui l'ont habitée le savent, Boston ne possède qu'une moitié d'histoire. L'honneur, la pompe, des événements vénérés, les grandes familles, l'Athenaeum et l'Orchestre symphonique appartiennent à Boston ; mais il lui manque une tradition tragique. Boston n'a jamais pleuré. Aucun Bostonien, se lamentant pour sa ville, n'a jamais chanté : « Si je t'oublie, que ma langue colle à mon palais », car, pour produire son accent, la langue du Bostonien se trouve déjà dans cette position. On nous parle de Beacon Hill et de Back Bay, du marché Faneuil et de State Street ; tout est coupe transversale, tout est plan. Et le Capitole avec son dôme d'or (peu importe que Paul Revere ait fourni la première couche de feuilles d'or : à l'époque il était homme d'affaires et non pas cavalier) reverbère des couchers de soleil furieux avec une vantardise criarde dont Carthage au sommet de sa puissance aurait eu honte. Pas de brume féerique à Boston. Certes, ses noms de rues sont fameux : Boylston, Washington, Commonwealth, Malborough, Tremont, Beacon ; et aussi les places : Kenmore, Copley, Louisburg et Scollay —, prouvant amplement qu'à Boston, contrairement à Jérusalem, le tout ne transcende pas ses parties matérielles. Boston a une histoire de quartiers. Jérusalem a une histoire d'histoires.

Les autres villes américaines sont encore moins bien loties. Ce n'est pas seulement qu'elles manquent de la plus rudimentaire légende, qu'elles portent des noms plats et sans imagination, la moitié se terminant en « burg » et l'autre moitié en « ville », ou que rien ne s'y soit jamais passé. Contrairement aux anciennes capitales, elles ne sont pas implantées dans notre vision, nous ne les connaissons pas dès avant notre naissance, comme si nous y avions séjourné dans quelque migration antérieure : car personne n'est étranger à Jérusalem. Et, à la différence même de Boston, la plupart des villes américaines n'ont pas de lieux mémorables, point de cimetières enchâssés par les siècles (bien que la mort, elle, soit célèbre partout), pas de parc vert témoin d'un massacre, du meurtre d'un poète ou d'un mariage de haut rang. La ville américaine, hélas, n'a pas d'identité laissant entendre qu'elle est immortelle ; nous ne la reconnaissons que par ses noms de rues omniprésents : parfois Main Street, parfois High Street et souvent Central Avenue. La grandeur dédaigne de telles rues. Là, tout n'est qu'ambition et aspiration et rien dont on puisse se souvenir. Cicéron a dit que les hommes qui ignorent ce qui s'est passé avant leur époque sont comme des enfants. Mais Main, High et Central n'ont pas de passé : ou plutôt leur passé, c'est leur présent.

Ce n'est pas la faute des habitants que rien ne soit arrivé avant eux. Il ne faut pas non plus les condamner s'ils cherchent à mettre en vedette ces colonnes vertébrales de leur ville, s'ils confèrent un lustre exécrable et une fausse notoriété à Central, High ou Main, s'ils dressent des minarets et des marquises comme si leur ville existait déjà dans le rêve et la fable. Mais c'est dans ces lieux où une artère en particulier passe pour le centre de la vie, le cœur de l'action, la grande rue, que nous savons que la ville n'est qu'une trace prénatale. Ces vanités, ces divisions se consument dans le four de l'histoire. Lorsque pendant un millénaire les rues ont été oubliées, alors naît la divine cité.

Dans le village agricole où le brasseur Torenquist avait choisi d'établir son Grand Collège, l'artère commerciale d'origine s'appelait banalement « centreville », puis prit le nom plus respectable de Main Street, puis, convoitant quelque aménagement civique, Torenquist Road. Mais le Taureau Sacré s'était voué à la fondation et la perpétuation de l'agriculture scientifique et ne se souciait guère de mettre son argent dans des pavés et autres fioritures urbaines. Ainsi les édiles municipaux (car à présent c'était devenu une vraie ville, grossie par les pensions de famille et les tavernes fréquentées par la foule des étudiants agricoles), les édiles, donc, se grattèrent la tête à la recherche d'allusions historiques enracinées dans le folklore local, mais ne trouvèrent rien jusqu'à ce qu'un beau jour, un voyageur de commerce du nom de Rogers vendît au maire « une archive » — froissée, déchirée, maculée d'eau, roussie par le feu et du reste l'air fort ancien, c'était un volume holographe contenant soi-disant les registres et journaux d'un certain colonel Elihu Bigghe. Par une heureuse coïncidence, cet officier plutôt obscur était passé dans les parages pendant la guerre avec une troupe de deux cents hommes, affirmait le document ; une escarmouche avait eu lieu à l'endroit même où se trouve l'actuelle caserne des pompiers. Selon d'aucuns, la « guerre » était la guerre de Sécession tandis que d'autres affirmaient péremptoirement qu'il s'agissait d'une des guerres mineures contre les Indiens — après tout, on ne pouvait pas demander à Bigghe de fournir des indices dans un journal privé. Quoi qu'il en soit, l'escarmouche y figurait en détail — cent ennemis ou plus tués ; pas un seul des nôtres, quatre-vingt-dix-sept de leurs blessés ; nos survivants tous sains et saufs, à l'exception de trois ; la bravoure de notre côté ; la lâcheté et la brutalité du côté de l'ennemi ; et bien d'autres remarques pieuses et patriotiques sur la Patrie, le Créateur et la Charité Chrétienne. Une dizaine d'années environ après cette remarquable découverte, le maire eut vent de l'arrestation de Rogers pour faux, quelque part dans l'Est, et se demanda secrètement s'il ne s'était pas fait avoir ; mais les journaux de Bigghe étaient depuis belle lurette dans une vitrine du hall de la mairie qui embaumait le désinfectant, des troupeaux d'enfants conduits par leurs maîtres venaient régulièrement les contempler, de fastidieux discours de Fête nationale avaient été ânonnés lors de la commémoration annuelle devant la caserne des pompiers et la plupart des gens avaient oublié que Bigghe Road avait jamais porté le nom du brasseur peu généreux. Et qui pourrait en vouloir aux habitants si, au bout d'un demi-siècle, ils se mirent à l'épeler Big Road ? Car le bourg était devenu une ville — vaste et emplie de clameurs.

Fishbein la tenait pour une imitation de ville. Il prétendait (ce qui n'était pas la stricte vérité) avoir visité toutes les capitales d'Europe et pourtant jamais il n'avait rien vu qui égalât Big Road en nom et en nature. Il se plaisait à décrire comment les rues d'Europe étaient, pour utiliser son propre terme, « employées » : il les peuplait de mendiants et de clochards — « ils ont leur argent et leur lit dans la rue » — et de foules rassemblées pour des émeutes, des réjouissances, ou de la politique — « à Moscou, ils, je veux dire les révolutionnaires, remplissaient trois troïkas de Russes blancs et les abattaient, les Russes blancs, je veux dire, et les laissaient galoper dans la rue, les chevaux je veux dire, le temps de faire tomber tous les cadavres » (mais il n'était jamais allé à Moscou) — et de voyageurs avec un objectif et une destination — « ils utilisent les rues là-bas pour aller d'un endroit à l'autre, la mission originelle des rues, n'est-ce pas ? » Fishbein estimait que si l'existence d'une ville se justifie par elle-même, une rue, c'est quelque chose d'utilitaire. En revanche, les utilisations de Big Road étaient manifestement dérivatives. De l'avis de Fishbein, Big Road était née uniquement pour que la ville puisse avoir un centre conscient — à l'instar du noyau d'une cellule qui démontre la nature de la cellule et veille à son bien-être (« bien que, raisonnait Fishbein, dans la cellule on puisse se demander si le noyau existe dans l'intérêt de la cellule ou la cellule dans l'intérêt du noyau : alors qu'il est évident qu'une ville informe comme celle-ci exige une centralité qui lui enseigne l'idée de la forme »). Mais si la ville avait pris modèle sur Big Road, elle se serait allongée tel un serpent avec d'imprévisibles et brusques enroulements. Cela ne s'était pas produit. Big Road rampait, cheminait laborieusement, courait, mais la ville, elle, grignotait telle ferme puis telle autre et ne cessait de s'étaler sans autre structure que l'exubérance et la rapacité. Et si Fishbein devait chercher ses analogies dans la biologie, ou la botanique, ou l'histoire, la ville était fière de posséder cette Big Road qui stimulait de telles comparaisons.

Big Road changeait avec le jour et la nuit, avec les jours ouvrables et les week-ends. La lumière du jour, celle du soleil et même celle de la pluie conféraient une ombre à toute chose, hiver comme été, et ainsi chaque personne, chaque objet avait son double tenace et désespéré. Une sorte de dédoublement régnait dans la rue, comme si on se souvenait d'avoir déjà vu ceci ou cela. Elle collait aux magasins couverts de pancartes, aux vieilles femmes à la démarche paresseuse (toutes avec la même tache de fard au centre géométrique de leurs joues comme si elles étaient atteintes d'une fièvre sénile qui aurait déjà pris les proportions menaçantes d'une épidémie), aux feux de signalisation accrochés à leurs câbles, à l'air fourmillant de l'accent du cru.

Cette lancinante impression de déjà-vu était un sujet de prédilection des discours que Fishbein tenait à sa compagne de promenade.

— C'est l'Amérique qui se répète elle-même. Qui imite ses pires habitudes ! N'ai-je pas vu la même chose partout ? C'est l'urbanisation simultanée, où qu'on aille, on croirait entendre le barreur crier : « Tous ensemble, les gars ! » — Ce réverbère, je l'ai vu il y a des années à Birmingham, ce même bol festonné vacillant sur une tige de fer forgé. En Europe, au moins, chaque ville a des réverbères différents, avec leur propre caractère. Et ce feu de signalisation ! Il n'y a pas d'intersection ici, alors à quoi ça rime de l'avoir mis là en plein désert ? Je vais vous dire : ils l'ont installé pour faire semblant d'être une vraie ville — pour taquiner les passants assez naïfs pour s'y arrêter. Et ce cliquetis et ce bourdonnement, ce feu qui s'allume et qui clignote, pourquoi est-ce que c'est pareil partout ? Répétition et répétition, rien qui ait une signification propre...

— Ils ne me dérangent pas, on dirait des statues abstraites, répondit un jour Isabel. Comme si nous étions des étrangers venus d'une autre partie du monde et que nous les prenions pour je ne sais quelles icônes religieuses, avec un œil rouge et un œil vert. Surtout ceux qui sont sur des pylônes.

Il reconnut dans ce propos ses propres fantaisies, vulgarisées, ruminées et littéralisées. C'était lui qui avait appris à Isabel à penser de la sorte. Mais elle avait une fâcheuse réticence à envoyer promener la logique ; elle n'était pas capable d'enfourcher sa propre intuition.

— Non, non, protesta-t-il, c'est que vous ne savez pas ce qu'est une icône ! Un feu de signalisation ne pourrait jamais être autre chose qu'un feu de signalisation. Vous imaginez une religion qui n'aurait qu'une seule version de sa divinité — toute une rangée d'icônes identiques dans chaque ville ?

Elle réfléchit rapidement :

— Une religion avancée. Monothéiste, je veux dire.

— Et qu'est-ce qui vous dit que le monothéisme est avancé ? Au contraire, ma chère petite ! C'est aussi sot de se fixer sur un seul dieu que de se fixer sur une seule idée, vous ne voyez pas ? L'indice de l'avancement, c'est la flexibilité. Les tempéraments humains sont si variables, comment un seul Dieu pourrait-il les satisfaire tous ? Les Grecs et les Romains avaient un dieu pour chaque personnalité, tout comme l'Église a un saint pour chaque humeur. Les sauvages, les hindous et les catholiques comprennent tout cela. Seuls les juifs et leurs imitateurs insistent sur un Dieu inflexiblement unitaire — je ne peux imaginer rien de plus malheureux pour l'histoire : c'est la porte étroite, comme Dieu imposant sa volonté à Job. Ce qui est honteux dans cette fable, c'est que Job ne se soit pas tourné vers un autre dieu, un dieu plus conforme à ses illusions. C'est ce qu'aurait fait n'importe quel homme sensé. Et alors les pustules n'auraient-elles pas disparu d'elles-mêmes ? — la Bible dit clairement qu'il ne s'agissait que d'une maladie nerveuse psychogénique — n'est-ce pas ce qu'on entend par « Satan » ? Il n'est pas de désastre qui ne découle du manque d'imagination : je vous l'ai déjà dit, chère petite. Prenez la guerre des Maccabées par exemple, voilà un événement totalement incompréhensible ! Tout ce que voulait Antioche IV — il était empereur de Syrie à l'époque —, c'était placer une statue de Zeus sur l'autel du Temple de Jérusalem, une affaire bien innocente — à qui cela pouvait-il nuire ? Notez qu'Antioche lui-même ne se souciait guère de Zeus — comme agnostique on ne fait pas mieux : de toute façon c'était un philosophe. Dans toute cette affaire, il s'agissait seulement de symboliser l'hégémonie syrienne. Ça ne valait pas la peine de faire une guerre pour se débarrasser de la chose ! Un peu de largeur d'esprit, voyez-vous, un peu d'imagination, un peu de *flexibilité,* je veux dire — il devrait y avoir place pour Zeus et pour Dieu sous le même toit... C'est pourquoi les feux de signalisation ne feraient pas de bonnes icônes. Ils n'ont pas été conçus dans un esprit pluraliste, ils sont tous exactement pareils. Les icônes devraient être différentes les unes des autres, vous comprenez ? Une icône n'est qu'un masque, voilà l'affaire, un masque symbolique qui représente une idée.

— Auquel cas, tenta de répondre Isabel, si un feu de signalisation était une icône, il représenterait deux idées, arrêt et marche...

— Arrêt et marche, vertu et vice, logique et loi ! Pourquoi êtes-vous toujours sur le point de moraliser, ma chère petite, alors que c'est la fièvre et pas la morale qui fait tourner le monde ! Vous croyez que les masques n'existent que pour dire la vérité ? Mais non, ils sont là pour cacher, pour induire en erreur aussi... C'est une maxime, vous savez : un masque révèle, l'autre occulte.

— Et lequel vaut mieux ?

— Ça dépend lequel vous portez à tel ou tel instant.

Il lui parlait souvent de cette manière parmi les foules nocturnes de Big Road. Parfois, trop ergoteuse pour être émue, elle gardait ses mains dans ses poches, choisissant alors à l'improviste un tournant, il enroulait une corde de ses cheveux autour d'un doigt et la tirait derrière lui comme en laisse. Elle suivait toujours sans broncher : elle n'avait guère besoin d'être menée. Parmi tous les marcheurs nocturnes, ces deux-là semblaient obscurcis, tamisés, et comme pris dans une brume de chaleur sous une lune d'automne, une de ces lunes rustiques et étincelantes propres au Middle West. Il parvenait à conclure une sorte d'armistice avec la rue. Non point une réconciliation, rien d'aussi amical, pas même une cessation d'hostilités, seulement une suspension momentanée de l'agression. Faire la paix avec Big Road eût été faire la paix avec l'Amérique. Et comme la chose était impossible, il se contentait de faire joujou avec des masques, des icônes et les longs cheveux bruns d'Isabel.

A l'annonce du week-end, après le crépuscule, le fatras de banderoles, les parades, les caravanes de décapotables avec leurs accessoires bizarres disparaissaient et les étudiants venaient arpenter la rue. Ils se cherchaient les uns les autres avec des blagues et des pitreries, brillantes et énigmatiques dans la nuit qui tombait, des voix flottaient dans l'air, fusaient tout au long de la rue et célébraient la folie du vendredi. On assistait au geste superbe du soulagement : les magasins déjà fermés avec leurs vitrines encore illuminées, et les mannequins se penchant en avant dans les cages de verre avec leur rictus d'horreur peinte et leurs yeux maléfiques : puis la sortie des films de pirates (nous sommes en 1949, mes chéris) et les grappes d'étudiants coulant en rangées brillantes, comme les perles d'un collier, passant devant les affiches déchaînées avec des vagues rouge sang, et des bateaux à grands mâts, et des belles aux cheveux noirs criant au secours, sortant du palace parfumé pour gagner les drugstores et les marchands de glaces. Délicieux, délicieux, tout cela était délicieux là-bas, devant les magasins, parmi les autos roulant au pas, sous les réverbères répétitifs et la lune sans pareille. Sur les trottoirs les filles bourgeonnaient comme des fleurs brodées, leurs cous fins portant des têtes comme des pétales tissés se balançant sur leur tige. Elles étaient vêtues de minces robes sur lesquelles elles avaient jeté de courts manteaux pareils à des capes ; elles n'avaient pas de bas et leurs mollets nus et ronds avançaient hardiment dans un tourbillon de jupes arc-en-ciel ; l'os blanc et preste des chevilles tranchait le souffle du vent. Une sorte de convoitise poussait Fishbein à se mêler à elles.

— Regardez celle-là, disait-il dévoré de désir, se retournant dans le sillage de ces jeunesses pour observer leur démarche, regarder les filaments de leurs robes semblant flotter au-dessous de leurs bras levés en un geste et les étincelles sèches de leurs yeux pétillant comme des fils d'araignée.

Il s'arrêtait alors tant qu'Isabel n'avait pas regardé à son tour.

— Êtes-vous jalouse de ne pas être l'une d'elles ? Dans ce cas, consolez-vous.

Mais il la voyait qui étudiait sa convoitise et déchiffrait son admiration.

— Consolez-vous, redit-il. Elles ne sont pas libres de devenir elles-mêmes. Elles ne sont pas pareilles à vous.

— Oui, dit Isabel, elles sont plus jolies.

— Elles sont promises à la corruption. Le temps les

vaincra. Elles n'ont que ce seul moment, comme des papillons.

— Cela fait plaisir de regarder des papillons.

— Oui, c'est une sorte de joie, ma chère petite, mais pleine de poison. Elle s'inscrit dans la connaissance de la mort prochaine. Le papillon ne nous attire pas seulement parce qu'il est beau, mais parce qu'il est transitoire. La chenille est plus laide, mais en elle nous pouvons contempler la joie plus grande du devenir. Le sort de la chenille est l'épanouissement. Le papillon, c'est un gaspillage.

Ils s'arrêtèrent au milieu des jeunes filles qui tournoyaient et murmuraient dans leurs robes légères et leurs petites capes tronquées, avec leurs cheveux jaunes, leurs cheveux presque blancs, leurs cheveux tabac, leurs chevelures brunes et roses. Sveltes, oh, les jeunes dames. Tout était délicieux parmi ces essaims ébouriffés, grouillant de rubans flottants et de ceintures nouées, donnant le change avec leurs bijoux pour faire semblant, bijoux épinglés sur la poitrine, accrochés à une barrette, brillant même sur la monture de leurs lunettes. Cette gaieté étrangère enveloppa Fishbein ; il se laissait bercer par cette vague puissante. D'un magasin de disques sortait un tremblement sauvage de jazz, des yeux se déroulèrent comme des cordons de soie cherchant à tâtons d'autres yeux : la rue bouillonnait du rire des jeunes filles. Et Fishbein, figé au cœur de ce tourbillon, se replongea une fois de plus dans la guerre avec la rue et avec l'Amérique où tout était illusion et où toute illusion débouchait dans la désillusion. A quoi bon alors s'exclamer Oh dames lyriques, à quoi bon psalmodier Oh langoureuses limpides dames de novembre, Oh dames chantantes, cheminantes, charmantes — alors que la corrosion attendait son heure dans leurs oreilles, qu'il voyait les vers se multiplier dans leurs bijoux déliquescents ?

Cependant, la logique fronçait les sourcils d'Isabel :

— Mais c'est seulement parce que l'avenir de la chenille est plus long et que son destin est plus éloigné. Elle aussi finira par mourir.

— Non, jamais, jamais, dit Fishbein, c'est seulement le papillon qui meurt et alors il a depuis longtemps cessé d'être une chenille. La chenille ne meurt jamais. Ne pas mourir et n'être pas immortel, c'est là l'état enviable, chère petite, vivre toujours sur le point d'une splendide métamorphose ! C'est cela être extraordinaire — quand vous l'ai-je dit ? (Il réfléchit). Le premier jour, bien sûr. Le mieux, c'est toujours de commencer par la fin — avec l'image de ce qu'on désire. Si j'avais commencé par le commencement, je vous aurais ennuyée, vous seriez partie... Dans mon royaume idéal, chère petite, tout le monde, même les très vieux, sera passionnément occupé à devenir ce que sera son moi essentiel et à s'y préparer. L'ennui sera contre nature comme une malédiction, ou malsain comme une peste. Tout sera extraordinaire.

— Mais si toute la population était extraordinaire, objecta Isabel, alors personne ne serait extraordinaire.

— Chut, chère petite, pourquoi vous cramponnez-vous à la dialectique ? On ne trouve jamais rien sur cette voie. Il y a des millions de chenilles et pas une seule n'est destinée à mourir et elles sont toutes extraordinaires. Votre but à vous, la sermonna-t-il, alors qu'ils abordaient le quartier plus sombre au-delà de Big Road, c'est d'éviter de devenir un papillon. Venez, lui dit-il et il lui prit la main, vivons pour cela.

Virilité

Vous, vous êtes trop jeune pour vous souvenir d'Edmund Gate, mais moi, je l'ai connu lorsqu'il était encore Elia Gatoff, en culotte de golf, fraîchement débarqué de Liverpool. Aujourd'hui, pour avoir le moindre souvenir d'Edmund Gate, il faut être mon compatriote, à savoir un centenaire. Un homme qui a atteint cent six ans est toujours séquestré dans une île d'Elbe métaphysique, mais Elbe sans même la métaphore d'un Napoléon — une île où l'existence même de Napoléon a été oubliée depuis si longtemps qu'il est impossible de croire à son influence et encore moins à sa gloire. Il est rude et désolé, ce pays de l'exil — nous, ses habitants (ou plutôt les survivants, car c'est ainsi qu'on devrait nous appeler dans notre onzième décennie) sommes si clairsemés, si mutilés, si peu fiables quant à la chronologie récente, tellement à contre-courant de vos idées de grandeur, que notre mentalité se singularise de plus en plus et qu'il serait logique de nous accorder notre propre drapeau. Ce n'est pas que nous nous isolions de vous, c'est vous plutôt qui avez fait sécession — vous autres, avec vos sélénonautes, vos pêcheurs infra-abyssaux, vos biscuits aux algues et votre orthographe réformée qui fait fi de l'étymologie, toutes choses au vu desquelles je ne peux guère espérer vous faire croire à un temps où un homme simple et plutôt ignorant a pu atteindre la célébrité que vous ne réservez plus qu'à ces infâmes génies qui exportent des germes de bébés sous enveloppe plastique. Je dirais que c'est ce qu'il y a de pire pour moi et pour mes compatriotes dans le pays du grand âge — que vous ayez coupé les ponts d'avec nos grands hommes. Nos grands hommes et surtout ceux qui étaient seulement célèbres ont glissé hors de vos encyclopédies et disparaîtront totalement et à jamais lorsque enfin nous serons broyés en minerai génétique reconstitué — mélangés à de la farine de poisson, à prendre immédiatement comme antidote après une dose saturante de rayonnements : c'est un détail, une incidente, mais je suis sujet à ces ruminations dans la pesanteur de mon âge et, de temps à autre, je surprends en moi l'aspiration égoïste à une simple pierre tombale où mon nom serait gravé. Comme si, au milieu d'une population d'un milliard un quart, il pouvait y avoir place pour ce luxe totalement obsolète ! — et pourtant, pas plus tard que la semaine dernière, dans l'Ancien Cimetière Préservé, je me suis rendu sur la tombe d'Edmund Gate et en suis revenu convaincu de la beauté de ce cérémonial ancien, bien que dispendieux. De nos jours, nous manquons d'espace pour des mémoriaux matériels ; et personne ne prête attention aux minables poètes.

C'est bien *là* que réside ma plus grande difficulté. Comment vous persuader que dans l'intervalle de ma propre ample existence, il y a eu un moment où un poète — un homme simple, comme je l'ai dit, et plutôt ignorant — a été remarqué, remarqué d'abondance, remarqué même avec une magnificence stupéfiante ? Naturellement, vous n'avez pas entendu parler de Byron, et personne n'a connu d'éclipse aussi totale que ce cher Dylan ; je ne prétendrai pas non plus qu'Edmund ait jamais atteint *cette qualité-là*. Mais il était récité, admiré, traduit, courtisé et même payé ; la presse ne le lâchait pas un seul instant ; certes, Edmund Gate n'avait guère d'influence, même sur sa propre génération — j'entends par là qu'on l'imitait fort peu —, mais quant à la gloire c'était autre chose ! Nous ne la lui ménagions pas. Nous pouvions la donner, cette gloire — à cette époque, c'était en notre pouvoir. Alors que vous autres êtes devenus mesquins, à force de tout mesurer à l'aune du cosmos. Le premier homme qui alla sur la Lune est désormais un petit statisticien recroquevillé quelque part dans un bureau, dépassé par le premier visiteur de Vénus, qui, nous raconte-t-on, passe ses journées couché dans une chambre rancie à boire de la vodka, bavant de jalousie à la pensée de ceux qui vont faire la première tentative pour se poser sur Pluton. A présent, ce sont les étoiles qui dictent la gloire, de notre temps *nous* étions les faiseurs de gloire et nous dictions nos étoiles.

Il mourut (comme Keats dont je suppose que vous n'avez pas entendu parler non plus) à l'âge de vingt-six ans. Ce renseignement, je ne le tiens pas de la tabulation sur microgaufrette, mais de l'invicible pierre tombale elle-même. J'avais oublié ce fait qui m'a touché. J'étais près de croire qu'il avait vécu jusqu'à l'âge mûr : cela tenait à la dernière vision que j'avais eue de lui, ou peut-être à mon dernier souvenir, où je le vois en caleçon, avec une grosse bedaine poilue, des dents ébréchées et noircies et un crâne squameux sur lequel s'étalaient de pâles et maigres touffes de mauvaises herbes. Il ressemblait un peu à un boxeur raté. Je le vois, debout au milieu d'un plancher nu, ahuri, soûl, une main brandissant un journal, l'autre passant tendrement à travers la fente du caleçon pour se refermer sur ses testicules. Les derniers mots qu'il prononça furent ceux que je choisis (cette mission m'incomba) pour son monument : « Je suis un homme. »

Il était pourtant un jeune garçon en culotte de velours côtelé lorsqu'il vint me trouver pour la première fois. Il sentait le salami, la culotte avait des poches effilochées et dégageait des relents de sel. Il m'expliqua qu'il avait marché depuis l'Angleterre, arpenté le pont de long en large. Plus tard, je compris qu'il avait été passager clandestin. Il avait été envoyé en éclaireur à Liverpool avec un faux passeport (nous étions aux temps du tsar), venant d'un trou plein de cabanes en bois et sans trottoirs nommé Glusk, avec ordre d'aller trouver une vieille tante de sa mère à Mersey Street et de rester chez elle en attendant que ses parents et ses sœurs se fussent débrouillés pour les papiers qui leur permettraient de passer la frontière à leur tour. Miraculeusement, il avait trouvé la tante de Liverpool, qui l'avait accueilli avec joie, nourri de pain et de beurre et lui avait montré une lettre de Glusk dans laquelle son père disait que les précieuses feuilles étaient enfin en ordre et bien tamponnées avec des sceaux presque identiques aux véritables sceaux du gouvernement : bientôt, ils seraient tous réunis dans l'alléchante pauvreté de l'Eldorado liverpoolien. Il s'installa chez la tante qui vivait proprettement dans un taudis grisâtre et travaillait toute la journée au fond d'un atelier de modiste, à coudre des voilettes sur les chapeaux. Elle avait toutes les habitudes d'une vieille fille austère et intellectuelle. Il y avait six ans qu'elle était en Angleterre — ayant elle aussi émigré de Glusk dans la légalité et la respectabilité sous un tas de foin au fond du dernier de trois chars d'une caravane de tsiganes en route vers l'ouest, vers la Pologne. Une fois en Pologne (humainement gouvernée par François-Joseph), elle prit le train pour Varsovie où les librairies lui plurent tant qu'elle faillit y rester pour toujours ; pourtant, elle releva prudemment ses jupes pour monter dans un nouveau train — comme elle détestait la suie ! — qui la mena à Hambourg où elle s'embarqua sur un petit bateau propret qui filait droit sur Liverpool. Il ne lui vint jamais à l'idée d'aller un peu plus loin, jusqu'en Amérique : elle avait décidé que pour un étranger la meilleure langue à adopter était l'anglais et elle se méfiait du genre d'anglais que les Américains s'imaginaient parler. Avec un zèle admirable, elle se mit à enseigner cette nouvelle langue, si belle et si ingénieuse, à son petit-neveu ; elle voulait même l'envoyer à l'école, mais, trop absorbé par son attente, il préféra faire le coursier pour le marchand de quatre-saisons moyennant 3 shillings la semaine. Il mettait des pennies dans une petite boîte pour offrir un fichu rouge à sa mère lorsqu'elle arriverait. Il attendit et attendit et prenait l'air abruti lorsque la tante lui parlait en anglais le soir, il attendit immensément, de tout son corps.

Mais sa mère et son père et sa sœur Felge et sa sœur Gittel n'arrivèrent jamais. Un jour de pluie, le mois même où explosa sa virilité (faisant apparaître des baguettes de poils noirs dans le sillon de sa lèvre supérieure), sa tante renonça à l'anglais pour lui dire que ce n'était plus la peine d'attendre : un pogrome les avait tous assassinés. Comme pièce à conviction, elle posa devant lui la lettre, d'un cousin de Glusk : sa mère violée et massacrée ; Felge, violée et massacrée ; Gittel, qui s'était sauvée, rattrapée dans la forêt et violée à douze reprises avant qu'un soldat de passage ne lui épargne le treizième viol en lui tirant amicalement une balle dans l'œil gauche ; son père attaché à la queue d'un cheval de cosaque et envoyé se faire briser le crâne sur les pavés.

Il me communiqua tout cela rapidement, brièvement, sans émotion et avec une effrayante économie. Ce qu'il était venu chercher en Amérique, dit-il, c'était un travail. Je lui demandai ce qu'il avait déjà fait. Il me reparla du marchand de quatre-saisons de Liverpool. Il avait un accent invraisemblable, une véritable salade d'accents.

— Ce n'est guère le genre d'expérience qui peut nous servir dans un journal.

— Eh bien, c'est tout ce que j'ai.

— Et ta tante, qu'est-ce qu'elle pense du fait que tu l'aies laissée comme ça ?

— Elle est du genre indépendant. Ça ira bien. Elle dit qu'elle m'enverra de l'argent si elle peut.

— Écoute un peu, tu ne crois pas que l'argent devrait aller dans la direction opposée ?

— Oh, moi, je n'aurai jamais d'argent, dit-il.

J'étais irrité par sa prononciation — il ne disait pas *money* mais *maouney* — et, à son insu, il était en train de confirmer une de mes théories peu flatteuses sur les candidats à l'américanisation.

— Manquer d'ambition à ce point !

Mais il me surprit avec un sourire contradictoire acéré et grave.

— Je suis très ambitieux. Attendez un peu et vous verrez, dit-il comme si nous étions déjà collègues, confidents, grands camarades. Seulement, avec ce que *moi* je veux devenir, on gagne jamais beaucoup d'argent.

— Quoi donc ?

— Poète. J'ai toujours voulu être poète.

Je ne pus m'empêcher de lui rire au nez.

— En anglais ? Tu veux faire de la poésie anglaise ?

— En anglais, pour sûr. Je ne *possède* pas d'autre langue. Plus maintenant.

— Tu crois vraiment posséder l'anglais ? Tu n'as appris que chez ta tante et, *elle*, personne ne lui a jamais appris.

Mais il n'écoutait qu'à moitié et ne se souciait guère de parler de sa parente.

— C'est pour ça que je veux travailler dans un journal. Pour être en contact avec de l'écrit.

Je dis sévèrement :

— Tu pourrais lire des livres, tu sais.

— J'en lis *des fois*.

Il baissa les yeux, honteux.

— Je suis trop paresseux. Ma tête est paresseuse, mais j'ai de bonnes jambes. Si je pouvais devenir reporter ou quelque chose de ce genre, je pourrais utiliser mes jambes à fond. Je cours bien.

— Et tes poèmes, observai-je avec la voix d'un archange sardonique, tu les écriras quand ?

— En courant, dit-il.

Je l'engageai comme coursier et l'abreuvai de moqueries. Chaque fois que je lui donnais de la copie à porter d'un cagibi à l'autre, je lui rappelais qu'il était enfin en contact avec de l'écrit et que j'espérais qu'il le trouverait utile pour ses vers. Il manquait d'humour, mais ses jambes étaient aussi rapides qu'il l'avait promis. Il était toujours en alerte, toujours sur le qui-vive, toujours prêt à courir. Il était toujours *là* qui attendait. Il se tenait là comme un lièvre au repos, suivant le battement des machines à écrire, pieds et mains guettant nerveusement la feuille tirée du rouleau, impatient comme si la confection d'une colonne de nouvelles était un acte totalement automatique régi par la largeur du papier et la vitesse de la machine. Il arrachait la page des mains de l'auteur et se précipitait vers le marbre ; la mine conquérante, il se penchait par-dessus l'épaule du rédacteur pour étudier les évolutions du crayon violet du pauvre type qui ne savait plus où se mettre : « C'est ça qu'on appelle couper ? » demandait-il. « C'est ça, lire des épreuves ? Le mot " jugement ", ça prend un *a* ? Pourquoi ? " Jugeant ", ça s'écrit bien avec un *a* pourtant. Comment est-ce qu'on compte les caractères pour les gros titres ? » Il était d'une insupportable efficacité et casse-pied comme pas un. En moins d'un mois il passa de sa culotte de golf côtelée et odorante à un pantalon crasseux acquis chez un fripier : de la vaste poche de derrière dépassait un dictionnaire tout aussi vaste aux couvertures arrachées acheté chez le même fournisseur : mais c'était pour faire semblant, car je ne le voyais jamais consulter cet ouvrage. Ce qui ne nous empêcha pas de lui donner de l'avancement : il devint correcteur. C'était un enterrement. Nous le mîmes dans un donjon, devant un bureau noir ; enseveli sous des kilomètres d'épreuves, abandonné, il allait avoir du mal à refaire surface. L'imprimerie était de mèche, fournissait d'innombrables coquilles et inventait d'autres curiosités typographiques de nature à vivement intéresser un psychologue. Poussé par toute l'équipe de reporters, le rédacteur des pages new-yorkaises faisait des révélations hautes en couleur qui n'avaient rien à envier à la Bible en matière de sexualité et d'abominations. Ça défiait l'imagination. Mais sans ciller, Elia continuait fidèlement à remettre un *e* dans jugement et un *a* à jugeant et à tracer des petites boucles qui signifiaient « à enlever » lorsque l'un ou l'autre allait trop loin dans les débordements de ses fantaisies syntactiques.

Lorsque, levant la tête, je le vis qui semblait sur le point d'enfourcher ma machine à écrire, j'étais sûr qu'il s'était levé de son sépulcre souterrain pour me supplier de le mettre à la porte. Au lieu de quoi, il me présenta une double information : il allait prendre le nom de Gate — et qu'est-ce que j'en pensais ? — et deuxièmement, il venait d'écrire son premier poème.

— Le premier ? Et moi qui croyais que tu en écrivais tout le temps ?

— Oh, non, je n'étais pas prêt. Je n'avais pas de nom.

— Et Gatoff, c'est pas un nom ?

Il laissa passer l'injure comme un vrai gentleman.

— Je veux dire un nom qui convienne à la langue. Il faut bien qu'il soit assorti, non ? Ou alors les gens me prendraient pour un imposteur.

Ce dernier mot, je le reconnus comme provenant d'une récente fabrication trouvée sur une épreuve — de mon cru, en vérité : un sujet de deux paragraphes sur un homme qui avait réussi à se faire passer pour un chef pompier en faisant semblant de bien connaître les systèmes de pression d'eau mais qui avait laissé brûler la caserne parce qu'il avait été incapable d'ouvrir le robinet. J'avoue que c'était une piètre histoire, mais j'avais fait de mon mieux ; les envolées de mes collègues dépassaient de loin mes pâles lueurs, mais je compensais ma stérilité en ne lésinant pas sur les doubles négatifs. Quoi qu'il en soit la rapidité avec laquelle il enrichissait son vocabulaire m'étonna — la tante de Liverpool, j'en étais sûr, ne lui avait jamais parlé d'imposteurs en anglais.

— Écoutez, dit-il pesamment, je pense que c'est vraiment vous qui m'avez permis de commencer. Je vous suis très reconnaissant. Vous avez compris ma faiblesse du côté de la langue et vous m'avez donné toutes mes chances.

— Alors, tu te plais là en bas ?

— J'aimerais seulement avoir de la lumière sur mon bureau. Une petite ampoule peut-être, c'est tout. Pour le reste, c'est épatant, là en bas, vraiment, ça me permet de penser à des poèmes.

Admiratif, je demandai :

— Tu ne fais pas attention à ce que tu lis ?

— Mais si. Je fais toujours attention. C'est là que je

trouve mes idées. Les poèmes parlent de la Vérité, vous êtes d'accord ? Une chose que j'ai appris ces temps-ci par mes contacts avec l'écrit, c'est que la Vérité dépasse la Fiction.

Dans sa bouche, cette expression semblait fraîchement tombée du ciel. En cela, il avait un avantage particulier sur nous autres : qu'on lui fasse savoir que telle ou telle expression était vieille comme les chemins, il sortait sa tête comme une tortue excitée et s'exclamait :

— Formidable ! Quelle façon parfaite d'exprimer l'Antiquité. C'est vrai, les chemins sont là presque depuis le début du monde. Très bon ! Mes félicitations… manifestant un vaste écho affectif dans lequel je reconnus après un certain temps son symptôme littéraire le plus alarmant.

Au moment dont je vous parle, le terrible symptôme était manifestement en pleine turbulence :

— Je voulais vous demander, dit-il, ce que vous penseriez d'Edmund comme nom de poète. Devant Gate, par exemple.

— *Moi*, je m'appelle Edmund.

— Je sais, je sais. Comment l'idée me serait-elle venue sinon de vous ? Un nom merveilleux. Est-ce que je pourrais l'emprunter ? Juste pour les poèmes. Pour le reste, ça va bien, ne vous gênez pas, appelez-moi Elia comme d'habitude.

Il mit sa main sur son derrière, puis, extrayant le dictionnaire et le secouant doucement, l'ouvrit aux F. Il arracha méticuleusement une seule page et me la tendit. Elle allait de *fenugrec* à *flysch* et les marges étaient brodées d'extraordinaires calligraphies, minuscules, avec d'infinies fioritures, comme de tout petits cubes de cristal emplis de clochettes.

— Tu veux que je lise ça ?

— S'il vous plaît, ordonna-t-il.

— Pourquoi ne pas prendre du papier normal ?

— Moi, j'aime les mots. *Fenugrec*, plante papilionacée. *Feudiste*, spécialiste du droit féodal. Je ne trouverais pas ça sur une simple feuille blanche. Si je vois un bon mot dans les parages, je le mets tout de suite.

— Je vois que tu es porté sur les emprunts.

— Soyez brutal, supplia-t-il. Dites-moi si j'ai du talent.

C'était un poème sur l'aurore. Il avait quatre strophes rimées et alliait « aux doigts de rose » avec « toute chose ». Le mot *filanzane* s'y détachait bizarrement.

— Le concept est un peu rebattu, lui dis-je.

— Je vais y travailler, répondit-il avec ferveur. Vous croyez que j'ai une chance ? Soyez brutal.

— Tu sais, je crois que tu n'auras jamais d'originalité.

Il prit un ton menaçant :

— Attendez un peu et vous verrez. Moi aussi, je peux être brutal.

Il reprit le chemin de son sous-sol et je fus soudain frappé par sa démarche. Ses gros mollets ronds décrivaient des cercles énergiques dans le pantalon, mais il avait une allure singulièrement modeste, comme un taureau préoccupé. Son dictionnaire se balançait sur sa fesse et ses épaules évoquaient les plis d'une cape fantomatique avec derrière lui toute une suite fantomatique et murmurante.

— Elia !

Il ne s'arrêta pas.

J'étais disposé à l'expérimentation. Je criai :

— Edmund !

Il se retourna, avec beaucoup d'élégance.

— Edmund, dis-je. Écoute-moi bien. C'est sérieux. Ne viens plus me montrer tes machins. Tout ça, c'est sans espoir. Tu peux perdre ton temps, mais pas le mien.

En réponse, il leva aimablement ses pouces massifs :

— Je ne perds jamais rien. Je suis très parcimonieux.

— Parcimonieux, vraiment ?

Et, faisant l'idiot à cause de lui :

— Ah, je vois que tu as laissé courir ta plume dans les parages des *p*...

— *Puce*, brun rouge assez foncé. *Prothorax*, segment antérieur du thorax des insectes. *Plectre*, petite baguette d'ivoire.

— Tu es un opportuniste, dis-je. Un thésauriseur. Un fripier. Ne te crois pas plus que ça. Ôte-toi de mon chemin, Edmund.

Après quoi, je me débarrassai de lui. J'exerçai — si le mot n'est pas trop brutal pour l'intrigue et la ruse — de discrètes insistances et on finit par lui accorder le titre de reporter et par l'envoyer au commissariat pour nous communiquer les cambriolages portés sur le registre. Ses heures étaient de minuit à l'aube. Quinze jours plus tard, il se présenta à mon bureau à dix heures du matin ; un rayon de soleil précoce lui faisait plisser les yeux.

— Tu ne rentres plus dormir à présent ?

— La critique, c'est plus important que le sommeil. J'ai de nouveaux poèmes à vous montrer. De beaux poèmes.

Je ravalai un grognement.

— Et tu te plais au commissariat central ?

— Oui, beaucoup. C'est un endroit épatant. Les flics sont des gens bien. C'est une merveilleuse atmosphère pour imaginer des poèmes. J'ai été très fertile. Je foisonne là-bas. Tenez, c'est le meilleur du lot.

Il arracha la page *milouin* à *minoen*. Son incroyable écriture pérégrinait tout du long du périmètre blanc : c'était un poème sur une rose. Le poète comparait sa bien-aimée à une fleur. Elles rougissaient pareillement. La rose se balançait gracieusement dans la brise ; la dame de même.

— J'ai renoncé à la rime, déclara-t-il, accrochant son regard au mien. Je me suis amélioré. Vous êtes bien d'accord que je me suis amélioré ?

— Non, tu as rétrogradé. Tu n'es qu'un scribouillard. Tu n'as pas progressé d'un millimètre. Tu ne progresseras jamais. Tu n'es pas équipé pour.

— Mais j'ai tous ces nouveaux mots, protesta-t-il. *Menhir. Exosmose. Suffrutescent. Révérence. Anastrophe. Poliorcétique. Trichiasis. Nidifier.*

— Il faut bien autre chose que des mots. C'est sans espoir. Ton cerveau ne fait pas l'affaire.

— Tous mes vers se scandent à la perfection.

— Tu n'es pas un poète.

Il refusait la déception, il ne se laissait pas abattre.

— Vous ne voyez pas que quelque chose a changé ?

— Pas le moins du monde. Mais si, attends ! Quelque chose a changé en effet. Tu t'es acheté un costume.

— Veste et pantalon assortis. Grâce à vous. C'est à vous que je dois de ne plus être coursier.

— Eh bien, c'est ça l'Amérique. Et quelles nouvelles de Liverpool ? Je suppose que sur ton salaire tu envoies un petit quelque chose à la tante ?

— Pas spécialement.

— Pauvre vieille.

— Elle s'en tire très bien comme ça.

— Mais tu n'es pas sa seule famille ? Sa seule joie, la prunelle de ses yeux et tout le reste ?

— Elle se débrouille. Elle m'écrit de temps en temps.

— Si je comprends bien, tu ne réponds pas souvent.

— Il faut que je vive ma vie, protesta-t-il avec toute l'ardeur d'un homme de presse en train d'inventer plus qu'une maxime, un principe. Je dois faire carrière. Bientôt, il va falloir que je commence à me faire publier. Je parie que vous connaissez des rédacteurs de revues qui publient des poèmes.

Je me dis qu'il avait découvert un moyen de vérifier l'étendue de mes relations.

— Justement. Ils publient des *poèmes*. Toi, tu ne ferais pas l'affaire.

— Si vous vouliez, vous pourriez m'aider à me lancer.

— Je ne veux pas. Tu ne vaux rien.

— Je ferai mieux. Je ne suis pas encore au bout de mes progrès. Vous verrez.

— Très bien. Je veux bien attendre, mais je ne veux pas voir. Ne viens plus rien me montrer. Garde tes machins sous le coude. Fais-moi le plaisir de ne pas revenir.

— OK, dit-il. (C'était là sa principale acquisition américaine.) C'est vous qui viendrez me trouver.

Le mois suivant, il y eut une kyrielle de cambriolages et d'autres infractions non diurnes. Ce fut avec plaisir et soulagement que je l'imaginais tassé dans une cabine téléphonique du sous-sol du commissariat égrenant dans le combiné un caillot après l'autre de ces fastidieux forfaits. J'espérais qu'il serait assez enroué et assez épuisé pour chercher son lit plutôt que sa fortune, surtout s'il imaginait me faire jouer un rôle notoire dans cette quête. Les matinées passaient et, au bout de quelque temps, ma terreur passa elle aussi — il ne se montra jamais. Je me pris à penser qu'il avait renoncé à moi. Je m'offris même un peu de remords — je m'étais montré implacable — et voici que survint un coursier qui déposa devant moi une énorme enveloppe envoyée par une éminente revue littéraire. Elle était remplie de douzaines de pages de dictionnaire méticuleusement arrachées, accompagnées par une lettre du rédacteur en chef que je connaissais plus ou moins (il avait été un ami de feu mon père, un homme remarquable) :

Cher Edmund,

Je tiens à vous dire qu'en matière d'effronterie, nous ne partageons pas les mêmes goûts. Je ne dirai pas que vous avez abusé de ma bonté en m'envoyant ce type avec sa liasse d'horreurs, mais je vous demanderai à l'avenir de borner vos recommandations à de *simples* fous — qui, on l'espère, utilisent des in-folio ordinaires à leurs moments de folie.

P.-S. : De toute façon, je n'ai jamais publié, et espère ne jamais publier un texte contenant le mot *œrsted.*

Une des pages allait d'*Œnanthe* à *olifant.*

Fulminer toute la journée sans exutoire me semblait une torture trop atroce : cependant, je me dis que je pourrais tenir jusqu'à minuit et l'attraper là où je savais le trouver, à sa tâche dans les bas-fonds, et me donner la satisfaction de l'assommer. Mais je me dis qu'un commissariat était mal choisi pour une agression contre un citoyen (n'oubliant pas pour autant qu'il n'était pas encore naturalisé), je cherchai donc l'adresse de sa chambre et me rendis chez lui.

Il vint m'ouvrir en caleçon.

— Edmund ! s'exclama-t-il. Excusez-moi, après tout je suis un travailleur de nuit — mais ça ne fait rien, entrez, entrez donc ! De toute façon, je n'ai pas besoin de beaucoup de sommeil. Si je dormais, je n'arriverais jamais à écrire mes poèmes, alors ne vous en faites pas !

Consciencieusement, je levai mes poings et consciencieusement je le flanquai par terre.

— Qu'est-ce que ça signifie ? demanda-t-il, toujours sur le plancher.

— Précisément, qu'est-ce que ça signifie ? Qui t'a dit que tu pouvais aller te pointer chez des gens importants et prétendre que tu viens de ma part ?

Il frotta son menton endolori avec extase.

— Vous avez eu des nouvelles ! Je parie que vous avez eu des nouvelles du rédacteur en chef en personne. C'est sûr. Vous avez les relations qu'il faut. Je le savais bien. Je lui ai dit de s'adresser directement à vous. Je savais que vous seriez inquiet.

— Je suis inquiet, gêné et honteux. J'ai l'air d'un idiot par ta faute. Le plus vieil ami de mon père. Il me prend pour une andouille.

Il se leva, tâtant ses bleus.

— Faut pas vous en faire pour moi. Il n'a rien accepté ? Vraiment ? Pas un seul ?

Je lui lançai l'enveloppe qu'il rattrapa en connaisseur d'un surprenant revers du poignet. Puis il en fit tomber le contenu et lut la lettre.

— Eh bien, tant pis. C'est étonnant quand même ce que les gens peuvent manquer de comphéhension. C'est dans leur nature, ils n'y peuvent rien. Mais ça ne fait rien. Je veux dire, j'ai une compensation. Puisque *vous* êtes venu. Je n'avais pas le courage de vous inviter — c'est une chambre minable, vous voyez bien —, mais je savais que vous viendriez tout seul. Un aristocrate comme vous.

— Elia, dis-je, je suis venu pour te rosser. Je t'ai rossé.

— Ne vous en faites pas, me consola-t-il encore une fois.

Il attrapa mon oreille et la tira amicalement.

— C'est tout naturel. Vous avez eu un choc. A votre place, j'aurais fait pareil. Je suis très fort. Je suis probablement plus fort que vous. Vous aussi, vous êtes drôlement fort puisque vous avez réussi à me flanquer par terre. Mais pour vous dire la vérité, je me suis un peu laissé faire. J'aime être poli avec mes invités.

Il tira une vieille chaise de bois, la seule de la pièce, et me fit signe de m'asseoir. Je refusai et il s'assit lui-même, les cuisses écartées, les bras croisés, tout disposé à une conversation civilisée.

— Vous avez lu mes nouveaux poèmes vous-même, je suppose.

— Non. Quand est-ce que tu vas en finir ? Tu devrais consacrer ton temps à quelque chose de raisonnable. Tu veux être à la rubrique des chiens écrasés pour le reste de tes jours ?

— J'espère bien que non, dit-il, prenant un ton rauque pour démontrer sa sincérité. Je voudrais pouvoir quitter cet endroit. Je voudrais avoir assez d'argent pour vivre agréablement, dans une atmosphère américaine. Comme vous, avec toute cette grande maison où vous habitez seul.

Je me sentis presque obligé de m'excuser :

— Je l'ai héritée de mon père. De toute façon, c'est toi qui m'as dit qu'un poète ne peut pas s'attendre à devenir riche.

— Depuis, j'ai regardé autour de moi, j'ai ouvert les yeux. De l'Amérique j'attends tout, en Amérique il y a place pour tout, même pour des poètes. Edmund, dit-il d'un ton chaleureux, je sais ce que vous ressentez. Qu'il repose en paix. Moi non plus, je n'ai pas de père. Vous auriez admiré mon père — une force de la nature. C'est incroyable qu'ils aient pu le tuer. Fort. Grand. Ce n'est pas pour vous vexer, mais il se dominait, lui, il n'a jamais flanqué personne par terre. Tenez, m'implora-t-il, prenez mes nouveaux poèmes, regardez-les pour voir si le rédacteur en chef a raison. Si vous étiez à sa place, est-ce que vous refuseriez de me publier ? C'est tout ce que je veux savoir.

Il me tendit *gargousse à giaour :* encore des excroissances fumeuses dans les marges. *Schlich à scotome* — du pareil au même. Mais il était clair qu'il m'interpellait au nom de sa tragique condition d'orphelin ; apitoyé et culpabilisé (j'avais le sentiment qu'il prendrait tout refus pour un pogrome), j'examinai le autres poèmes et découvris, parmi ses pâquerettes et ses couchers de soleil, un thème nouveau. Il avait commencé à parler de filles : pas la bien-aimée abstraite, mais des filles bien réelles, des Shirley, des Ethel, des Bella.

— Des poèmes d'amour, se vanta-t-il. Je les trouve très émouvants.

— A peu près aussi émouvants que le courrier du cœur, bien que moins passionnants. Comment trouves-tu du temps pour les filles ?

— Léonard de Vinci lui aussi n'avait que vingt-quatre heures dans sa journée. Pareil pour Michel-Ange. D'ailleurs, ce n'est pas moi qui vais les chercher. Je les attire.

J'étais ébahi.

— Tu les attires ?

— Pour sûr. Ici même. Je n'ai presque jamais à sortir. Naturellement, cet arrangement n'est pas idéal pour certaines filles du genre distingué. Une chambre de poète, c'est pas pour elles.

— Il n'y a pas un seul livre ici, dis-je, dégoûté.

— C'est pas les livres qui font une chambre de poète, me contredit-il. Ça dépend du poète — de sa stature d'homme.

Et, avec toute la puissance de son odieuse robustesse, il m'adressa un clin d'œil.

Cette conversation eut sur moi un effet sans précédent. Soudain, je me mis à le voir comme il se voyait lui-même, à travers les lunettes de la haute idée qu'il avait de sa personne. Il semblait presque beau. Il avait changé ; il avait l'air plus grand et plus hardi. La vérité, c'est qu'il n'avait pas encore vingt ans et que récemment il avait grandi. Il était toujours dépenaillé et son ventre avait coutume de se gonfler sous sa chemise ; mais quelque chose d'énorme était en train de germer en lui.

Peu après, on m'envoya dans les Caraïbes couvrir une petite guerre — en fait rien qu'une série d'escarmouches au milieu des marécages — et, rentrant au bout de huit semaines, je le trouvai installé dans ma maison. J'avais, comme d'habitude, laissé la clé à ma sœur mariée (c'était une des manies de mon père — il en avait plusieurs —, de prévoir tout ce qui pouvait arriver et je perpétuais la tradition familiale) et, par je ne sais quelle magie, il la lui avait soutirée : il s'avéra qu'il avait réussi à la convaincre qu'en lui permettant d'accéder à un toit à la mesure de ses qualités, ma sœur aurait droit à la reconnaissance des générations futures.

— A la mesure de tes qualités, psalmodiai-je. Quand elle m'a dit ça, j'ai su qu'elle te citait mot pour mot. Très bien, Elia, tu as pressé le citron jusqu'à la dernière goutte. Ça suffit. Ouste !

Il ne restait plus une seule tasse à thé propre et il avait vidé tout le whisky.

— Tu as fait la noce.

— C'était pas ma faute, Edmund. Je me suis fait tant d'amis ces temps derniers.

— Fiche le camp.

— Oh ! ne soyez pas méchant. Vous savez, les petites chambres du haut ? Avec les lucarnes. Je parie qu'autrefois c'étaient les chambres de bonnes. Vous ne vous apercevrez même pas de ma présence, je vous promets. Où trouver une aussi bonne lumière ailleurs ? Au commissariat, c'est encore pire que dans la cave, ils n'utilisent que des ampoules de quarante watts. La municipalité est d'une prodigieuse parcimonie. Qu'est-ce qui me restera si je perds la vue ?

De ma plume privé
Quand même je chanterai
Mais si mes yeux ne voient plus
Tout est perdu

— Refus. Tu dois filer.

J'eus droit à un rire condescendant :

— Très bon. Privé, filer. Perdu, refus.

— Non, c'est sérieux. Tu ne peux pas rester. De plus, dis-je d'un ton aigre, je croyais que tu avais renoncé aux rimes.

— Vous croyez que j'invente pour mes yeux. Regardez un peu.

Il fourra prestement son gros poing dans une poche, en sortit une paire de lunettes et les planta sur son nez.

— Pendant que vous étiez parti, j'ai dû acheter ça. Elles sont drôlement fortes pour une personne de mon âge. On m'a dit que je ne dois pas maltraiter mes iris. Ces bésicles m'ont pratiquement coûté un mois de loyer de mon ancienne piaule.

Son geste m'obligea à le scruter. Il avait parlé de ses qualités, mais c'était de quantité qu'il s'agissait : il avait encore grandi, pas vraiment en hauteur, pas spécialement en largeur, mais en quelque sorte dans sa texture,

comme s'il fallait s'assurer de son gabarit en le tâtant de
la terminaison nerveuse du doigt. Il se promenait en
caleçon. Pour la première fois, je me rendis compte de
l'extraordinaire pilosité de l'homme. Ses épaules et sa
poitrine étaient une forêt et les muscles de ses bras des
globes sombrement broussailleux. Je constatai qu'il
était parfaitement conscient de lui-même ; il tenait son
torse comme un fragment de ruine classique, mais en
captait les contours guerriers avec une certaine orgueil-
leuse agilité.

— Vas-y, habille-toi ! criai-je.

— Il ne fait pas froid dans la maison, Edmund.

— Il fait froid dehors. Allez, fiche le camp. Habillé
ou non. Va-t'en !

Il baissa la tête et je vis avec surprise les tiges
grossières de ses oreilles.

— Ce serait méchant.

— Ça ne me fait ni chaud ni froid. Cesse de
t'inquiéter de mes sentiments.

— Je ne parle pas seulement de vous. J'ai laissé
Sylvia toute seule là-haut quand vous êtes arrivé.

— Tu veux dire qu'en ce moment même tu as une
fille ici dans la maison ?

— Pour sûr, dit-il humblement. Mais ça ne vous
dérange pas, Edmund, je sais bien que non. C'est ce
que vous faites vous-même, après tout.

J'allai me poster au bas de l'escalier et criai :

— Ça suffit comme ça ! Descendez ! Filez !

Rien ne bougea.

— Vous lui avez fait peur.

— Débarrasse-toi d'elle, Elia, ou j'appelle la police.

— Voilà qui serait bien, dit-il, mélancolique. *Eux,*

ils aiment mes poèmes. Je les leur lis toujours à haute voix au commissariat. Écoutez, si vous voulez vraiment que je m'en aille, je m'en irai et vous pouvez vous débarrasser de Sylvia vous-même. Vraiment, vous avez une belle et vaste maison. De jolis meubles. J'ai vraiment été bien ici. Votre sœur m'a raconté des choses sur la maison — c'était très intéressant. Votre sœur est quelqu'un de très religieux, pas vrai ? Morale, comme votre père. Quel drôle d'homme votre père pour mettre un truc comme ça dans son testament. Fornication dans les lieux.

— Qu'est-ce que c'est que cette histoire ?

Mais je savais, j'étais sur mes gardes, j'en ressentais comme une brûlure.

— Ce dont votre sœur m'a parlé. Elle a juste dit que votre père vous a légué la maison à condition que vous ne fassiez jamais rien pour la profaner, la souiller et que si ça arrivait, la maison reviendrait aussitôt à votre sœur. Elle n'en a pas vraiment besoin pour elle-même, mais ce serait commode avec tous ses enfants — naturellement, je ne fais que citer ses propos, je suppose que vous ne voudriez pas que je lui dise pour Regina l'an dernier à Pâques, n'est-ce pas ? Vous voyez, Edmund, vous voilà aussi en train de transpirer un peu, regardez votre col, alors pourquoi être injuste et me dire de m'habiller ?

La voix enrouée, je demandai :

— Comment as-tu su pour Regina ?

— A vrai dire, je ne sais pas vraiment, non ? C'est juste que j'ai trouvé cette liasse de mots signés de ce nom — Regina — et dans un ou deux elle dit qu'elle est venue passer Pâques avec vous et toutes sortes de

344

choses sur vous deux. Votre sœur est peut-être un peu collet monté, mais elle est tout à fait gentille, je crois qu'elle ne penserait pas que la maison familiale serait profanée si *moi* je restais ici, hein ? Donc, compte tenu de tout cela, ne voulez-vous pas consentir à ce que je m'installe ici pour quelque temps, Edmund ?

Amèrement, je donnai mon consentement ; de fait ce n'était qu'une formalité : il avait déjà déménagé toutes ses possessions — son dictionnaire (ce qui en restait — un pauvre squelette, un dos encollé et quelques-uns des vocabulaires les moins usités, tels que *K, X, Z*), son complet et une boîte à cigares remplie de minces lettres de Liverpool, dont la plupart n'avaient pas été ouvertes. A grand-peine, je lui fis promettre de rester à l'étage ; en retour, je lui permis d'emporter ma machine à écrire là-haut.

Son tap-tap me parvenait presque tous les soirs. Je n'en revenais pas ; à la vérité, je l'avais pris pour un être indolent et voilà qu'il manifestait sa diligence. Mais je fus étonné, le voyant de temps à autre renvoyer des visites — il était davantage dans ses habitudes de les empoigner, de les serrer dans ses bras, de les taquiner et de les embrasser. Elles venaient souvent, des filles avec des chapeaux emplumés à large bord, des manchons de fourrure et des bottines alertes et courageuses ; elles montaient les marches à sa suite avec des foules de poèmes fourrés dans leurs manchons — les leurs, les siens ou les deux —, lançant par-dessus ma tête des crêtes et des creux de rire, les mentons enfouis dans des strophes. Puis, en dépit de tout un étage qui nous séparait, je les entendais déclamer ; puis je recevais un zéphyr de cris aigus ; puis de nouveaux rires en reflux ;

puis des remous comme un troupeau d'antilopes dans un zoo jusqu'à ce que, dans un élan de pure fureur, je me jette dans le salon et claque violemment les portes. Assis avec mon atlas dans le lourd fauteuil grinçant de mon père, près d'un feu de bois stagnant, je me demandais comment m'en débarrasser. J'envisageais de rapporter toute sa grossière licence à ma sœur — mais tout ce que j'aurais pu dire contre une personne qui était manifestement mon propre hôte ne pourrait que me rendre doublement suspect (telle était la force du caprice de mon père, son absolue hostilité envers moi) et puisqu'il avait légué tout l'argent à ma sœur, ne me laissant que la maison, ce gigantesque bibelot, je tenais ardemment à le conserver. J'en haïssais les pièces, toutes tant qu'elles étaient ; j'y sentais les relents de la délicatesse racornie de ma pénible enfance et mon rêve était de la mettre en vente juste au bon moment et d'empocher une fortune. Par bonheur, j'avais droit aux confortables conseils d'amis dans l'immobilier : à coup sûr, le bon moment n'était pas encore arrivé. A part cette maison et mes espoirs, je n'avais rien, sans parler de mes appointements qui, comme ma sœur se plaisait à le déclarer, étaient un salaire de misère compte tenu de ce qu'elle appelait « nos origines ».

A présent, ses apparitions étaient lamentablement fréquentes. Elle arrivait avec cinq ou six de ses enfants et toujours sans son mari, grossissant encore l'impression qu'elle donnait d'avoir cueilli sa progéniture dans un nuage. C'était une petite femme stricte, avec de vastes opinions strictes, faite à la stricte ressemblance d'un pieux volatile, avec pour œil un bijou cauteleux, une poitrine exclusivement bombée et emberlificotée et deux minuscules et strictes narines. Elle admirait Elia et avait coutume de monter dans ses appartements, suivie par une ribambelle d'enfants, à l'heure de sor coucher, c'est-à-dire à neuf heures du matin, juste au moment où je quittais la maison pour le bureau ; tandis que les poétesses, il faut le dire à leur décharge, n'apparaissaient qu'à l'heure romantique du crépuscule. Parfois, elle me téléphonait pour me recommander de déménager tel ou tel bureau — tel ou tel sofa ou commode — dans la mansarde d'Elia pour lui fournir les aises convenant à ses dons.

— Margaret, répondis-je, tu as vu ses machins ? Ça ne rime à rien. C'est bon à jeter.

— Il est si jeune, déclara-t-elle, attends et tu verras, mots qu'elle répéta en mimant si fidèlement son idiome qu'on aurait presque pu la prendre pour une Gluskienne. A ton âge, ce sera un homme du monde et pas un eunuque agrippé à sa maison.

Impossible de protester contre cette épithète injurieuse, vigoureusement destinée à ma personne ; nier mon célibat eût été nier mon droit à la maison. Manifestement, Elia lui enseignait la subtilité en même temps que l'obscénité décorative — jamais auparavant le mot *eunuque* ne s'était posé sur la langue austère de Margaret. Mais il n'en était pas moins vrai car je n'osais plus recevoir la pauvre Regina selon notre ancien arrangement — j'étais trop dangereusement sujet à la surveillance de mon invité — et elle m'avait laissé tomber par dépit ; bien que n'étant pas encore amoureux, j'avais éprouvé pour Régina plus d'affection que pour n'importe quelle autre femme, ou presque.

— Très bien, m'écriai-je, alors qu'il soit ce qu'il pourra !

— Mais il pourra *tout*, dit Margaret, tu ne te rends pas compte que ce jeune homme est une vraie trouvaille.

— Il t'a parlé de ses visées sur la gloire.

— Mon cher, il n'a pas besoin d'en parler. Ça saute aux yeux. Il est incroyable. C'est un artiste.

— Un vulgaire petit immigrant. Sans culture. Il ne lit jamais rien.

— Là, tu as tout à fait raison, ce n'est pas une chiffe molle. Et quant à être étranger, tu connais cette terrible histoire, ce qu'ils ont fait à toute sa famille là-bas ? Quand on survit à une chose pareille, on devient un homme. Un combattant. Un héros, conclut-elle.

Puis, avec la solennité d'un codicile :

— Je te défends de dire qu'il est petit. Il est grand. Énorme. Son sang à lui n'a pas été dilué.

— Il n'a pas *survécu*, dis-je d'un ton las. Il n'était même pas là quand c'est arrivé. Il était en sécurité en Angleterre, il était à Liverpool, il vivait avec sa tante, bon sang de bon sang !

— N'exagère pas, mon cher, et épargne-moi les jurons. Je vois en lui ce que je crains de ne jamais voir en toi : parce que ça te manque. Lui, c'est un homme, un vrai. Tu n'as pas de tendresse pour les enfants, Edmund, tu passes à côté sans les voir. Tes propres nièces et neveux. Elia est formidable avec eux. Et ce n'est qu'un exemple.

Je récitai :

— « La douceur est l'âme même de la virilité. »

— C'est de très mauvais goût, Edmund, c'est tout à

fait une formule de journaliste, dit-elle avec tristesse, comme si je l'avais fait rougir par une indélicatesse.

Je supposai donc qu'Elia ne lui avait pas encore enseigné l'énonciation de ce mot puissant.

— Ça te déplaît ? A moi aussi. Mais il se trouve que c'est le titre de la dernière ode écrite par ton vrai homme.

C'était parfaitement exact. Il me l'avait infligée pas plus tard que la veille, sur quoi, fidèle à mon rituel, je lui avais fait savoir qu'il avait battu son record de banalité.

Mais Margaret était invincible. Elle avait, elle aussi, quelque chose à me dire :

— Écoute, Edmund, tu ne pourrais pas faire quelque chose pour lui avoir un meilleur travail ? Ce qu'il fait maintenant est loin d'être digne de lui. Un commissariat, qu'est-ce que c'est ? Et les horaires !...

— Si je comprends bien, pour toi la police n'est pas une bonne influence pour un vrai homme.

Je me dis qu'après tout, lui, il avait réussi à prouver sa virilité aux dépens d'une démonstration de la mienne. J'avais perdu Regina, mais il avait encore toutes ses poétesses.

Mais, comme je l'ai déjà relevé, il les renvoyait de temps en temps et alors, le sachant seul à son étage, je guettais tout particulièrement l'implacable clac-clac de la machine à écrire. Il ne lâchait pas prise ; il était absorbé ; il était sérieux. Pour moi, c'était le signe le plus paralysant de tous — la constance, la fiabilité, l'intelligibilité de ce caquetage creux de la machine, cet absence d'un bégaiement, d'une modeste hésitation —, cela me faisait soupirer. Sa volonté était profonde, assassine. Le clac-clac continuait sans fin et, puisqu'il ne s'arrêtait jamais, il était clair qu'il ne réfléchissait jamais. Jamais de rêvasserie, de méandre, d'imagination, de méditation ; jamais d'arrêt pour sucer, tripoter, fumer, se gratter ou traîner. Il tapait tout bêtement, index sur index, comme si, seuls actifs, ses doigts étaient les jambes d'un coursier consciencieux et obstiné. Son investissement dans sa foi en lui-même était d'une ambition absolue et il me faisait presque pitié. Ce qu'il jetait sur le papier n'était que crachat et ordure — et il appelait cela sa carrière. Il envoyait trois douzaines de poèmes par semaine à toutes sortes de revues et lorsque les périodiques connus le refusaient, il déterrait les inconnus, d'obscurs trimestriels et gazettes imprimés sur des presses à main dans des sous-sols douteux et consacrés aux questions anatomiques, astronomiques, gastronomiques, politiques ou athées. A la publication du Parti végétarien il proposait des vers pastoraux en trochées pétris de glèbe et dans l'organe d'une firme fabriquant un tonique pour dames il tenta de placer de fragiles dactyles où il était question de corsets. Il tentait sa chance partout et je crois qu'à la fin il n'y avait plus un seul rédacteur qui ne s'arrachât les cheveux à la vue de son nom. Le tir nourri de sa machine à écrire ne cessait jamais ; jusqu'au dernier, tout idéaliste ayant un jour caressé l'espoir de promouvoir la cause obscure des nombres voyait en lui un fléau. Et feuille après feuille, des magazines de voyages au coude à coude avec des tracts marxistes, les paramilitaristes aux côtés des adventistes du septième jour, les suffragettes la main dans la main avec les nudistes — tous le rejetaient comme un seul homme, lui refusaient l'impression, finissaient pour le supplier de cesser et de renoncer, pliant leurs pamphlets telles des tentes arabes et fuyant dès qu'ils le voyaient approcher brandissant le moindre iambe.

Cependant, les pieds de ses doigts continuaient à courir ; il ne se laissait pas abattre. La peur que j'éprouvais pour lui n'était pas loin d'égaler mon mépris. A présent, je le prenais vraiment en pitié, lui qui restait aussi sûr de lui, aussi borné, aussi imperturbable. « Attendez et vous verrez », disait-il, telle une copie de ma sœur le copiant, lui. Les deux se perdaient en conciliabules à mon sujet, mais je ne pouvais plus rien pour lui. C'était sans perspectives. Je m'aperçus même à mon horreur qu'on me prenait pour son protecteur car, lorsque je partis pour les tranchées, on profita aussitôt de mon absence pour le mettre à la porte. Cela, bien entendu, je ne l'appris qu'en revenant au bout d'un an, avec un lobe d'oreille en moins et la nuque barrée d'une sombre et vilaine déclivité. Mon hôte avait été réformé par la grâce de sa mauvaise vue ou, peut-être plus précisément, par la grâce de la pesante épaisseur de ses verres. Lors d'une fête donnée par huit ou dix de ses poétesses en l'honneur de son exemption et de sa myopie, il lança sans broncher une fléchette dans le mille d'un gâteau en forme de cible. Mais je n'étais pas militaire moi-même et n'étais parti que comme correspondant vers cette guerre ancienne et tellement primitive qui prétendait naïvement englober le monde, mais qui n'était qu'un Néanderthal à l'aune des vastes appétits d'annihilation que nous allions manifester par la suite. Quelqu'un avait tout bêtement tiré sur un prince (un homme sans importance — moi-même je ne me souviens plus de son nom) et ensuite, conséquence sans logique, divers lambeaux de territoires avaient surgi pour occuper et individualiser un ancien empire. De même, c'est ce que je découvris, Elia avait surgi — ou plutôt, comme je ne dois pas manquer de l'appeler désormais (sans quoi, on pourrait croire que je prends mes distances par rapport au miraculeux changement dans son histoire), Edmund Gate. Qu'estce à dire ? Eh bien, qu'il était sorti de sa mansarde et avait pris possession de la maison, démocratiquement, sans faire le détail. Déjà sa forme massive avait totalement aplati le vénérable fauteuil de mon père et, telle une énorme Boucle d'Or masculine, il dormait dans le lit de ma mère — ce sanctuaire qu'autrefois mon père avait consacré à l'abandon : pieuse déférence que ma sœur et moi avions sobrement perpétuée. A mon retour, je le trouvai dans le salon, pieds nus, en caleçon, ses chaussettes sales répandues sur le plancher et ma sœur en service, en train de repriser les talons, surveillée par une grappe d'enfants. Il s'avéra alors que pendant tout ce temps, ma sœur lui avait versé une pension lui permettant de vivre selon ses goûts, mais dans ce premier moment d'inadvertance, lorsqu'il se précipita pour m'embrasser, tout en essayant d'enfiler sa chemise (il savait combien je détestais le voir déshabillé), je fus stupéfait de voir ses initiales — E. G. — brodées en soie écarlate sur une paire de superbes manchettes.

— Edmund ! hurla-t-il. Pas un, pas deux — *deux douzaines !* Deux douzaines rien que dans les deux derniers mois !

— Deux douzaines de quoi ?

Les yeux écarquillés, je regardais ce qu'il était devenu. Il avait maintenant vingt et un ans et était plus grand, plus gros et plus poilu que jamais. Il portait de nouvelles lunettes (bien moins effrayantes que les horribles poids que son petit nez avait arborés au conseil de révision) et ces lunettes, comme on pouvait s'y attendre, avaient mûri son expression, surtout autour des pommettes : leur monture d'argent pour quinquagénaire contredisait fort habilement cet air d'enfant qu'impose à un grand visage l'obligation d'encadrer un nez de chérubin. Je vis clairement, de mon propre chef, sans l'influence hypnotique de ses vantardises (car il se tenait devant moi en toute simplicité, boutonnant sa chemise avec application), qu'il avait été augmenté et transformé : son fantastique corps en avait fait une métaphore. Il avait en lui un élément qui tenait du colosse païen et cet élément s'était enflé pour expulser tout ce qu'il avait d'immature — avec son crâne arrondi et un peu déplumé il ressemblait (je me risque à la vulgaire dévotion inhérente à ce terme) à un lingam géant : l'un de ces monuments phalliques qu'on rencontre soudain, ceint de brillantes guirlandes feuillues, au bord d'un chemin poussiéreux de l'Inde. Ses larges mains s'affairaient, ses pans de chemise claquaient ; il ne faisait pas de doute que son cuir chevelu n'allait pas rester longtemps ami du système pileux — il s'en détachait de tournoyantes étoiles de pellicules. Apparemment, il s'était mis à fumer, car ses dents étaient déjà une ruine brunie. Et avec tout cela, je ne sais pourquoi, il offrait un spectacle cérémonieux et touchant. Il était massif et dramatique ; il avait acquis une sorte de majesté.

— Des poèmes, des poèmes ! rugit-il. Deux douzaines de poèmes vendus et tous dans les meilleures revues !

Il m'aurait tiré l'oreille en camarade si j'avais eu un lobe à saisir, mais se contenta de me pousser sur une chaise (pendant tout ce temps ma sœur continuait à repriser paisiblement) et me fourra dans les bras une pile désordonnée des périodiques les plus importants du jour.

— Ah ! mais ce n'est pas tout, dit ma sœur.

— Mais comment as-tu fait ? Bonté divine, en voilà un dans le *Centennial !* Tu veux dire que Fielding a accepté ? Fielding lui-même ?

— L'homme de la liasse d'horreurs, c'est ça. En réalité, c'est un vieux bonhomme tout à fait gentil, vous savez, Edmund. Ça fait trois fois que je déjeune avec lui. Il n'arrête pas de s'excuser d'avoir commis cet impair — vous vous souvenez, la fois qu'il vous a écrit cette terrible lettre à mon sujet ? Il n'arrête pas de dire à quel point il en a honte.

— Fielding ? J'ai du mal à imaginer Fielding...

— Raconte-lui le reste, dit Margaret avec un air satisfait.

— Eh bien, demain, on déjeune encore — Fielding et Margaret et moi — et il va me présenter à un éditeur qui s'intéresse beaucoup à ce que je fais et qui voudrait mettre mes poèmes entre, comment est-ce qu'il a dit, Margaret ? Entre quelque chose.

— Des couvertures. Un recueil, tous les poèmes d'Edmund Gate. Tu comprends ? dit Margaret.

J'éclatai :

— Non, je ne comprends pas !

— Tu n'as jamais compris. Tu n'as pas la force. Je me demande si tu as jamais vraiment *pénétré* Edmund.

J'eus un moment de confusion, le temps de me rendre compte qu'elle avait pris l'habitude de l'appeler par le nom qu'il m'avait piqué.

— Edmund ! lança-t-elle.

Auquel s'adressait-elle ? A son air courroucé je conclus que c'était moi qu'elle désignait du doigt.

— Tu n'as pas compris son niveau. C'est son *niveau* que tu ne saisis pas.

— Je saisis, dis-je sombrement en laissant choir une avalanche de revues, mais retenant le *Centennial.* Sans doute le pauvre Fielding est-il sénile à présent. Est-ce qu'il n'avait pas au moins dix ans de plus que père ? Je suppose qu'il n'a plus toute sa tête et qu'ils n'ont pas le cœur de l'envoyer au vert.

— Tu ne t'en tireras pas comme ça, dit Margaret. Ils reconnaissent enfin la valeur de ce garçon, c'est pas plus compliqué que ça.

— Moi, je comprends ce qu'il veut dire, dit Edmund. Je leur dis la même chose. C'est exactement ce que je leur dis, à tous ces rédacteurs, je leur dis qu'ils sont fous de faire tant d'histoires. Vous devriez les entendre...

— Des louanges, interrompit Margaret d'un ton cassant. Des louanges et encore des louanges, répéta-t-elle comme pour me vexer.

— Moi-même, je n'ai jamais pensé que mes poèmes étaient si bien que ça, dit-il. C'est drôle, d'abord c'était juste de l'expérimentation, mais ensuite j'ai attrapé le coup de main.

— De l'expérimentation ?

Sa modestie était insolite, elle était même totale : il semblait à peine y croire. J'étais au comble de l'étonnement : devant sa chance, il était tout aussi ébahi que moi.

Mais pas Margaret qui nous fit comprendre qu'elle avait lu la volonté du ciel.

— Edmund travaille dans une nouvelle veine, expliqua-t-elle.

— Ses tentatives n'ont-elles pas toujours été vaines ? dis-je en plongeant dans le *Centennial* pour voir ce qu'il en était.

Edmund se tapa les cuisses en entendant ce calembour, mais Margaret dit :

— Rira bien qui rira le dernier, et de taper de son dé à coudre sur la tête du premier enfant qui lui tomba sous la main. C'est un sans cœur, ton oncle. Lis ! m'ordonna-t-elle.

— Il a un trou sur le derrière du cou et il ne lui reste qu'un petit bout d'oreille, dit l'enfant sur un ton de connivence futée.

— Chut, fit Margaret. On ne parle pas des difformités.

— A moins qu'elles ne se présentent sous forme de poèmes, la repris-je et me mis à lire.

Et je fus pris de court par une dilatation des poumons comme un cheval cravaché à l'improviste et contraint à une course au-delà de son impulsion. C'était lui, cette chose nette, fantastique ? Mais voici son nom, manifesté en caractères d'imprimerie : c'était de lui à en croire le *Centennial* et Fielding n'était pas devenu gâteux.

— Alors ?

— Je ne sais pas, dis-je, me sentant perplexe.

— Il ne sait pas ! Edmund (elle s'adressait là à Edmund), il ne sait pas !

— Je n'arrive pas à y croire.

— Il n'arrive pas à croire, Edmund !

— Moi non plus, au début, avoua-t-il.

Mais ma sœur se leva en sursaut, pointant son aiguille vers moi.

— Dis que c'est bon.

— Mais oui, c'est bon. Je vois bien que c'est bon. Pour une fois, il a mis dans le mille.

— Ils sont *tous* comme ça, amplifia-t-elle. Tu n'as qu'à regarder.

Je regardai, je regardai sans me lasser, je regardai avec fanatisme, frénésie, incrédulité — j'allai d'une revue à l'autre, tournant et détournant, examinant et extrayant, jusqu'à piller tous ses écrits. Mon butin me laissa pantois ; il n'y avait aucun déchet. J'étais sidéré ; j'étais épuisé ; cela finit par exorciser ma stupéfaction. J'étais converti, j'étais croyant ; il avait à chaque fois mis dans le mille. Et non point avec facilité — je décelais les magnifiques risques qu'il avait pris. C'était en effet une nouvelle veine, c'était une artère, avec son battement, sa pulsation ; c'était une fontaine robuste et inéluctable. Et lorsque son livre parut six mois après, il scella ma conversion. Il y avait là tous les poèmes des revues, déjà familliers comme de puissantes colonnes anciennes, incomparablement gravées ; et se superposant à eux, comme de lumineuses dalles de marbre diapré, immuables en raison de leurs poids et de leur inexorable équilibre, les lendemains de ces premières œuvres, ces productions plus récentes dont je devins bientôt le révérencieux témoin. Ou, sinon le témoin, du moins l'auditeur : car, par la force de l'habitude, c'était dans la mansarde qu'il préférait composer et je l'entendais qui tapait un poème d'un trait, sans même s'arrêter le temps d'une respiration. Et, aussitôt, il descendait pour me le présenter. A ces instants, j'avais l'impression que rien n'avait changé : sauf son talent et un seul trait de son comportement. Immanquablement c'était une œuvre de — mais qui suis-je, que suis-je pour proclamer son génie ? — contentons-nous d'un jugement plus modeste, celui du mérite. Immanquablement donc, il me donnait une œuvre de mérite, mais il me la donnait — c'était cela le plus étrange — avec une certaine quiétude, une certaine passivité. Aucune trace de son arrogance d'antan. Ni de sa vanité. Il demeurait tendu et immobile dans une sorte de tranquillité, comme un homme tenu en laisse ; et il montait les marches, les jours où il était pris par un besoin de poème, avec une langueur qui ne ressemblait en rien à ce que j'avais pu observer chez lui autrefois ; il tapait de bout en bout, sans hésitation ou amendements, puis redescendait lourdement l'escalier, surgissait devant moi comme un bandit et livrait l'admirable page à mes mains enthousiastes. Je me disais que c'était une sorte de transe qu'il devait subir — en ces temps obscurs nous commencions tout juste à connaître Freud, mais déjà il ne faisait pas de doute qu'après le jaillissement de la chose latente, il tombait dans un soulagement aussi profond et aussi réparateur que le sommeil que procure l'éther. S'il lui manquait — ou s'il sautait — ce que les enthousiastes appellent l'exaltation créatrice, c'était parce qu'il comprimait tout, sans l'exhibitionnisme d'un prélude, en cet unique moment de puissance — six minutes, huit minutes, le temps qu'il lui fallait, un index chevauchant l'autre, pour transformer la vision en alphabet.

Notons, à ce propos, qu'il était devenu un dactylographe remarquablement rapide.

Un jour je lui demandai — cela après qu'il m'eut abandonné une page fraîchement éclose sortie de la machine à écrire il n'y avait pas même un quart d'heure — comment il pouvait expliquer ce qui lui était arrivé.

— Tu étais terriblement mauvais, lui rappelai-je. Tu étais innommable. Grand dieu, tu étais écœurant.

— Oh ! je ne sais pas, dit-il avec cet ennui, cette indolence qu'il manifestait toujours après une de ces étonnantes excursions dans la mansarde, je ne sais pas si j'étais si mauvais que ça.

— Bon, admettons, dis-je — compte tenu de ce que je tenais dans ma main je ne pouvais plus guère me fier à mon idée de ce qu'il avait été —, mais ça ! Ça ! (Faisant claquer la merveilleuse page comme un drapeau triomphal.) Comment expliques-tu *ça*, venant après ce que tu as été ?

Il me sourit d'une rangée de canines brunies et m'assena une tape cordiale sur la cheville.

— Le plagiat.

— Non, je voudrais savoir.

— Le plagiat plaintif, dit-il d'un ton conciliant, de la persona plantigrade. Avoue, Edmund, tu n'aimes pas les *p*, tu ne les as jamais aimés, tu ne les aimeras jamais.

— Par exemple, dis-je, tu ne fais plus jamais *ça*.

— Faire quoi ?

Il frotta un mégot sur ses dents et bâilla.

— Je fais toujours du persiflage, non ? Je le fais sortir de ma patate, sans perruque ni postiche.

— Justement ça. Fourrer des mots grotesques dans chaque ligne.

— Non, je ne le fais plus. Dommage, mon dictionnaire est pratiquement liquidé.

J'insistai :

— Pourquoi ?

— Je l'ai consommé, voilà pourquoi. Je l'ai achevé.

— Trêve de plaisanteries. Ce que je cherche à savoir, c'est pourquoi tu as changé. Tes poèmes ont changé. Je n'ai jamais vu pareil changement.

Il se redressa soudain d'un air inspiré et je me dis que j'assistais à un retour de flamme.

— Margaret a beaucoup réfléchi à la question. Edmund. *Elle*, elle attribue cela à la maturité.

— Ce n'est pas très perspicace, dis-je — pour placer un *p* et lui montrer que je ne me formalisais plus de rien.

Mais il dit d'un ton bref :

— Elle veut dire la virilité.

Je devins railleur :

— C'est un mot qu'elle n'est même pas capable de dire.

— Peut-être bien que Margaret aussi a changé.

— Elle est aussi sotte que jamais, cette femme, et son mari, l'agent de change, est aussi sot que jamais, et les deux font une paire de pudibonds fertiles — elle ne reconnaîtrait pas ce qu'on appelle virilité si elle se trouvait nez à nez avec. Elle déteste cette notion...

— Elle l'aime.

— Ce qu'elle aime, ce sont les euphémismes. Elle ne

360

peut pas regarder la virilité en face, alors elle la couvre d'un voile. Tendresse ! Masculinité ! Maturité ! Héroïsme ! Elle n'a pas de cervelle dans la tête et elle n'a jamais rien fait dans ce bas monde, excepté ces stupides bébés, j'ai cessé de compter, je ne sais plus combien elle en a fait...

— Le prochain est de moi.

— C'est une blague débile.

— Ce n'est pas une blague.

— Écoute, tu peux faire toutes les blagues que tu veux sur le plagiat, mais ne viens pas me raconter des contes de fées.

— Des contes pour petits enfants, me reprit-il. Je ne gaspille jamais rien. Voilà ce qu'il en est, j'ai plagié Margaret. Je l'ai pillée, si tu veux t'en tenir aux *p*.

Et il enchaîna avec toute une série de *p* qui bravent l'honnêteté et que le lecteur devra chercher dans son propre répertoire de paillardises.

— Et puis tu te trompes du tout au tout quant à la cervelle de ta sœur, Edmund. C'est une excellente femme d'affaires — ce sont simplement les occasions qui lui ont manqué. Tu sais, depuis que mon livre a paru, on me demande pas mal et qu'est-ce qu'elle a fait : elle m'a trouvé six mois d'engagements pour réciter mes poèmes. Et les cachets ! Elle m'a obtenu plus que ce qu'ils paient à Edna Saint Vincent Millay, si tu veux que je te dise, annonça-t-il fièrement. Et pourquoi pas ? Les seules fois que cette bonne femme écrit un bon poème, c'est quand elle signe son nom.

Subitement, face à son rire et à son ouragan de fumée, je compris qui était derrière le titre de son recueil de poèmes. Je tombais des nues. C'était Margaret. Le livre avait pour titre *Virilité*.

Une semaine après cette conversation, il partait à Chicago avec ma sœur pour l'inauguration de sa série de lectures publiques.

Je montai dans sa mansarde pour fouiller. Je bouillonnais de méfiance. J'étais mortifié. J'avais sacrifié Regina aux principes de Margaret et maintenant Margaret avait sacrifié ses principes et dans les deux cas Edmund Gate avait été le gagnant. Il avait tiré profit de sa moralité comme de son immoralité. Je me remis à le haïr. J'aurais eu plaisir à croire à sa blague : rien ne m'aurait rendu plus gai que de le croire voleur de mots — ne serait-ce que pour le confondre et prendre ma revanche —, mais on ne pouvait pas compter sur lui, même pour quelque chose d'aussi plausible que le plagiat. La mansarde ne me révéla rien. Pas même la moindre anthologie poétique qui, mettons, aurait pu expliquer cette extraordinaire floraison ; il n'y avait pas l'ombre d'un livre — la pitoyable et squelettique ruine de son dictionnaire jeté dans un coin avec une boîte à cigares ne comptait pas vraiment. Pour le reste, il n'y avait qu'un vieux bureau avec sa — non, ma — machine à écrire, un sofa, une commode vide, un plancher nu et bouillant (la chaleur montait brutalement) et son habit primordial tournoyant lentement dans l'air stagnant sur un cintre accroché à la lucarne, avec des mites nidifiant sans vergogne sur les revers. Il faisait penser à Mohammed et au Coran ; à Joseph Smith et aux Tables d'or. Une mystérieuse dictée se répétait dans ces lieux : le don lui venait de la lumière et du noir. Je m'assis à son bureau et tapai à tâtons une lettre désespérée à Regina. Je lui proposai de changer les conditions de notre liaison. Je dis que j'espérais que nous pourrions la reprendre, non pas comme par le passé (ma maison était occupée). Je lui dis que je l'épouserais.

Elle me répondit par retour du courrier, joignant un faire-part de mariage vieux de six mois.

Ce même jour, Margaret était de retour.

— Je l'ai quitté, *bien entendu*, je l'ai quitté. Il le fallait bien, ce n'est pas qu'il soit capable de se débrouiller dans cette situation, mais je l'ai tout de même expédié à Detroit. Si je dois être son manager, après tout, je dois *manager*. Je ne peux pas faire tout cela à partir de la province, tu sais — je dois être ici, sur place, voir des gens... Ah, tu peux pas imaginer, Edmund, on le demande partout ! Il va falloir que j'ouvre un vrai bureau, juste un *petit* standard pour commencer...

— Ça marche bien ?

— Si ça marche ! Tu en as des façons de parler, Edmund, c'est un phénomène. C'est surnaturel. Il a *un charisme*. A Chicago, ils ont dû arrêter trois filles, elles avaient formé une chaîne humaine et s'étaient accrochées à un lustre juste au-dessus du podium et celle qui était suspendue en bas a voulu attraper un cheveu sur sa tête et a failli arracher le cuir chevelu de ce pauvre garçon...

— Quel dommage.

— Comment, quel dommage ? Tu ne saisis pas, Edmund, c'est une célébrité !

— Mais il a si peu de cheveux et il en fait si grand cas, dis-je en me demandant amèrement si Regina avait épousé un chauve.

— Tu n'as pas le droit de parler sur ce ton, dit Margaret. Tu n'as aucune idée de sa modestie. Je pense que cela explique une partie de son charme — il n'a pas un gramme de vanité. Il prend tout ça avec l'innocence d'un bébé. A Chicago, c'est tout juste s'il ne se retournait pas pour voir s'il s'agissait vraiment de lui. Et il s'agit bien de lui, tu ne peux pas imaginer les hurlements, la bousculade pour les autographes, les gens qui crient bravo et qui s'évanouissent s'il lui arrive de les regarder dans les yeux.

— S'évanouissent ? dis-je d'un ton sceptique.

— Parfaitement ! Enfin, Edmund, tu ne lis même pas les titres de ton propre journal ? Son public est trois fois plus nombreux que celui de Caruso. Ah ! tu es dur, Edmund, tu admets qu'il est bon, mais moi, je te dis que tu es terriblement muré si tu ne vois pas le pouvoir qu'il y a dans ce garçon...

— Je vois le pouvoir qu'il a sur toi.

— Sur moi ! Sur le monde entier, Edmund, c'est le monde qu'il tient maintenant... J'ai déjà des engagements pour lui à Londres et à Manchester, et voici un câble de Johannesburg qui le réclame — oh ! crois-moi, il en a fini de traîner dans des trous de province. Et regarde un peu, je viens de conclure ce beau contrat généreux pour son prochain livre alors que les articles sur le premier continuent à pleuvoir.

Avec un craquement, elle ouvrit une serviette bourrée et déversa une masse de chemises de carton, de listes, de papiers à en-tête, de calendriers, d'enveloppes déchirées avec des timbres exotiques, de dossiers rebondis aux allures juridiques, de documents en petits caractères — et les fit bruyamment valser sur son ventre proéminent.

— Son deuxième livre ? Il est prêt ?

— Bien sûr qu'il est prêt. Il est d'une remarquable productivité, tu sais. Fécond.

— Il foisonne, proposai-je.

— Ce sont ses propres termes, comment as-tu trouvé ? Il peut faire un poème pratiquement sur commande. Parfois juste après une lecture publique, lorsqu'il est épuisé — tu sais, c'est sa timidité qui l'épuise tellement —, bref, le voilà tout agité, inquiet, à se demander si sa prochaine lecture sera aussi bonne, et soudain il a cette — cette *crise* et il va se cacher dans le coin le plus reculé de l'hôtel, fouiller dans son porte-feuille pour en sortir des bouts de papier — il transporte toujours des petits papiers pliés, avec des notes ou des idées sans doute, et il chasse tout le monde, même moi, et se met à *taper* (il faut que je te dise, il adore sa nouvelle machine à écrire) — et toute cette gloire vient tout droit de son âme sous ses doigts ! proclama-t-elle avec enthousiasme. Il a l'énergie du génie. Il est *authentique*, Edmund, un homme profondément énergique est profondément énergique dans tous les sens à la fois. J'espère que tu suis au moins les critiques ?

C'était une agression et je me barricadai :

— Comment l'appellera-t-il, son prochain livre ?

— Oh ! pour des petites choses comme les titres, il s'en remet à moi et moi, je suis à cent pour cent pour la simplicité... *Virilité II*, annonça-t-elle de son effarante voix de capitaine d'industrie. Et le suivant sera *Virilité III*. Et le suivant...

— Ah ! cette fécondité, dis-je.

— Cette fécondité, répéta-t-elle, rayonnante.

— Un puits sans fond ?

Elle ouvrit de grands yeux :

— Comment se fait-il que tu trouves toujours exactement les mots d'Edmund ?

— Je sais comment il parle.

— Un puits sans fond, c'est ce qu'il a dit lui-même. Attends un peu et tu verras !

Une mise en garde.

Elle ne s'était pas trompée. *Virilité* fut suivi de *Virilité II*, puis de *Virilité III*, puis d'un petit garçon. Margaret l'appela Edmund — en mon honneur, dit-elle — et son mari, l'agent de change, bien que passablement intrigué par cette production humaine au milieu de tant de fertilité littéraire, ne manqua pourtant pas de se réjouir. Ces temps derniers, maintenant que le simple standard téléphonique de Margaret s'était élargi pour accueillir trois secrétaires, il lui avait semblé qu'il voyait sa femme moins que jamais ou, du moins, qu'elle lui accordait moins d'attention que jamais. En Edmund junior il vit la preuve (bien que cela le gênât d'y penser ne fût-ce qu'une minute) qu'elle lui avait peut-être accordé des attentions dont il ne se souvenait guère. De son côté, Margaret était gaie et occupée — elle glissa ce nouveau petit Edmund (c'est *lui* que nous devrions appeler III, dit-elle en riant) dans sa nursery bondée et retourna à son affaire qui avait pris des proportions étonnantes. Outre les trois secrétaires, elle avait deux assistants : des poètes, des poétereaux, des ténors, des altos, des mystiques, des rationalistes, des droitiers, des gauchistes, des mémorialistes, des diseurs de bonne aventure, des camelots, tous ces personnages habités par une idée fixe et pouvant prétendre à des tournées de conférence se bousculaient aux portes de son agence. Quant à Edmund, elle ne lui laissait aucun répit. Elle l'expédiait à Paris, à Lisbonne, à Stockholm, à Moscou ; personne ne le comprenait dans ces endroits, mais le titre de ses livres se traduisait merveilleusement dans toutes les langues. Il acquit une sorte de grognement — parce qu'il était perpétuellement enroué ; il fumait jour et nuit — et elle le poussa à cultiver cela. Avec son accent, ce grognement provoquait un frisson international chez les femmes les plus distinguées. Elle jeta ses manchettes brodées d'initiales et l'habilla comme un lutteur, avec des chaussures noires montantes à lacets et des T-shirts irisés et moulants découvrant les spirales de son pelage. Une longue vessie de fumée pendait toujours de ses lèvres. A Paris, ils lui coururent après sur la place de la Concorde en hurlant *Virilité! Virilité! Die Manneskraft,* gueulaient-ils à Munich. Un cataclysme, une avalanche de critiques. Dans les pages illustrées, sa photo concurrençait les poitrines enrubannées des duchesses. A New Delhi, les camelots vendaient dans les rues des versions brillantes de son torse, tels des avatars. Depuis longtemps il avait été propulsé hors des mains des critiques littéraires sérieux — mais c'étaient les critiques sérieux qui avaient commencé. « Le principe masculin personnifié, vérifié, illuminé. » « Le mordant de Pope, la sensualité de Keats. » « La qualité, en miniature, des plus grands romans. Tolstoïen. » Inédit et de roc. » « Robuste, sensuel, mâle. » « Érotique. »

Margaret était en extase et glissa un nouveau bébé dans sa nursery débordante. Cette fois-ci, l'agent de change l'aida à choisir un nom : ils se décidèrent pour Gate et engagèrent une deuxième nounou pour se charger du trop-plein.

Virilité IV fut suivi de *Virilité V.* La qualité de sa production n'avait pas baissé, mais il était étonnant qu'il pût continuer à écrire quoi que ce soit. De loin en loin, il passait me voir entre deux voyages et alors il allait toujours là-haut et faisait un tour sur les plaintifs planchers de son ancienne mansarde. Il redescendait hagard et voûté ; ses poches semblaient enflées, mais apparemment il n'y mettait que ses poings massifs. Je ne sais trop comment, sa gloire avait intensifié son étrange effacement. Il avait deviné qu'à part moi j'étais aigri par son succès et il cherchait timidement à me rappeler les temps où il écrivait mal.

— C'est d'autant plus grave, répondis-je. Ça prouve que j'étais un bien mauvais prophète.

— Non, tu n'étais pas si mauvais prophète que ça, Edmund.

— Je te disais que tu n'arriverais jamais à rien avec tes machins.

— Et tu avais raison.

Là, je me mis à le haïr. Récemment, Margaret m'avait montré son relevé de banque. Il était un des hommes les plus riches du pays ; mon journal ne cessait de raconter ses faits et gestes aux lecteurs : *Poète Prospère découvre la Fabuleuse Patagonie.* Je dis :

— Comment peux-tu dire que tu n'es arrivé à rien ? Que pourrais-tu demander de plus au monde ? Que pourrait-il encore te donner ?

— Oh ! je ne sais pas.

Il était sombre et morose.

— C'est juste que j'ai le sentiment que les choses commencent à me manquer.

— Les triomphes ? Ils passent leur temps à te comparer à Keats. Dans le *Centennial* de l'autre jour, ton copain Fielding a écrit que tu étais pratiquement aussi grand que Milton à ses débuts.

— Fielding est gâteux. Il y a longtemps qu'on aurait dû le mettre dans une maison.

— Et pour les ventes, tu viens juste après la Bible.

— J'ai été élevé avec la Bible, dit-il soudain.

— Ah ! je vois. Un accès de mauvaise conscience. Eh bien, Elia, pourquoi ne pas prendre Margaret, la faire divorcer et faire légitimer tes bébés, si c'est ça qui te tourmente ?

— Ils sont bien assez légitimes comme ça. Le vieux n'est pas un mauvais père. De plus, ils sont tout mélangés là-bas, je ne sais plus qui est qui.

— Les tiens, c'est ceux qu'on a appelés par ton nom. Tu avais raison pour Margaret, c'est une maîtresse femme.

— C'est pas ça qui me tourmente, répéta-t-il.

— Mais *quelque chose* te tourmente.

A cela je ressentis une vive satisfaction.

— A vrai dire...

Il se laissa mollement tomber dans le fauteuil déliquescent de mon père. Il venait de rentrer d'une tournée en Italie ; il était parti avec une garde-robe de trente-sept T-shirts de satin et pas un n'était resté intact. Ses manches arrachées se vendaient à vingt lires pièce. Ils avaient volé ses lunettes pendant qu'il les portait sur son célèbre nez.

— Je me plais ici, Edmund. J'aime ta maison. J'aime la façon dont tu as laissé mes vieilles affaires là-haut. Un homme a besoin de s'accrocher à son passé.

J'étais toujours stupéfait de constater que le style de ses propos n'avait pas changé. Il avait gardé son goût de l'insupportable lieu commun. Il continuait à découvrir ses clichés comme des œufs de Colomb. Et pourtant ses poèmes... Ah, mais quelle curieuse négligence ! Je constate que je n'ai même pas essayé de les décrire. C'est parce que, sans nul doute, il faudrait les *présenter*, les lire à haute voix comme Edmund le faisait dans le monde entier. A défaut, je pourrais bien entendu les reproduire ici ; je ne veux pas entraver mon récit pour faire place à tel ou tel d'entre eux, bien qu'à la vérité, de la place, ils n'en prendraient guère. Ces poèmes étaient remarquablement petits et concis, en strophes traditionnelles. Les rimes étaient à leur place, la scansion régulière. De plus, ils étaient étonnamment simples. Contrairement aux produits de la première période d'Edmund, leur langue était parfaitement limpide. Aucun mot insolite. Ses poèmes employaient le vocabulaire ordinaire d'hommes ordinaires. En même temps, ils avaient une force immense. On les retenait par cœur avec une facilité prodigieuse — littéralement, il était impossible de les oublier. Certains racontaient une histoire, comme des ballades, et c'étaient des histoires exaltantes et pourtant choquantes. D'autres étaient des poèmes d'amour étrangement impudiques, tels qu'aucun poète occidental n'en avait jamais osé écrire — mais rendaient un son de pureté et de santé plutôt que de scandale. Tous ceux qui avaient lu ou entendu les œuvres de Gate disaient qu'elles ne pouvaient être écrites que par un être ayant une grande et vaste expérience du monde. Les gens se posaient des questions sur sa vie. Si les Borgia, experts en corruption de tout genre, avaient été poètes, dit l'un, ils auraient pu écrire pareils poèmes. Si les Rough Riders de Teddy Roosevelt avaient été poètes, ils auraient pu écrire pareils poèmes. Si Gengis-khan et Napoléon avaient été poètes, ils auraient écrit pareils poèmes. Ces poèmes étaient masculins, ils étaient politiques et personnels, publics et privés. Ils étaient pleins à la fois de passion et de spleen, ils tenaient de la jeunesse et de l'âge, de l'immaturité et de la sagesse. Mais ils n'étaient pas beaux et ils n'étaient pas ennuyeux, comme un muscle un peu noueux, un muscle qui a beaucoup servi mais qui est merveilleusement maîtrisé n'est ni beau, ni ennuyeux.

En fait, ces poèmes ressemblaient beaucoup à la vision que Margaret avait d'Edmund Gate lui-même. Le poète et ses poèmes se confondaient.

Elle envoya sa vision en Yougoslavie, elle l'envoya en Égypte, elle l'envoya au Japon. A Varsovie, des filles lui coururent après dans la rue pour arracher des souvenirs à ses poches — elles faillirent lui arracher ses dents. A Copenhague, elles fondèrent un club orgiaque appelé *Le Gâte oh ! interdit* et se réunissaient autour d'une gatte de bateau pour lire ses œuvres. A Hong Kong, elles lui arrachèrent son caleçon et gloussèrent en le voyant tout nu. Il avait vingt-cinq ans à présent ; cette vie commençait à l'user.

Rentrant du Brésil, il vint me voir. Il semblait encore

plus morose que de coutume. Il monta bruyamment les marches, piétina lourdement le plancher et
redescendit tout aussi bruyamment. Il avait apporté
sa vieille boîte à cigares.

— Ma tante est morte, dit-il.

Comme d'habitude, il avait pris le fauteuil de
mon père. Il laissait mollement pendre sa grosse
tête poupine.

— Celle de Liverpool?

— Ouais.

— C'est bien triste. Mais ça devait être une très
vieille dame.

— Elle avait soixante-quatorze ans.

Il semblait très affecté. Une indéniable désolation
plissait son cou gigantesque.

— Tout de même, dis-je, tu as dû bien t'en
occuper ces dernières années. Au moins, avant de
mourir elle a pu prendre ses aises.

— Non. Je n'ai jamais rien fait. Je ne lui ai
jamais envoyé un penny.

Je le regardai. Il semblait presque malade. Ses
lèvres étaient noires.

— Je suppose que tu as toujours eu l'intention
de le faire. Simplement, tu n'as jamais trouvé le
temps, hasardai-je.

Je croyais que c'était le remords qui l'avait
assombri de la sorte.

— Non. Je ne pouvais pas. Je n'avais pas de
quoi à l'époque. Je ne pouvais pas me le permettre.
De plus, elle n'a jamais compté que sur elle-même.

Il était encore plus scélérat que je ne l'avais cru.

— Va au diable, Elia! C'est elle qui t'a accueilli,

sans elle tu aurais été assassiné là-bas avec toute ta famille...

— Ben, je n'ai jamais gagné autant que tu croyais. Ce travail au commissariat, c'était pas grand-chose.

Je hurlai :

— Il s'agit bien du commissariat !

Il me regarda comme si je venais de le blesser.

— Tu n'as pas compris, Edmund. Ma tante est morte avant tout ce cirque. Elle est morte il y a trois ans.

— Trois ans ?

— Peut-être trois ans et demi.

J'essayai de me faire à l'idée.

— Tu veux dire que tu viens tout juste d'avoir la nouvelle ? C'est seulement maintenant que tu as su ?

— Oh ! non. J'ai su tout de suite après.

Je bouillonnais de confusion.

— Tu ne m'as jamais rien dit.

— Ce n'était pas la peine. Ce n'est pas comme si tu l'avais *connue*. Personne ne la connaissait. Je la connaissais à peine moi-même. Elle n'était personne. Juste une vieille femme.

— Je vois, dis-je méchamment. Comme ça, le chagrin vient tout juste de te rattraper, c'est ça ? Tu as été trop occupé pour trouver le temps de la regretter ?

— Je ne l'ai jamais aimée, avoua-t-il. C'était une vieille poison. Elle n'arrêtait pas de me parler. Et puis, quand je me suis tiré de chez elle et que je suis venu ici, elle n'arrêtait pas de m'écrire. A la fin, je n'ouvrais même plus ses lettres. Je crois bien qu'elle a dû m'en écrire deux cents. Je les ai gardées. Je garde tout, même la camelote. Quand on naît pauvre, on garde toujours tout. On ne sait jamais quand on pourra en avoir besoin. Je ne gaspille jamais rien.

Il dit solennellement :

— Il n'y a pas de petites économies.

— Si tu n'as jamais répondu, comment se fait-il qu'elle continuait à t'écrire ?

— Elle n'avait personne d'autre à qui écrire. Je crois qu'elle avait besoin d'écrire et elle n'avait personne. Tout ce qui me reste, ce sont celles qui sont là-dedans. C'est ma dernière liasse de lettres.

Il me montra sa grosse boîte à cigares toute éraflée.

— Mais tu disais que tu les avais gardées.

— Bien sûr, mais je les ai utilisées. Écoute, il faut que je parte à présent, Edmund. J'ai rendez-vous avec Margaret. Ça va être une drôle de bagarre, je ne te dis que ça.

— Quoi ?

— Je ne vais plus nulle part. Qu'elle gueule tant qu'elle voudra. Moi, j'ai fait mon dernier voyage. Maintenant, il faut que je reste à la maison et que je fasse des poèmes. Je vais prendre une chambre quelque part, peut-être mon ancienne chambre à l'autre bout de la ville, tu te souviens — la fois où tu es venu me voir ?

— Là où je t'ai flanqué par terre ? Tu peux rester ici.

— Que non... Faut pas que ta sœur puisse me trouver. Faut que je travaille.

— Mais tu *as* travaillé. Tu as sorti de nouveaux poèmes sans arrêt. C'est ça qui était stupéfiant.

Il souleva sa masse de chair et se tint devant moi, serrant la boîte à cigares contre ses côtes de dinosaure.

— J'ai pas travaillé.

— Ces cinq recueils que tu as faits...

— Tout ce que j'ai fait, c'est ces deux bébés. Edmund et Gate. Et ce ne sont pas même mes vrais noms. C'est tout ce que j'ai fait. Les critiques ont fait le reste. Margaret à fait le reste.

Soudain, il s'était mis à pleurer.

— Je ne peux pas le dire à Margaret.

— Lui dire quoi ?

— Qu'il ne reste qu'une liasse. Une seule. Après ça, plus rien. C'est fini.

— Pour l'amour du ciel, Elia, qu'est-ce que tu dis ?

— J'ai peur de le dire. Je ne sais pas quoi faire. J'ai essayé d'écrire de nouveaux trucs. J'ai essayé. C'est affreux. C'est pas pareil. C'est pas pareil, Edmund. Je ne peux pas. Je l'ai dit à Margaret. Je lui ai dit que je ne pouvais plus écrire. Elle me dit que c'est un blocage, que ça arrive à tous les écrivains. Elle me dit de ne pas m'en faire, que ça me reviendra. Que ça revient toujours chez les génies.

Il sanglotait sauvagement ; je percevais à peine ses paroles. Il s'était laissé retomber dans le fauteuil de mon père et ses larmes formaient des rigoles dans les fissures du vieux cuir.

— J'ai peur de le dire.

— Enfin, Elia. Un peu de tenue, tu es un homme. Peur de quoi ?

— Eh bien, je te l'ai dit une fois, je te l'ai dit parce que je savais que tu ne me croirais pas, mais je l'ai dit quand même, tu ne peux pas dire le contraire. Tu aurais pu m'arrêter. C'est de ta faute aussi.

Il continuait à cacher son visage. Je m'impatientai :

— Qu'est-ce qui est de ma faute ?

— Je suis un plagiaire.

— Si tu veux encore parler de Margaret...

Il gémit faiblement :

— Non, ne sois pas idiot. Margaret c'est fini.

— Ces recueils ne sont pas à toi ? Ils ne sont pas à toi ?

— Ils sont à moi. Ils sont arrivés par la poste, alors si tu veux dire qu'ils sont à moi *de cette façon-là*...

Son trouble était contagieux :

— Elia, tu as perdu la raison...

— Elle les a tous écrits, tous tant qu'ils sont. A Liverpool. Jusqu'à la dernière ligne du dernier poème. La tante Rivka. Il en reste juste assez pour un dernier recueil. Margaret va l'appeler *Virilité VI*, sanglota-t-il.

— Ta tante ? Elle les a tous écrits ?

Il gémit.

— Même celui qui — celui qui parle de...

— Tous, interrompit-il.

Il n'avait presque plus de voix.

Il passa trois semaines chez moi. Pour éconduire Margaret, je lui téléphonai et lui dit qu'Edmund avait attrapé les oreillons.

— Mais je viens de recevoir un câble de Rhodésie du Sud ! se lamenta-t-elle. Ils ont follement besoin de lui là-bas !

— Il vaut mieux ne pas venir, Margaret. Tu risques de rapporter cette fièvre à la nursery. Avec tous ces bébés...

— Comment a-t-il fait pour attraper une maladie infantile ? se demanda-t-elle.

Je l'entendais s'agiter.

— C'est précisément la maladie qui correspond à sa mentalité

— Je te défends de dire ça. Tu sais que c'est une terrible maladie pour un homme. Tu sais ce qu'elle fait. C'est affreux.

Je n'avais pas la moindre idée de ce qu'elle voulait dire. J'avais choisi cette fable pour son innocence.

— Pourquoi ? Les enfants s'en sortent fort bien...

— Quel imbécile tu fais, Edmund, me réprimanda-t-elle sur le ton familier de mon père — mon père m'avait souvent traité d'idiot scientifique. Il risque de se retrouver stérile comme un caillou. Arrête, Edmund, il n'y a pas de quoi rire, tu es une brute.

— Alors, tu devrais appeler son prochain recueil *Stérilité*.

Il resta caché chez moi, comme je l'ai déjà noté, pendant près d'un mois et il passait le plus clair de son temps à pleurer.

— Je suis un homme fini.

Je dis froidement :

— Tu savais que ça devait arriver.

— Ça toujours été le cauchemar. Après ce dernier lot, je suis un homme fini. Je ne sais pas quoi faire. Je ne sais pas ce qui va m'arriver.

— Tu devrais avouer, lui conseillai-je enfin.

— A Margaret ?

— A tous. Au monde entier.

Il m'adressa un rictus larmoyant :

— Pour sûr. Les œuvres complètes d'Edmund Gate par tante Rivka.

— Vice versa, à dire vrai, dis-je frappé une fois encore par une ombre de mon premier choc Et puisque c'est ainsi, tu dois faire amende honorable.

— On ne peut pas faire amende honorable aux morts.

Il épongeait la rivière qui coulait de son nez.

— Ma réputation. Ma pauvre réputation à la veille d'être mutilée. Non, je vais continuer, me trouver une petite chambre et écrire de nouveaux poèmes. Ceux-là seront à moi *pour de bon*. L'intégrité, gémit-il. Ce sera mon salut.

— Ce sera ta perte. Tu seras dans notre siècle l'homme qui s'est vidé avant d'arriver à trente ans. Rien n'a l'air plus bête qu'un poète qui perd ses dons. Lamentable. On se moquera de toi. Vois un peu comment les gens se moquent du Wordsworth de la dernière période. Le Gate de la dernière période sera un four à vingt-six ans. Tu ferais mieux d'avouer, Elia.

Il réfléchit à cela, la mine sombre.

— Qu'est-ce que ça m'apporterait ?

— L'étonnement et le respect. L'admiration. Tu deviendras une grande figure sacrificielle. Tu pourrais dire que ta tante était timide mais tyrannique, qu'elle t'a obligé à prendre sa place. Gate l'Agneau. Tu pourrais dire n'importe quoi.

Il parut tenté.

— C'était un *vrai* sacrifice. Crois-moi, c'était l'enfer. J'avais tout le temps la diarrhée à cause de l'eau dans tous ces pays et je n'ai jamais pu supporter les hurlements. La moitié du temps, ma vie était en danger. A Hong Kong, quand elles ont volé mon caleçon, j'ai failli attraper une pneumonie.

Il cracha sa cigarette et se mit à tousser.

— Tu crois vraiment que je devrais faire ça, Edmund ? Margaret ne serait pas contente. Elle a toujours détesté les hommes stériles. Ce serait un aveu de ma propre stérilité poétique, c'est comme ça qu'elle prendrait la chose.

— Je croyais que tu en avais fini avec elle de toute façon.

Soudain, le courage le gonfla tel un ballon :

— Et comment, j'en ai fini avec elle ! Moi, faut pas venir me parler de gens qui exploitent d'autres gens. Son affaire, elle l'a montée avec ma chair et mon sang. Elle m'a sucé la moelle.

Il se mit à la machine à écrire dans la mansarde — la machine sur laquelle j'avais maladroitement tapé ma vaine demande à Regina — et écrivit une lettre à son éditeur. C'était un aveu complet. Je l'accompagnai au drugstore pour faire authentifier sa signature. Je ressentais l'aisance du parfait confident, du parfait conseilleur, du parfait vengeur. Il avait déversé sur moi la coupe de l'humiliation, il m'avait fait perdre Regina ; j'allais lui faire perdre le monde.

Cependant, je lui promettais qu'il le regagnerait.

— On se souviendra de toi comme de l'imprésario de ceux que nous avons failli perdre. On se souviendra de toi comme de l'homme qui nous a donné un génie caché. On se souviendra de toi comme du sauveur qui a ramené à la lumière éternelle celle qui aurait pu errer tel un fantôme muet et sans gloire dans l'obscurité perpétuelle.

Mon rédacteur en chef avait renvoyé de meilleurs journalistes que moi pour avoir commis ce genre de prose.

— J'aurais mieux aimé être le vrai poète moi-même.

Cette remarque sembla lui jaillir du cœur ; je faillis être touché.

— César est né César, il ne s'est pas fait. Mais qui s'intéresse au neveu de César ? A moins d'une grande et profonde action. Être Edmund Gate, ce n'était rien. Mais se dépouiller du pouvoir d'Edmund Gate sous les yeux du monde entier, devenir soi-même tout petit pour remettre son pouvoir à une autre — voilà une action d'une profonde résonance.

Il répliqua mélancoliquement :

— Il y a peut-être du vrai dans ce que tu dis, et il quitta son refuge pour apprendre la nouvelle à Margaret.

Elle était en colère. En fureur. Mauvaise :

— C'est une dame qui a écrit ça ? s'écria-t-elle. Une vieille immigrée juive, une dame qui n'est même pas arrivée jusqu'en Amérique ?

— Ma tante Rivka, dit-il courageusement.

— Voyons, Margaret, dis-je. Ne sois pas sotte. Le prochain livre sera tout aussi bon que les précédents. Aucune différence de qualité. Il a pris ces poèmes au hasard dans sa boîte et ils sont tous de la même valeur. Ils sont brillants, tu le sais bien. Le livre sera pareil, donc le succès sera pareil. Les bénéfices seront pareils.

Elle plissa son front d'un air sceptique :

— Ce sera le dernier. Il prétend qu'il ne sait pas écrire, *lui*. Après celui-là, il n'y en aura pas d'autre.

J'en convins :

— Le canon s'achève lorsque meurt le poète.

— Ce poète-là est bien mort, tu peux le dire !

Elle lui lança un rire méchant. Edmuund Gate frotta ses lunettes, suça sa cigarette, loua une chambre et disparut.

Margaret s'escrima en vain contre l'éditeur :

— Pourquoi ne pas reprendre *Virilité* ? Ça a bien marché pour les cinq autres. C'est un titre qui se vend bien.

— Ce recueil a été écrit par une femme. On pourrait l'appeler *Mulierbrité*, personne ne comprendra.

L'éditeur était homme d'esprit et fier de son latin, mais il avait une foi abstraite et saine dans la stupidité de ses lecteurs.

Le livre parut sous le titre *Fleurs de Liverpool*. Il avait une jolie couverture, de la couleur d'un pétale de marguerite portant une photo de tante Rivka. Il s'agissait d'un daguerréotype qu'Edmund avait gardé au fond de sa boîte à cigares. Il montrait sa tante comme jeune fille en Russie, pas très belle, avec de grosses lèvres, un nez circulaire et de minuscules yeux clairs — la crosse de ce qui ressemblait étrangement à un pistolet pointait d'une poitrine dénuée de charme.

Quant au recueil, il était sublime. Par je ne sais quel accident de geste involontaire, il s'avéra que les derniers poèmes de la boîte à cigares fendillée d'Edmund Gate représentaient le sommet de la vitalité du poète. Ils étaient aussi clairs et durs que les autres, mais en quelque sorte plus rudes, plus épais, peut-être plus intellectuels. Je lus et mon émerveillement tourna à la honte — j'avais cru briser sa carrière en le poussant à couper ses liens avec elle, c'était pire qu'une erreur. Un crime. Rien ne pouvait nuire à la carrière de ces poèmes. Ils planaient bien au-dessus des mesquines revanches. Si Shakespeare était en réalité Bacon, qu'importe ? Si Edmund Gate était en réalité la tante Rivka de Liverpool, qu'importe ? Puisque rien ne peut trahir un bon poème, il est vain de trahir un mauvais poète.

Tenant à la main un exemplaire de prépublication, je frappai à sa porte. Il m'ouvrit en caleçon : il puait. Il manquait un verre à ses lunettes.

— Eh bien, le voici, dis-je. Le dernier.

Il eut un hoquet, un spasme alcoolique et désolé.

— Les derniers seront les premiers, dis-je avec une grimace de dégoût ; la puanteur de la chambre me donnait envie de prendre la fuite.

— Les premiers seront les derniers, me contredit-il, brandissant un vieux journal comme pour me faire signe de m'arrêter. Tu veux entrer, Edmund ? Entre, ne te gêne pas.

Mais il n'y avait pas de chaise. Je m'assis sur le lit. Le plancher était rugueux et crissait sous les ongles de ses pieds. C'étaient de longues lunules crasseuses. Je posai le livre.

— Je t'ai apporté ça pour que tu l'aies en premier.

Il regarda la couverture :

— Quelle bouille elle avait.

— Quel cerveau. Tu as de la chance de l'avoir connue.

— Une vieille poison. Sans elle, je serais encore ce que j'étais. Si elle ne m'avait pas fait défaut.

— Elia, dis-je (j'étais venu lui raconter une horreur), l'éditeur a fait une petite enquête biographique. Ils ont trouvé l'endroit où ta tante vivait lorsqu'elle est morte. Il semblerait qu'elle était bien comme tu l'as toujours dit. Elle ne comptait que sur elle-même.

— Toujours en train de jacter. Une vieille poison. Je me suis sauvé, je n'en pouvais plus.

— Elle a fini par être trop faible pour travailler et elle n'en a jamais parlé à âme qui vive. Ils ont trouvé son corps, tout propre, lavé pour l'enterrement, dans son lit. Elle avait changé le lit elle-même et s'était lavée. Puis elle s'est étendue sur le lit et s'est laissée mourir de faim. Elle est restée là, à attendre la fin. Il n'y avait pas une miette dans la maison.

— Elle ne m'a jamais rien demandé.

— Et ce poème qui s'appelait *Faim* ? Celui que tout le monde a pris pour un poème de combat ?

— Ce n'était qu'un poème. Sans compter qu'elle était déjà morte lorsque je suis arrivé à celui-là.

— Si tu lui avais envoyé quelque chose, tu aurais pu faire durer Edmund Gate quelques années de plus. Une vieille comme ça, bâtie à chaux et à sable, aurait pu vivre jusqu'à cent ans. A condition d'avoir du pain.

— Qu'est-ce que ça peut faire ? Puisqu'un jour ou l'autre, ça se serait tari. La mort d'Edmund Gate était inévitable. Je voudrais que tu t'en ailles, Edmund. J'ai pas l'habitude de me sentir aussi soûl. Je m'entraîne. Ça me démolit l'estomac. Ma vessie est fichue. Va-t'en.

— Fort bien.

— Emporte ce foutu livre.

— Il est à toi.

— Emporte-le. C'est ta faute s'ils m'ont changé en femme. Je suis un homme, dit-il en se tenant l'aine.

Il était vraiment très soûl.

Malgré tout, je laissai le livre, enfoui dans sa couette sale.

Margaret était au Mexique avec un de ses jeunes clients, un baryton. Elle s'occupait de lui avoir des contrats dans des hôtels. Elle envoya une photo de lui dans une piscine. Assis avec l'agent de change au milieu de la clameur de la nursery, nous compulsions à la hâte les revues, à la recherche de critiques.

— En voilà une. « Un art féminin ténu », voilà ce qu'ils disent.

— En voilà une autre : « Une charmante voix de jeune fille reflétant une âme fragile de jeune fille : un cœur en dentelle. »

— « Avec les inévitables limitations de toute poésie ménagère. La vision unidimensionnelle d'une vieille fille. »

— « Une intériorité féminine étouffante. Plat. Le manque d'imagination typique de son sexe. »

— « Un talent de fileuse, dérivé de par sa nature. L'énergie masculine en est absente. »

— « La jolie intuition féminine d'une habile poétesse. »

Les deux plus jeunes se mirent à hurler.

— Voyons, voyons, mon petit Gatinet, dit l'agent de change, voyons, voyons, Edmund. Pourquoi n'êtes-vous pas sages ? Vos frères et sœurs sont sages, ils ne pleurent pas, *eux*.

Il se tourna vers moi, timide, mais rayonnant :

— Tu sais que nous en attendons un autre ?

— Non, je ne savais pas. Mes félicitations.

— Elle est la femme des Temps nouveaux, dit l'agent de change. Elle mène une affaire toute seule, comme un homme.

— Elle fait des bébés comme une femme.

Il rit fièrement :

— Ça, je peux te le dire, elle ne les fait pas toute seule.

— Lis-m'en d'autres.

— Ce n'est guère la peine. Ils disent tous la même chose, n'est-ce pas ? A propos, Edmund, tu savais qu'ils ont déjà un nouveau rédacteur en chef au *Centennial* ? Pauvre Fielding, mais l'enterrement était digne de lui. Ton père aurait pleuré, s'il avait été là.

— Lis-moi ce que dit le *Centennial*.

— « ... il y a dans l'esprit féminin ce je-ne-sais-quoi qui refuse l'étendue et la profondeur. C'est peut-être parce qu'une femme n'a pas l'occasion de coucher sous les ponts. Même si elle l'avait, elle se mettrait à briquer les piliers. L'expérience est la matière de l'art, mais Dieu n'a pas créé la femme pour l'expérience... » C'est la même chose que les autres.

— Le livre aussi, c'est la même chose.

— Le titre est différent, dit-il doctement. Ce livre-là est écrit par une femme, c'est ce qu'ils soulignent tous. Tous les autres s'appelaient *Virilité*. A propos, qu'est-ce qui lui arrive, à ce type ? On ne le voit plus.

L'ombre de ma réponse fut noyée par les hurlements des bébés.

Tout au début, j'ai expliqué que pas plus tard que la semaine dernière je me suis rendu sur la tombe d'Edmund Gate, mais j'ai omis de décrire l'incident bizarre qui s'est produit là-bas.

J'ai aussi expliqué le genre de camaraderie que les gens âgés ressentent les uns pour les autres dans notre société moderne. Nous sommes conscients de partager notre déclin, mais nous savons aussi que nos souvenirs sont une sorte de trésor national, réceptacles vivants de coutumes depuis longtemps révolues, telles que l'enterrement et le développement intra-utérin de l'embryon.

Un personnage extraordinaire se tenait devant la tombe d'Edmund Gate, que je pris d'abord pour une vieille femme décatie. Puis je vis qu'il s'agissait d'un très vieil homme. Ses dents n'avaient pas subi de transracinement et sa vue semblait basse. Lorsqu'il ne me salua point, je fus fort surpris — comme moi-même, il paraissait certainement centenaire —, puis j'attribuai ce manquement à l'incompétence de ses yeux qui portaient leurs paupières comme des capes bossues.

— Il n'y a guère de monde pour venir ici par les temps qui courent, dis-je. Les gens évitent les anciens Cimetières Préservés. Si vous voulez mon avis, ces jeunots sont morbides. Ils craignent le gaspillage. Pour eux, tout doit servir. De nos jours, nous n'étions pas morbides, hein ?

Il ne répondit pas. J'eus l'impression qu'il faisait exprès.

— Tenez, celui-là, dis-je sur mon ton le plus cordial, sollicitant son amitié. Cette chose, ici.

Je donnai un coup sec à la petite pierre au risque de me faire arrêter par les Patrouilles du Musée de Plein Air. Apparemment, personne ne me vit. Je tapai à nouveau avec le côté de la main.

— J'ai connu ce gars en personne. C'était quelqu'un, à son époque. Une célébrité. Tenez, ce jeune Chinois, celui qui vient de voler autour des confins de la Voie lactée, eh bien, le cirque qu'on a fait autour de *lui*, c'était pareil pour ce gars-là. Mais celui-là était un littéraire.

Il ne répondit pas ; il cracha sur l'endroit de la pierre que j'avais touché comme pour le laver.

— Vous l'avez connu, vous aussi ?

Il me présenta son dos — agité par d'horribles tremblements — et s'en fut à petits pas précautionneux. Il semblait flétri, mais encore de bonne taille ; il était incroyablement loqueteux. Ses vêtements traînaient derrière lui et semblaient entraver sa marche ; pourtant à la cheville il y avait comme un godet de jupe élimé. J'eus presque le sentiment qu'il portait un vieux vêtement de femme, du genre qui était à la mode il y a soixante-dix ans. Il était chaussé d'étranges chaussures de femme à l'ancienne, avec de longs talons minces comme des bâtons. Je partis à sa suite — je ne suis pas lent pour mon âge — et fis glisser mon regard sur son visage. C'était un chaudron de décomposition. Il portait une canne rouge — sans doute un parapluie de femme dénudé (appareil qu'on ne connaît plus aujourd'hui) — et il la leva comme pour me frapper.

— Écoutez, dis-je vivement, qu'est-ce que vous avez ? Vous êtes incapable d'avoir un mot aimable ? Je vais appeler la Patrouille du Musée, vous avec votre canne, si vous ne vous surveillez pas...

— Je le surveille, dit-il.

Sa voix monta comme une bulle d'eau bouillante et creva — elle avait un vague accent étranger.

— Je le surveille tout le temps. C'est mon monument et croyez-moi, je le surveille. Et je ne veux pas non plus que quelqu'un d'autre le regarde. Vous voyez ce qui est écrit là : « Je suis un homme. »

— Je regarde ce qui me plaît. Vous n'êtes pas plus qualifié que moi.

— Pour être un homme ? Je vais vous montrer, répondit-il plein de fiel, continuant à brandir sa canne. Mon nom est Gate, pareil que sur cette pierre. C'est ma pierre. On n'en fait plus. Vous serez obligé de vous en passer, *vous.*

En voilà un spectacle : cela fait plus de deux générations que la folie ne s'est pas manifestée dans notre société. A présent, toutes les formes de cette maladie ont disparu et s'il en surgit une, par quelque accident génétique, elle est très vite éliminée par la Procédure Electromed. Depuis mes soixante ans, je n'ai pas rencontré de fou.

— Vous êtes qui, dites-vous ?

— Gate, né Gatoff. Edmund, né Élia.

Je fus très étonné : ce raffinement d'information ne figurait pas sur le monument.

— Edmund Gate est mort, dis-je. Il faut que vous soyez un historien littéraire pour connaître ce détail. Moi, je l'ai connu personnellement. Aujourd'hui, personne n'en a entendu parler, mais de mon temps c'était un homme célèbre. Un poète.

— Je suis payé pour le savoir, dit le fou.

— Il a sauté d'un pont, ivre mort.

— C'est ce que vous croyez. Si c'est comme ça, où est le corps ? Je vous le demande.

— Sous cette pierre. C'est un tas d'ossements à présent.

— Je croyais que le corps était dans le fleuve. Quelqu'un l'a-t-il jamais remonté, hein ? Votre mémoire est fichue et vous avez l'air d'avoir à peu près mon âge, mon vieux. Ma mémoire à moi est parfaite, je suis capable de me souvenir parfaitement et d'oublier parfaitement. C'est ma pierre, mon vieux. J'ai survécu pour la voir. Cette pierre, c'est tout ce qui reste d'Edmund Gate.

Il me regarda de ses yeux mi-clos, comme si cela lui faisait mal.

— Il est mort, vous savez.

— Dans ce cas, vous ne pouvez pas être lui, dis-je au fou. (Les vrais fous se contredisent toujours.)

— Oh ! que si, je peux. Je ne suis pas un poète mort, croyez-moi. Je suis ce qui lui a survécu. C'est une femme qui lui a succédé, vous savez. Une vieille folle. Je suis payé pour le savoir.

Il leva sa canne rouge vif et l'abattit sur mon épaule. Puis il s'esquiva, tremblant et chancelant dans ses drôles de souliers, parmi les autres monuments du Cimetière Préservé.

Pas une seule fois il ne m'avait reconnu. S'il avait vraiment été Élia, il aurait certainement reconnu mon visage. C'est pourquoi je suis certain d'avoir rencontré un véritable fou pour la première fois en plus de quarante ans. A ma demande, la Patrouille du Musée a fouillé sans relâche la zone du Cimetière, mais alors que j'écris ces lignes, elle n'a pas même trouvé la moindre empreinte de son talon pointu. Pourtant, ils ne doutent pas de mes dires, en dépit de mon grand âge ; la sénilité a été éliminée de notre société.

Table des matières

*Ouvrage réalisé en photocomposition
par l'imprimerie BUSSIÈRE
et imprimé sur presse CAMERON
dans les ateliers de la S.E.P.C.
à Saint-Amand-Montrond (Cher)
en septembre 1988*

ISBN 2-228-88005-1

— N° d'impression : 4832-1204. —
Dépôt légal : septembre 1988.
Imprimé en France